GRANDES BATALLAS

DE LA SEGUNDA GUERRA MUNDIAL

GRANDES BATALLAS
DE LA SEGUNDA GUERRA MUNDIAL

28 DE LAS ACCIONES BÉLICAS
MÁS IMPORTANTES ENTRE 1939 Y 1945

Bath • New York • Cologne • Melbourne • Delhi
Hong Kong • Shenzhen • Singapore

This edition published by Parragon Books Ltd in 2017 and distributed by:
Parragon Inc.
440 Park Avenue South, 13th Floor
New York, NY 10016, USA
www.parragon.com

Edición y diseño de Amber Books Ltd
Bradley's Close
74-77 White Lion Street
Londres N1 9PF
Reino Unido
www.amberbooks.co.uk

Editor del proyecto: Michael Spilling
Diseño: Graham Beehag
Investigación de ilustraciones: Terry Forshaw
Texto: Rupert Butler, Martin J. Dougherty,
Michael E. Haskew, Christer Jorgensen,
Chris Mann y Chris McNab

Traducción del inglés: Diego Riesco y Millán González para Locteam, Barcelona
Redacción y maquetación de la edición en español: LocTeam, Barcelona

ISBN 978-1-5270-0045-2

Impreso en China/Printed in China

CRÉDITOS DE LAS ILUSTRACIONES

Alcaniz Fresno's S.A.: 29(a); 30(ab); 71(ab); 135(ab); 143(a); 169(a); 179(ab); 201(ab); 224(ab)
Art-Tech/Aerospace: 10/11; 12(a); 20(a); 21(ambas); 28; 29(ab); 30(a); 36; 36/37; 44(ambas); 45(a); 46; 47(ab); 50/51; 52(ambas); 53(ab); 54–55(todas); 60(ab); 61; 63(a); 68; 69(d); 70(ab); 71(a); 76(ambas); 77(ab); 87(ambas); 95(todas); 96/97; 97; 102–103(todas); 105(a); 110(a); 111(a); 112(a); 118(ab); 121(ab); 126; 129(a); 137(a); 144(i); 151(ab); 152(ab); 156/157; 158; 160(a); 161(ab); 171(ab); 174/175; 178(a); 179(a); 184(a); 185; 193(a); 198/199; 203(ab); 208–210(todas); 211(a); 216(ab); 217(ab); 232(a); 233(ab); 234(a)
Art-Tech/MARS: 20(ab); 22; 34/35; 69(i); 70(a); 92/93; 94(a); 96; 104; 150; 164/165; 170(ab); 177(ab); 186(ab); 187; 200; 202(a); 217(a); 219; 225; 232(ab); 233(a); 235(ab)
Cody Images: 12(ab); 13; 14(a); 15(ambas); 58/59; 60(a); 62; 63(ab); 84/85; 86(ab); 88(a); 105(ab); 108/109; 110(ab); 113(ambas); 118(a); 120; 121(a); 142(ab); 151(a); 152(a); 153(ab); 159(ambas); 160(ab); 161(a); 170(a); 176; 177(a); 192; 202(ab); 203(a)
Corbis: 31(a); 86(a); 111(ab); 119(ambas); 182/183; 184(ab); 186(a); 193(ab); 214/215
Nik Cornish: 140/141
Getty Images: 14(ab); 18/19; 23(ambas); 26/27; 31(ab); 37(ab); 38–39(todas); 53(a); 79; 94(ab); 153(a); 190/191; 194(a); 195(ambas); 211(ab); 226(a)
Photos.com: guardas (ab-c)
Photos.12: 8/9
Suddeutscher Verlag: 66/67; 124/125; 132/133; 136(ab); 206/207
Topfoto: 166/167
Ukrainian State Archive: 74/75; 77(a); 78(ambas); 127–128(todas); 129(ab); 134; 135(a); 136(a); 137(ab); 142(a); 143(ab); 144(d); 145; 194(ab); 222/223; 224(a); 226(ab); 227(ambas)
U.S. Department of Defense: guardas (a, a-c, ab); 3–7; 42/43; 45(ab); 47(a); 82/83; 88(ab); 89; 100/101; 112(ab); 116/117; 148/149; 168; 169(ab); 171(a); 178(ab); 201(a); 216(a); 218; 230/231; 234(ab); 235(a)

ÍNDICE DE CONTENIDOS

INTRODUCCIÓN

La Segunda Guerra Mundial fue el conflicto más destructivo de la historia de la humanidad. Se suele seguir su desarrollo a través de los hitos que supusieron las principales contiendas entre los dos bandos, tendencia más que comprensible, ya que el transcurso de la historia militar está marcado por batallas decisivas.

Esto encaja con la filosofía militar occidental concebida a la manera de Carl von Clausewitz (1780-1831), quien afirmaba que la labor del comandante militar es localizar y atacar el punto clave que sirva para derrotar al enemigo, su «centro de gravedad». A nivel operacional este centro es el ejército y, por consiguiente, es importante arrastrar al oponente a la batalla y obtener una victoria decisiva.

No obstante, en las dos guerras mundiales que vivió el siglo XX, la victoria decisiva se mostró escurridiza. Muchas de las batallas o campañas que examinaremos en esta obra fueron resultado del intento de asestar el golpe definitivo. Pearl Harbor, la batalla de Inglaterra, la operación Barbarroja, Montecassino y la operación Market Garden son buenos ejemplos de ello. Sin embargo, rara vez se consiguió dar el golpe de gracia. La incursión en Sedán es quizá el único caso en que una

LÍDERES VICTORIOSOS: *El primer ministro británico, Winston Churchill (izquierda), el presidente de Estados Unidos, Franklin Roosevelt (centro), y el presidente soviético, Joseph Stalin (derecha), en la Conferencia de Yalta en febrero de 1945. En esta conferencia tripartita se decidió el destino de millones de personas en forma de acuerdos que vertebraron la reorganización de Europa en la posguerra.*

campaña quedó virtualmente decidida en una sola batalla. Lo habitual es que estas batallas marquen puntos de inflexión en el marco de campañas más prolongadas. Desplazaban frentes, desgastaban las fuerzas del enemigo y sentaban las bases para el siguiente choque importante. Esta era la naturaleza de la «guerra total» entre las naciones industrializadas.

Así, las batallas examinadas en esta colección siguen el proceso de cómo los aliados y el Eje intentaron imponerse en el transcurso de seis largos años de guerra. El mito de la invencibilidad de Alemania al principio de la contienda queda cuestionado por algunas de las batallas de la fase inicial. Mientras que Sedán, Dunkerque, Creta y los compases iniciales de la operación Barbarroja demuestran la maestría alemana en el manejo de la estrategia militar combinada, Westerplatte, Narvik y Leningrado demuestran que los aliados también eran capaces de poner en jaque a la *Wehrmacht*.

Conforme las perspectivas de una victoria inmediata se desvanecían, las batallas de la fase media de la guerra adoptaron un cariz más próximo al desgaste. El Alamein, Stalingrado, Kursk, Imphal y Montecassino fueron batallas agotadoras, largas y costosas en las que el valor y la superioridad material de los aliados fueron claves para la victoria. En el ámbito naval y anfibio, la contienda estuvo igualmente orientada al desgaste, y las batallas de Midway y Guadalcanal se caracterizaron más por una erosión de las fuerzas japonesas que por un intento de lograr una victoria rápida. Con todo, los alemanes y los japoneses eran adversarios muy hábiles y resistentes, e incluso cuando la suerte les dio la espalda opusieron una resistencia extraordinaria en Normandía y Arnhem, al igual que en las islas de Iwo Jima y Okinawa.

La naturaleza del liderazgo político de los principales protagonistas tiene mucho que decir a la hora de explicar la ferocidad y la larga duración del conflicto. Este es el caso especialmente de los gobernantes de los Estados totalitarios, Adolf Hitler en la Alemania nazi, Joseph Stalin en la Unión Soviética y los líderes militares de Japón, cuyas ansias expansionistas tuvieron una gran influencia en la prolongación de la lucha. No obstante, los líderes de las democracias, el británico Winston Churchill y el estadounidense Franklin Roosevelt, tampoco se quedaron atrás en lo que a determinación respecta.

La decisión de los líderes políticos de luchar hasta el fin solo pudo materializarse gracias a los esfuerzos de la gente corriente. La voluntad de la población para producir el material, proporcionar el personal necesario y soportar el ataque deliberado sobre civiles a través de bombardeos aéreos fue absolutamente crucial.

La «guerra total» de la Segunda Guerra Mundial no teminó hasta la conquista de Berlín y el uso de la bomba atómica.

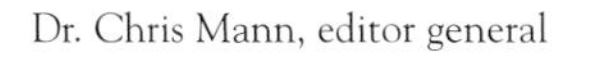

Dr. Chris Mann, editor general

TRES NIÑOS entre los escombros de una calle londinense destrozada por una bomba a consecuencia de una incursión aérea alemana, en septiembre de 1940.

EL FÜHRER ALEMÁN Adolf Hitler cambia impresiones con su homólogo italiano Benito Mussolini, en un desfile a caballo por Múnich, en junio de 1940.

10

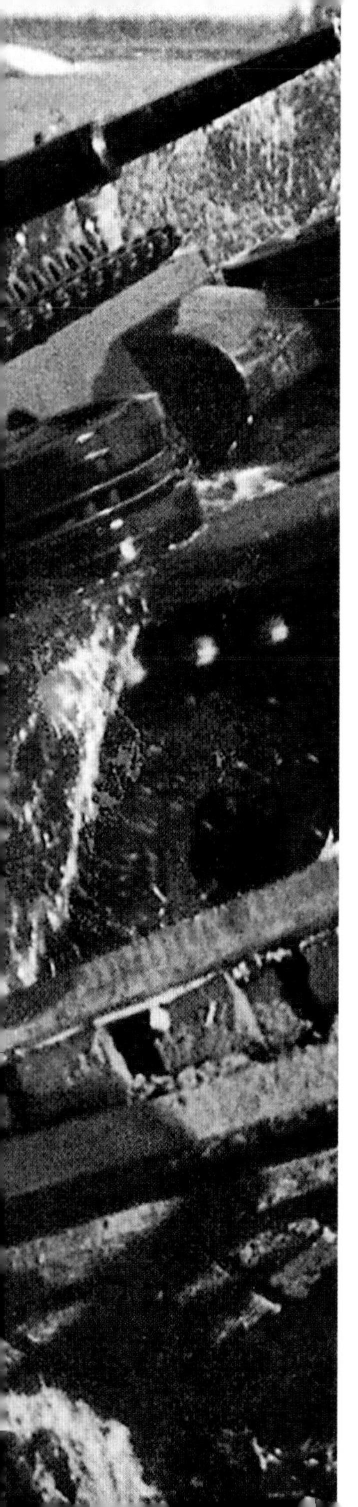

LOS PRIMEROS AÑOS

Las campañas iniciales de la Segunda Guerra Mundial estuvieron marcadas por una sucesión de victorias alemanas. La superioridad de los alemanes en el uso de sistemas modernos de armamento como tanques y aviones, su sólida doctrina y un audaz liderazgo les sirvieron para barrer a oponentes inferiores e incluso condujeron a impactantes victorias contra potencias con una capacidad equivalente, y en ocasiones superior, en cuanto a número y tecnología, como Gran Bretaña, Francia y la Unión Soviética.

A pesar de sus incontestables logros militares, el ejército alemán no fue capaz de asestar el golpe definitivo, y las victorias aéreas de los aliados en el sur de Inglaterra y a las puertas de Moscú no dejaron otra salida para Alemania que embarcarse en una lucha de desgaste a largo plazo.

UN PANZER III *alemán cruza un río en Bielorrusia tras la invasión de la Unión Soviética en junio de 1941. El ejército alemán se mostró prácticamente imbatible durante los primeros años de la guerra, fundamentalmente gracias a su superioridad táctica.*

WESTERPLATTE

1939

En Westerplatte se produjo el inicio de la Segunda Guerra Mundial. En el periodo de entreguerras se estableció como puesto militar polaco.

Los polacos estaban equipados con un cañón de campaña de 75 mm, dos cañones antitanque de 37 mm, cuatro morteros y varias ametralladoras medianas, pero carecían de auténticas fortificaciones. En otoño de 1939, la guarnición polaca que ocupaba Westerplatte estaba formada por 182 soldados, de quienes se esperaba que fueran capaces de resistir cualquier ataque durante 12 horas. Según el Tratado de Versalles, Danzig (Gdańsk) era una ciudad-estado libre bajo la protección de la Sociedad de Naciones, donde Polonia tenía una oficina de correos, derechos portuarios especiales y, a partir de 1924, derecho a mantener un arsenal «protegido». El lugar donde estaba guardado el arsenal del ferrocarril era la pequeña península de Westerplatte, llana y arenosa, con una extensión aproximada de medio kilómetro cuadrado.

DATOS DE WESTERPLATTE

Quiénes: El mayor Henryk Sucharski (1898-1946) lideró la resistencia de la pequeña guarnición polaca durante una semana de combates contra las fuerzas superiores de la Armada y la policía militar alemanas bajo el mando del contraalmirante Gustav Kleikamp y el general de la policía Friedrich Eberhardt, respectivamente.

Cómo: La fiera resistencia de Westerplatte retrasó de manera inesperada la ocupación alemana de la estrecha franja costera polaca, con lo que salvó indirectamente a la Armada polaca y abochornó a los alemanes.

Dónde: En el arsenal semifortificado de la península de Westerplatte, en la desembocadura del río Vístula, al norte de Gdańsk (Danzig).

Cuándo: Del 1 al 7 de septiembre de 1939.

Por qué: Hitler estaba resuelto a destruir Polonia a pesar de la existencia de un pacto de no agresión firmado en 1934.

Resultado: El ataque sobre Westerplatte la mañana del 1 de septiembre hizo estallar la Segunda Guerra Mundial.

JUSTO ANTES DE LA EMBESTIDA DE LOS ALEMANES: *Las tropas polacas, con un cañón ligero en unas maniobras de campo dirigidas por un oficial que lleva la característica visera de cuatro esquinas.*

Cuando Hitler asumió el poder en enero de 1933, los polacos se propusieron reforzar sus defensas en Westerplatte. Construyeron búnkeres, denominados oficialmente «cuarteles», y añadieron protecciones reforzadas con hormigón al pie de los barracones y de la villa de los suboficiales. Además, los polacos establecieron siete puestos de campo (*placówka*), dos de los cuales bloqueaban el acceso al continente a través del vulnerable puente natural. A partir de marzo de 1939, cuando Hitler reclamó Polonia, la guarnición entró en estado de máxima alerta y a finales de agosto ya había terminado la construcción de los puestos de campo. El 31 de agosto, los efectivos habían pasado de los 88 estipulados en principio a la cifra de 210 soldados. El comandante era Henryk Sucharski (1898-1946) y su lugarteniente, el capitán Dabrowski.

LOS PREPARATIVOS

Por el bando alemán, la lucha correría a cargo de una fuerza de 1.500 hombres del *Heimwehr* de las SS bajo el mando del general de la policía, Friedrich Eberhardt. Contaba con 225 infantes de Marina alemanes de primera a las órdenes del teniente Henningsen para dirigir cualquier ataque sobre el arsenal. El mando general estaba en manos del contraalmirante Gustav Kleikamp, cuyo buque insignia, el *Schleswig-Holstein*, construido en 1908, se encontraba oficialmente haciendo una visita de cortesía en Gdańsk. La mañana del 25 de agosto fondeó en el malecón sur del canal del puerto, en Neufahrwasser, a solo 150 m de distancia. Sucharski puso su guarnición en alerta máxima y ordenó que todo el trabajo defensivo se llevara a cabo durante la noche, puesto que los alemanes podían utilizar los elevados almacenes del muelle para observar la península durante el día. Kleikamp avanzó con su buque aguas arriba el 26 de agosto, con la intención de obtener una mejor posición para abrir fuego sobre Westerplatte.

VIERNES, 1 DE SEPTIEMBRE

A las 04.48 del viernes 1 de septiembre, los poderosos cañones del *Schleswig-Holstein* lanzaron ocho granadas sobre el sector sudeste de Westerplatte. La Segunda Guerra Mundial había estallado, y Sucharski comunicó por radio a la península de Hel: «S.O.S.: estoy bajo fuego enemigo».

Los alemanes habían conseguido abrir tres grandes agujeros en la muralla del perímetro, y los almacenes que contenían aceite estaban siendo pasto de las llamas. Ocho minutos más tarde, los hombres de Henningsen atacaron en formación de tres pelotones, y sus zapadores consiguieron volar la puerta del ferrocarril del muro que bloqueaba el puente natural. Pero luego las cosas se pusieron mal para los alemanes.

En primer lugar, los polacos lanzaron un contraataque y dejaron fuera de combate el nido de ametralladora del puesto de la policía de seguridad alemana (la *Schupo*) perdiendo

IZQUIERDA: UN INFANTE DE MARINA ALEMÁN *con el uniforme de verano al estallar la guerra, en 1939.*

ABAJO: CONFORME SE VA RECRUDECIENDO LA LUCHA, *los depósitos de combustible y los edificios de Westerplatte arden intensamente en la noche.*

UN PODERÍO NADA DESDEÑABLE *para ser todo un veterano: el* Schleswig-Holstein *abre fuego con sus cañones principales.*

tres hombres en el intento. Entonces, el teniente polaco al mando, Leon Pajak, abrió un intenso fuego de obús sobre el avance de los alemanes, que comenzaron a vacilar y detuvieron su ataque. Sucharski ordenó a su artillería disparar sobre los nidos de ametralladora con tiradores alemanes apostados en lo alto de los almacenes al otro lado del canal. La orden logró el efecto deseado, y detuvo el fuego que provenía de aquella dirección. A continuación, la misma batería estuvo a punto de dejar fuera de combate el puesto de mando del *Schleswig-Holstein*, pero los cañones del buque consiguieron rehacerse in extremis y acabar con la batería.

A las 06.22, los infantes de Marina alemanes enviaron al barco un frenético mensaje de radio: *Verluste zu gross, gehen zurück* ('Demasiadas pérdidas, nos retiramos'). Al otro extremo de Westerplatte, la policía de Gdańsk había intentado hacerse con el control del puerto, pero la guarnición y civiles armados habían detenido su ataque sorpresa. Había un total de 50 alemanes muertos, mientras que los polacos solo habían perdido ocho hombres. Kleikamp, que había previsto tomar el arsenal mediante un primer ataque relámpago, se encontraba ahora con una auténtica batalla. Con 60 efectivos de refuerzo del *Heimwehr* de las SS, los infantes de Marina lanzaron un nuevo ataque a las 08.55, liderado por Henningsen. Atravesaron la muralla del perímetro, ya reducida a ruinas, pero fueron detenidos por las minas, los árboles caídos, el alambre de espino y el intenso fuego polaco. Al mediodía, la lucha aún continuaba, pero los desmoralizados hombres de las SS se batieron en retirada. Henningsen estaba herido de muerte, y media hora más tarde sus hombres cesaron en su empeño.

La lucha había costado a los alemanes 82 bajas, y Westerplatte seguía resistiendo. El único consuelo para los alemanes era que habían masacrado a los defensores polacos de la oficina de correos de la ciudad de Gdańsk. Por lo demás, el ataque contra Westerplatte había sido un absoluto fracaso.

Durante la noche del 3 al 4 de septiembre, los alemanes atacaron los puestos de campo polacos, pero estos consiguieron repeler el ataque. El 4 de septiembre, un buque torpedero alemán (T-196) realizó un ataque sorpresivo sobre la península desde la costa. En ese mismo momento, el puesto de campo de Wal acababa de ser abandonado, lo que parecía una invitación al ataque alemán por la zona norte de Westerplatte; solo la posición del «fuerte» lo impedía.

El 5 de septiembre Sucharski proclamó la necesidad de rendir Westerplatte. Dabrowski se opuso obstinadamente a aquel espíritu derrotista y Sucharski ordenó a sus hombres seguir combatiendo con la misma tenacidad y valentía.

EL ATAQUE DEL TREN EN LLAMAS: 6 DE SEPTIEMBRE

Un agente polaco que trabajaba para los alemanes indicó que Westerplatte carecía de defensas en búnkeres subterráneos.

IZQUIERDA: PROBADO EN ESPAÑA EN 1938, el Stuka se utilizó para aterrorizar tanto a militares como a civiles en operaciones de bombardeo en picado en Polonia.

UN RESPIRO: 2-5 DE SEPTIEMBRE

Durante los días siguientes, los alemanes afirmaron no hacer ningún movimiento serio sobre el arsenal, mientras que para los hostigados defensores los ataques germanos parecían no tener fin.

Eberhardt convenció al comandante alemán, el general Fedor von Bock (1880-1945), de que era imposible realizar un ataque por tierra. Al día siguiente, la *Luftwaffe* atacó la guarnición con 60 bombarderos y más de 100 bombas.

La guarnición se enfrentaba ahora a un aislamiento total y a la perspectiva de nuevos ataques. Westerplatte carecía por completo de defensas antiaéreas (AA), de modo que el ataque del 2 de septiembre resultó devastador para los defensores.

DERECHA: FINALMENTE, DESPUÉS DE UNA SEMANA de fieros combates se iza la bandera del Reich alemán en Westerplatte tras la captura del puesto avanzado.

EL *SCHLESWIG-HOLSTEIN*

Construido entre 1905 y 1908, el crucero de combate se mantuvo en servicio después de 1919, año que marcó el hundimiento de la mayor parte de la armada alemana. Fue modernizado en 1925-1926, 1930-1931 y 1936, y se utilizó como barco de entrenamiento para cadetes y batería flotante. Tenía un desplazamiento de 13.454 toneladas, y sus dimensiones eran 126 m de eslora, 22,2 m de manga y un calado de 8,25 m. El *Schleswig-Holstein* estaba armado con cuatro cañones navales de 280 mm, 10 de 150 mm y cuatro de 88 mm, así como cuatro cañones antiaéreos de 200 mm. Para el enfrentamiento con los polacos de Westerplatte, la tripulación fue reforzada con 225 infantes de Marina y 60 efectivos de artillería antiaérea. La tripulación ordinaria ascendía a 907 hombres, pero, con la incorporación de todos los efectivos, aumentó hasta un total de 1.197.

A las 03.00 del 6 de septiembre, los alemanes enviaron un tren en llamas contra el puente natural, pero el aterrorizado maquinista lo desacopló demasiado pronto y no logró alcanzar la cisterna de aceite que había dentro del perímetro polaco. Si hubiera tenido éxito, se habría destruido la cobertura para los defensores. Los vagones ardiendo dejaron un campo de tiro perfecto y los alemanes sufrieron numerosas bajas. Esa misma tarde se intentó un nuevo ataque con otro tren en llamas que también fracasó.

7 DE SEPTIEMBRE: EL ÚLTIMO ASALTO

Sucharski ya había tomado la decisión de abandonar la lucha. Después de todo, el ejército alemán estaba ya a las puertas de Varsovia.

A las 04.30, los alemanes abrieron un intenso fuego sobre Westerplatte que se prolongó hasta las 07.00. A pesar del uso de lanzallamas, los polacos repelieron el asalto.

A las 09.45 se mostró la bandera blanca, y a las 11.00 Sucharski rindió la plaza a Kleikamp. Las tropas alemanas se cuadraron en formación mientras la guarnición polaca abandonaba heroicamente Westerplatte a las 11.33.

GUIADOS POR SU OFICIAL, *los soldados polacos marchan escoltados abandonando la contienda, con la cabeza alta y orgullosos a pesar de su derrota.*

WESTERPLATTE

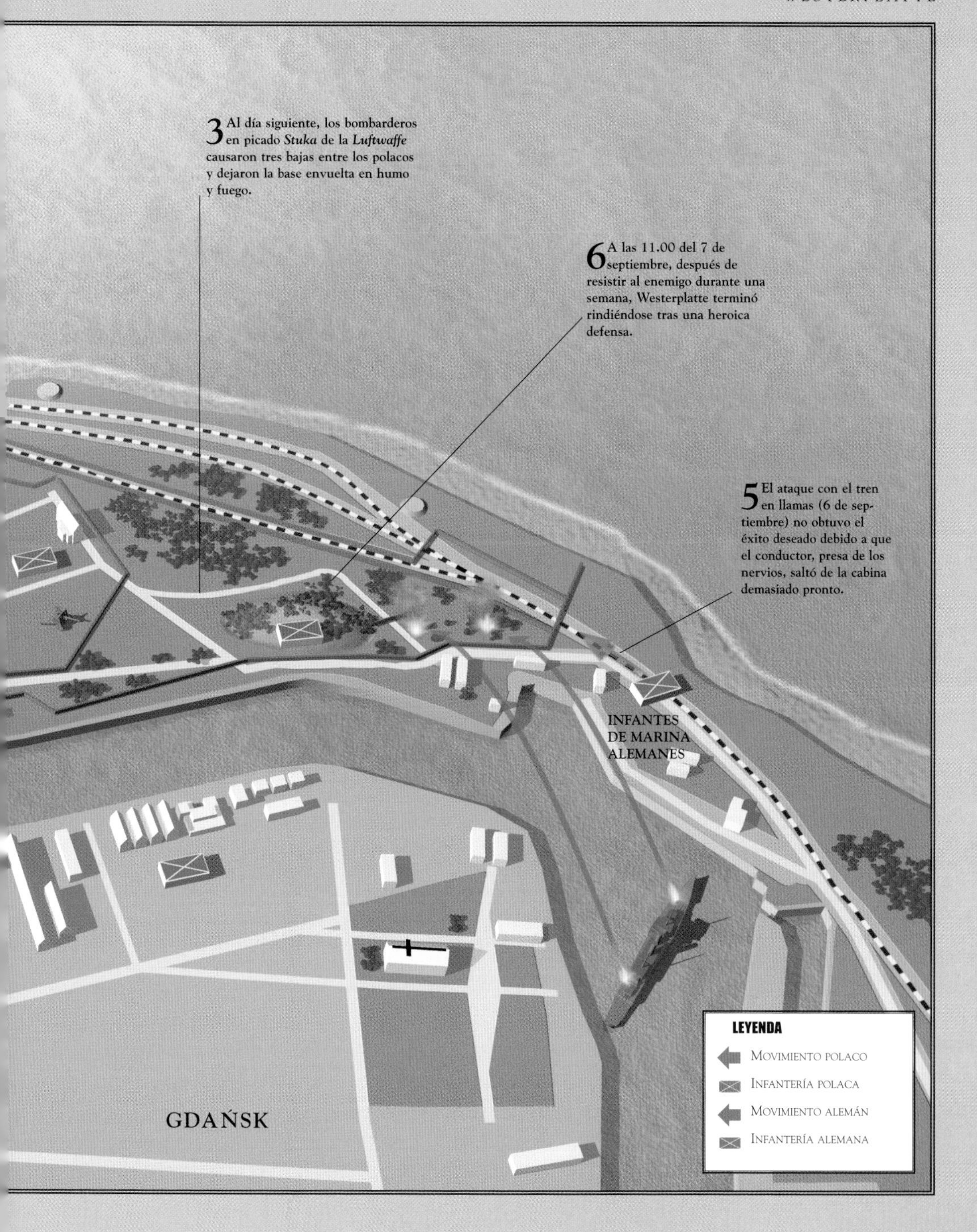
3 Al día siguiente, los bombarderos en picado *Stuka* de la *Luftwaffe* causaron tres bajas entre los polacos y dejaron la base envuelta en humo y fuego.
6 A las 11.00 del 7 de septiembre, después de resistir al enemigo durante una semana, Westerplatte terminó rindiéndose tras una heroica defensa.
5 El ataque con el tren en llamas (6 de septiembre) no obtuvo el éxito deseado debido a que el conductor, presa de los nervios, saltó de la cabina demasiado pronto.
INFANTES DE MARINA ALEMANES
GDAŃSK
LEYENDA
Movimiento polaco
Infantería polaca
Movimiento alemán
Infantería alemana

NARVIK 1940

A principios de abril de 1940 se inició una carrera por comprobar cuál de las potencias beligerantes (Gran Bretaña o Alemania) sería la primera en apoderarse del puerto de Narvik, un enclave vital desde el punto de vista estratégico. El 9 de abril, el general Eduard Dietl, comandante de la fuerza expedicionaria alemana, realizó un desembarco sin oposición.

La entrada de los alemanes a bordo de 10 modernos destructores solo encontró la resistencia de dos antiguos acorazados noruegos que pronto fueron hundidos por los torpedos alemanes. Berlín había informado a Dietl que él y sus hombres serían tratados como «liberadores» por parte de los noruegos. Para dar credibilidad a esta fantasía, el comandante local, el coronel Konrad Sundlo (1881-1965), capituló de inmediato. Su lugarteniente, el mayor Spjeldnes, salió de la ciudad con sus 209 efectivos ante la atónita mirada de los desconcertados alemanes, a los que saludó con un alegre *Guten Morgen* ('Buenos días'). Al oírlo, Dietl dio órdenes para que se desarmara a todos los noruegos. Por lo demás, Narvik cayó sin un solo disparo en respuesta.

DATOS DE NARVIK

Quiénes: Las tropas de montaña alemanas y austríacas bajo el mando del general favorito de Hitler, Eduard Dietl (1890-1944). Se enfrentaban a una fuerza aliada superior comandada por el general Pierse Mackesy (1883-1956) y el general mariscal de campo Claude Auchinleck (1884-1981). Los franceses estaban bajo el mando del general Antoine Béthouart (1889-1982).

Cómo: Narvik, recuperada por los aliados el 28 de mayo, fue la primera derrota que sufrieron los alemanes en la Segunda Guerra Mundial.

Dónde: En el puerto de mineral de hierro de Narvik, en la zona septentrional semiártica de Noruega.

Cuándo: Del 9 de abril al 7 de junio de 1940.

Por qué: Hitler quería controlar la costa, los puertos y los aeropuertos de Noruega, de gran valor estratégico en su guerra contra Gran Bretaña.

Resultado: La tardía recuperación de Narvik no cambió el rumbo de la guerra tras la invasión de los Países Bajos, Francia y Bélgica.

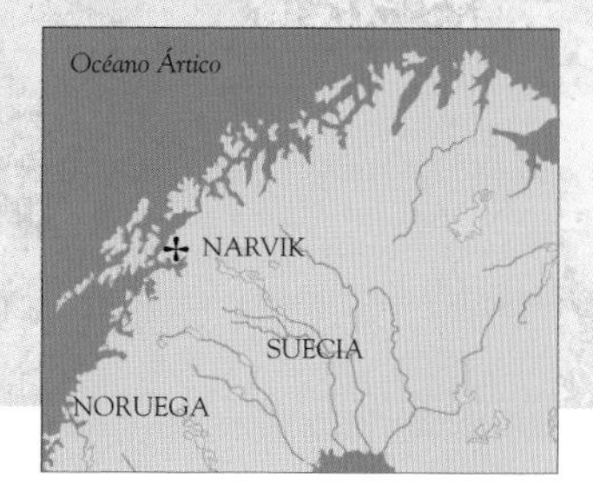

UNA ALDEA A LAS AFUERAS DE NARVIK arrasada durante el combate, en llamas tras un bombardeo naval de los aliados en mayo de 1940.

Izquierda: Buques mercantes en el puerto de Narvik en varios estadios de incendio y hundimiento tras el sorpresivo ataque aliado.

Al amanecer del día siguiente, cuatro destructores británicos al mando del comandante de la Marina Real Británica Bernard Warburton-Lee (1895-1940) irrumpieron en el puerto. Las naves de Lee hundieron dos destructores alemanes. En el ataque, el capitán de uno de ellos salió despedido por los aires junto con el barco, pero sobrevivió. El propio barco de Lee fue a parar directamente a un acantilado cercano, lo que le valió la concesión de la cruz de la Victoria a título póstumo.

Tres días más tarde, la baja de Lee fue vengada con el retorno de la Marina Real Británica, que hundió los ocho destructores restantes. El primer lord del almirantazgo, Churchill, recibió las noticias con deleite, mientras Hitler estallaba de ira en Berlín. Las fuerzas de Dietl estaban ahora completamente bloqueadas, y Hitler quería que se retiraran.

Sin embargo, Dietl no había perdido el tiempo. Equipó con armas noruegas requisadas a los 2.500 marineros desmovilizados y construyó un poderoso perímetro defensivo alrededor de Narvik y a lo largo de la línea de ferrocarril de Ofot hasta Suecia. Los «neutrales» suecos no verían con malos ojos proporcionarle generosos suministros e información.

Abajo: Alemanes y austriacos sirvieron en los Gebirgsjäger *o tropas de montaña, que aquí podemos ver durante el traslado a Narvik en un avión de transporte alemán (Junkers Ju-52).*

UNA OPORTUNIDAD PERDIDA

El 16 de abril, un mediocre comandante británico, el general Pierse Mackesy (1883-1956), telegrafió a Londres informando al Gabinete de que no podía avanzar sobre Narvik. Al día siguiente, Hitler canceló la orden a Dietl de evacuar, y los aliados se concentraron en mantener el control sobre el sur de Noruega en lugar de expulsar definitivamente de Narvik a la aislada guarnición de Dietl. Gracias a los «neutrales» suecos, Dietl recibió 24 vagones de suministros (inclusive la munición, más que necesaria) y tres efectivos camuflados como personal «médico».

Sin embargo, a finales de abril, la Fuerza Expedicionaria Aliada (AEF), a las órdenes del almirante lord Cork (1873-1967), ascendía a 30.000 hombres, entre los que se encontraban cuatro batallones de *Chasseurs Alpins* ('Cazadores Alpinos'), tropas de montaña polacas y dos batallones de la Legión extranjera.

PRIMERA OFENSIVA ALIADA: EL 12 DE MAYO

El 28 de abril, el general Antoine Béthouart (1889-1982) desembarcó en Harstad (cuartel general de los aliados), donde Mackesy le puso al corriente de que Narvik debía tomarse mediante un ataque a tres bandas. Sin embargo, Béthouart tenía unos planes bien distintos. Sus *Chasseurs Alpins*, junto con las tropas de montaña noruegas, se apoderarían de la península de Oyjord a modo de cabeza de puente para el asalto final sobre Narvik. La medianoche del 12 de mayo, a la luz de un sol brillante y el resplandor de la nieve, la flotilla aliada abrió fuego sobre Bjerkvik, al norte de Narvik, que estaba ocupada por el grupo *Windisch*. Los integrantes de la Legión extranjera desembarcaron y realizaron un avance frontal bajo un intenso fuego enemigo.

IZQUIERDA: LOS CHASSEURS ALPINS *estaban especialmente entrenados y equipados para combatir en terreno montañoso, bajo el frío y la nieve.*

ARRIBA: UN OFICIAL NAVAL ALEMÁN *de la* Kriegsmarine *se dirige a los infantes de Marina y las tropas de montaña a bordo de un transbordador alemán tras las operaciones de Narvik.*

Bjerkvik se convirtió en un infierno, y numerosos civiles cayeron masacrados en el fuego cruzado. Fueron necesarias dos horas para despejar la localidad.

En Meby, la resistencia alemana estaba siendo aplastada por los cañones del HMS *Effingham*, dos tanques Renault franceses y el 2.º Batallón de la Legión. A las 07.30, después de tres horas de intenso combate, la Legión capturó Elvegaardsmoen, y una enorme cantidad de suministros alemanes, incluida la correspondencia de Dietl, cayó en manos francesas. Béthouart envió a los polacos y a sus tanques tras las tropas alemanas a lo largo de la península de Oyjord.

Los alemanes salieron huyendo. El ejército alemán había invadido los Países Bajos, Bélgica y Francia el 10 de mayo, el mismo día en que Churchill había sido nombrado primer ministro británico. Tenían también bajo control la totalidad de Noruega al sur de Mosjoen, con el objetivo de relevar a Dietl en Narvik. El 20 de mayo, Churchill se quejó de que la AEF estaba movilizando recursos muy necesarios en una campaña secundaria.

UNA VICTORIA INÚTIL

El mariscal de campo Claude Auchinleck (1884-1981) y Béthouart acordaron tomar Narvik mediante un ataque a cuatro bandas sobre los alemanes.

A las 23.45 del 27 de mayo, la flota aliada preparó el desembarco en las playas mediante un bombardeo de desgaste. Una lluvia de obuses cubrió la ciudad de Narvik, Ankenes, Fagernes y todo el litoral.

A las 12.15, los legionarios desembarcaron directamente en la zona controlada por la compañía de artillería naval Nöller, compuesta por 50 efectivos. Los marineros se retiraron al terraplén del ferrocarril seguidos por los legionarios, que se hicieron con el control de la zona. Un cañón alemán disparaba desde el túnel cercano. Los legionarios cogieron a mano un cañón francés y dispararon a la boca del túnel hasta que la batería alemana quedó silenciada para siempre.

Un batallón noruego desembarcó en Orneset y unió sus fuerzas a los legionarios para atacar la colina 457, donde se habían atrincherado los *Gebirgsjäger* y los marineros alemanes. Estos ofrecieron una sólida resistencia, y las tropas aliadas sufrieron numerosas bajas en su avance. A las 04.00, los polacos se encontraban bajo intenso fuego alemán en Ankenes, mientras que el 2.º Batallón de la Legión aún no había podido desembarcar a través del Rombaksfjord.

Media hora más tarde, bombarderos alemanes atacaron a la flota aliada. En la colina 457, dos compañías alemanas lanzaron un ataque pendiente abajo, y los vacilantes aliados se vieron obligados a retroceder y dejar en peligro su precaria cabeza de puente. En Ankenes, el flanco izquierdo de los polacos estaba en peligro. En el mar, el jefe de Estado Mayor de Béthouart cayó muerto bajo el fuego alemán y dos barcazas de desembarco fueron hundidas.

A las 06.00, Hurricanes británicos sobrevolaron el campo de batalla y repelieron a la *Luftwaffe*, mientras el 2.º Batallón

ESCOLTADAS POR UN DESTRUCTOR DE LA MARINA REAL BRITÁNICA, tropas británicas son transportadas hacia el norte en abril de 1940.

desembarcaba en Taraldsvik. Los legionarios y los noruegos lograron hacer retroceder al enemigo e imponerse en la colina 457.

Entretanto, el 2.º Batallón y los noruegos hicieron retroceder a los alemanes a lo largo del ferrocarril de Ofoten, mientras en el norte los *Chasseurs Alpins* y los noruegos obligaron a los alemanes a replegarse hacia Hundal. El 2.º Batallón polaco tomó Nybord, desde donde podía abrir fuego sobre Ankenes.

LAS TROPAS FRANCESAS DESEMBARCAN en algún punto cercano a Narvik, con anterioridad a su exitosa toma del puerto.

Häussel decidió evacuar Narvik y condujo a sus tropas por la carretera de Beisfjord. Aquella maniobra dejó pequeños grupos aislados de alemanes combatiendo en la colina 457 y Fagernes. Esa misma tarde, las tropas aliadas conducidas por Béthouart hicieron su entrada triunfal en la liberada Narvik.

LAS FUERZAS ARMADAS NORUEGAS (1940)

Sobre el papel, el ejército noruego movilizado contaba con 100.000 hombres organizados en seis divisiones territoriales, una de las cuales se encontraba bajo el mando del general Carl Fleischer (1883-1942) en Harstad. Las tropas llevaban uniformes verdes que databan de 1912 y estaban armadas con rifles 1894 Krag-Jorgensen.

El ejército carecía de tanques, solo contaba con un puñado de carros blindados y unas pocas ametralladoras pesadas, y no tenía un núcleo realmente profesional. La exigua fuerza aérea noruega estaba formada por 76 aviones (en su mayor parte, Gloster Gladiators) y 940 hombres; quedó fuera de combate el 9 de abril. La Armada contaba con 113 naves, entre las que se contaban dos acorazados, el *Eidsvold* y el *Norge*.

LOS SOLDADOS NORUEGOS SE RINDEN a los alemanes; su país se enfrenta a una dura ocupación.

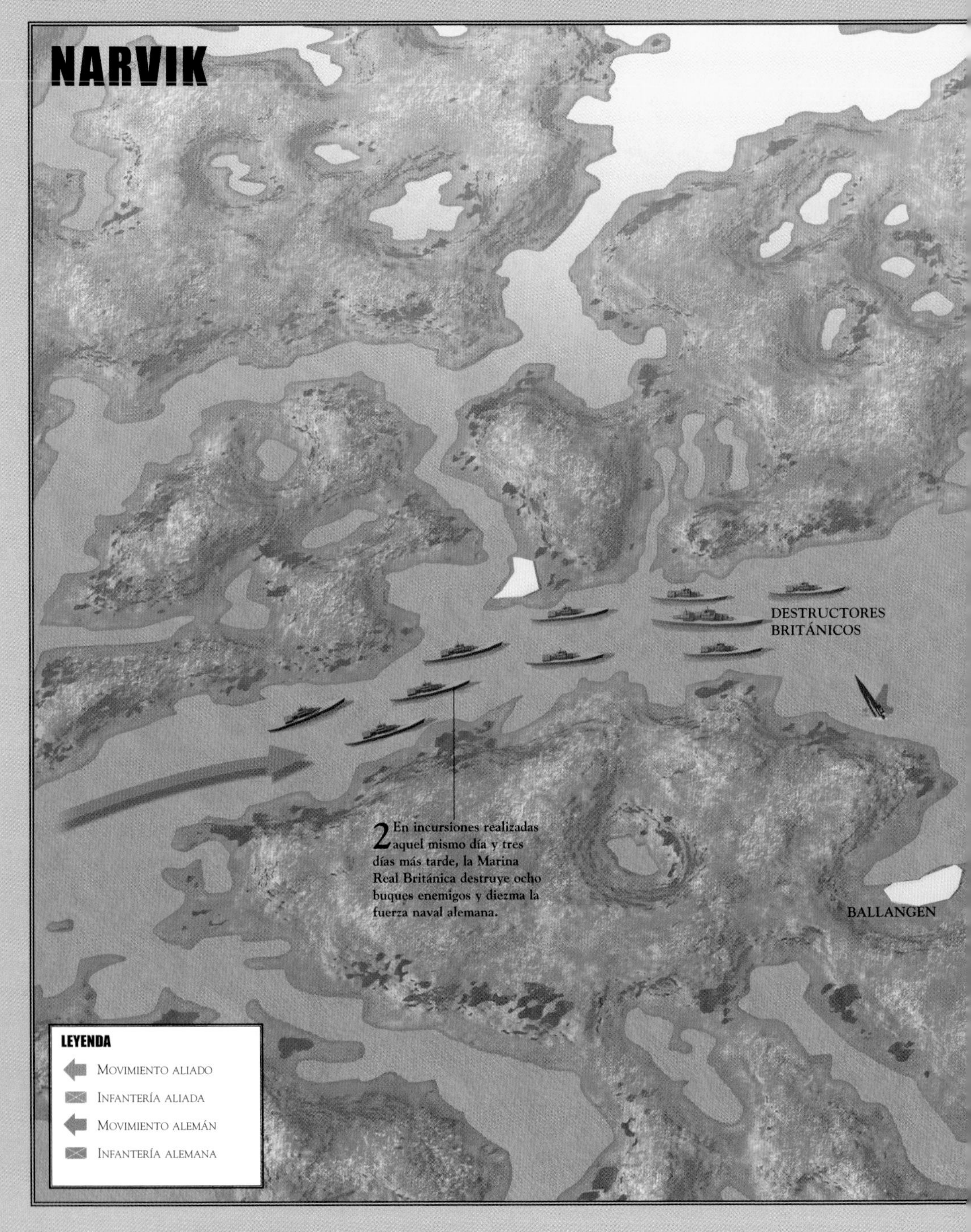
NARVIK
DESTRUCTORES BRITÁNICOS
2 En incursiones realizadas aquel mismo día y tres días más tarde, la Marina Real Británica destruye ocho buques enemigos y diezma la fuerza naval alemana.
BALLANGEN
LEYENDA
Movimiento aliado
Infantería aliada
Movimiento alemán
Infantería alemana

3 Los aliados no comienzan su contraataque hasta el 12 de mayo, tomando en primer lugar Bjerkvik y a continuación la península de Oyjord, a modo de movimiento preliminar antes de atacar la propia Narvik.
BJERKVIK
CHASSEURS ALPINS
LEGIONARIOS FRANCESES
NARVIK
1 A primera hora de la mañana del 9 de abril de 1940, cae Narvik en un ataque combinado de la fuerza terrestre y naval alemana a las órdenes del general austriaco Dietl.
4 Finalmente, las fuerzas terrestres aliadas, superiores en número y bajo las órdenes de los generales Béthouart y Auchinleck, se lanzan sobre Narvik, a pesar de la enconada resistencia enemiga.
5 Narvik cae en manos aliadas el 27-28 de mayo, mientras las tropas que le quedan a Dietl se refugian en Bjornfjell, al este, donde reciben suministros de los suecos.

LA INVASIÓN DE FRANCIA: SEDÁN

1940

La conquista de Francia y los Países Bajos en 1940 fue un sonado triunfo para la fuerza aérea y el ejército alemanes. Tras la exitosa campaña polaca, Hitler saboreaba los triunfos de su Blitzkrieg *('guerra relámpago'), conocida en clave como* Fall Gelb *('caso amarillo').*

Sin embargo, el mal tiempo, ciertas carencias en el equipamiento y la necesidad de un mayor entrenamiento provocaron más retrasos. El mayor general Erich von Manstein (1887-1973), jefe de Estado Mayor en el Grupo de Ejército A del mariscal de campo Gerd von Rundstedt (1875-1953), impulsó un enorme avance de

DATOS DE LA INVASIÓN DE FRANCIA: SEDÁN

Quiénes: Gerd von Rundstedt (1875-1953) y su jefe de Estado Mayor Erich von Manstein (1887-1973) estuvieron al mando del Grupo de Ejército A. Heinz Guderian (1888-1954), personaje clave en el desarrollo del concepto de divisiones masivas de tanques, contra el general Maurice Gamelin (1872-1958), comandante en jefe francés, y su futuro sucesor, Maxime Weygand (1867-1965).

Cómo: La táctica de la «guerra relámpago» (los *panzer* en estrecha coordinación con la artillería y los bombarderos en picado Stukas) cosechó notables éxitos.

Dónde: La zona de victorias alemanas se extendió desde la «impenetrable» línea Maginot francesa hasta Bélgica, el borde del canal de la Mancha y los Países Bajos al norte.

Cuándo: Del 10 al 28 de mayo de 1940.

Por qué: Hitler pretendía concentrar su atención en un asalto decisivo sobre la Unión Soviética.

Resultado: Las fuerzas francesas presentes en el centro vital de la línea aliada quedaron completamente destrozadas. En el norte, las fuerzas armadas holandesas quedaron prácticamente destruidas.

MAYO DE 1940: UNA COLUMNA ACORAZADA ALEMANA *de tanques Panzer II atraviesa las barreras antitanque francesas en Sedán, después de la evacuación de la ciudad por parte del ejército francés.*

UN JOVEN SOLDADO ALEMÁN posa ante la cámara en el avance hacia Dunkerque. Aparece armado con un rifle Kar-98 y lleva una granada al cinto.

sus blindados a través de los densos bosques de las Árdenas, que los franceses consideraban infranqueables. El plan era que los alemanes cruzasen a continuación el río Mosa justo al norte de la ciudad fronteriza de Sedán y saliesen a campo abierto, dirigiéndose a toda velocidad hasta el canal de la Mancha. Tras hacer pedazos a los franceses en Sedán, tomarían rumbo oeste siguiendo la margen norte del Somme hasta llegar al canal, lo que les permitiría atrapar al grueso de las principales fuerzas anglofrancesas.

EL ATAQUE SOBRE LOS PAÍSES BAJOS

El 10 de mayo, una fuerza especial de 424 hombres y un enjambre de planeadores se lanzaron con la intención de destruir el fuerte de Eben Emael. Siete divisiones motorizadas que incluían un total de 2.270 tanques y vehículos blindados atravesaron Luxemburgo sin encontrar oposición y penetraron en las colinas y la meseta de las Árdenas belgas. La zona solo contaba con la exigua protección de la caballería francesa, en la creencia de que las estrechas carreteras de la región no podrían dar cabida a una gran fuerza acorazada.

Durante las primeras horas, los tanques del general Erwin Rommel (1891-1944) tomaron rumbo hacia el Mosa en Dinant.

Simultáneamente, los *panzer* de Hitler atravesaban la frontera de Luxemburgo.

El general Heinz Guderian (1888-1954) había explicado con claridad a sus hombres cuál era el objetivo fundamental: el canal de la Mancha. Su superior, el general Ewald von Kleist (1881-1954), estaba al mando de las principales fuerzas *panzer* involucradas en la Operación Sichelschnitt ('Golpe de Hoz'), que segó el centro del frente en dirección al canal, acorralando así contra el mar a la Fuerza Expedicionaria Británica y al 1.er y 7.º Ejércitos franceses. Aprovechando la protección adicional prestada por la *Luftwaffe*, se extendió a lo largo de 160 km una gigantesca falange de blindados y vehículos cuya retaguardia comenzaba a 80 km al este del Rin. Debido a que la segunda sección del servicio secreto francés, el *Deuxième Bureau*, había hecho caso omiso de la inteligencia, todas las zonas estaban virtualmente indefensas.

EL EMPUJE DE LOS *PANZER*

Las fuerzas francesas fueron reagrupadas a toda prisa por orden del general Maurice Gamelin (1872-1958), el comandante en jefe. Dos cuerpos del flanco izquierdo del 9.º Ejército bajo el mando del general francés André Corap (1873-1953) tomaron posiciones en el Mosa entre Namur y Givet, y vadearon el río para chocar con Von Rundstedt.

LA GRUESA CORAZA del tanque francés Char B1 bis requirió un costoso mantenimiento y un constante repostaje, y tuvo que afrontar numerosas averías.

El 12 de mayo, el cuerpo comandado por Guderian había capturado Bouillon y cruzó la frontera francesa justo al norte de Sedán, donde los belgas habían dejado muchos controles de carretera sin defender. Decidido a aprovechar su ventaja, Guderian convenció a Von Kleist para que le dejara lanzar sus tres divisiones *panzer* al otro lado del Mosa, junto a Sedán. Los aullantes bombarderos Junkers JU 87 Stuka se abalanzaron sobre la artillería francesa, mientras cañones antiaéreos de 88 mm de alta velocidad rociaban los búnkeres enemigos. Efectivos del Regimiento de Infantería *Grossdeutschland* fueron transportados en barcas para atacar las

UNA BRECHA EN EL AVANCE alemán a través de las Árdenas, triunfante a pesar de la creencia de que era imposible desplazarse por un terreno así.

posiciones francesas. En horas, el *Grossdeutschland* ganó una línea del río que los franceses creían a buen recaudo. Se abrió una brecha entre el 2.º y el 9.º Ejércitos franceses; el Cuerpo de Panzer de Guderian avanzó y se posicionó apuntando al canal de la Mancha. Posteriores avances alemanes dejaron en evidencia la insuficiente coordinación entre los tanques y la infantería franceses. Sin embargo, la 6.ª y 8.ª Divisiones Panzer tenían que vérselas con las respuestas de fuego de ametralladora, lo que también entorpecía el trabajo de los ingenieros a la hora de construir pontones en la localidad de Monthermé. Una vez reagrupadas, las fuerzas acorazadas alemanas aseguraron su posición tras un violento combate. Dos divisiones francesas, la 51.ª y la 71.ª, estaban abocadas a la aniquilación. La 7.ª División Panzer de Rommel había alcanzado el Mosa más abajo de la ciudad de Dinant, pero se encontró con tropas francesas de artillería pesada que oponían resistencia. La atención de Rommel se centró en las dificultades que estaba experimentando su infantería motorizada en el intento de cruzar el río. Para controlar los vados, ordenó incendiar los edificios del lado alemán y las tropas de asalto de Rommel lograron establecer una cabeza de puente, mientras que los reservistas franceses estaban demasiado conmocionados para contraatacar.

En Sedán, la 1.ª Brigada Panzer cruzó el Mosa sobre un puente de pontones construido a toda prisa. Los cazas de la *Luftwaffe* mantuvieron a raya los asaltos enemigos mientras las fuerzas de Guderian profundizaban al sur su cabeza de puente, que alcanzaba ya los 48 km. El mismo 14 de mayo, las fuerzas aliadas mantuvieron su primer encuentro con los alemanes que atravesaban Bélgica a marchas forzadas. El rápido avance de Guderian desató la ansiedad en Berlín al carecer del apoyo de la infantería. Pero eran los flancos aliados los que estaban en peligro.

EL CAMINO HACIA PARÍS

El primer ministro británico, Winston Churchill (1874-1965), recibió al día siguiente una desesperada llamada telefónica del primer ministro francés, Paul Reynaud (1878-1966), en la que le dijo: «Estamos derrotados… El camino hacia París está abierto». Con las fuerzas reagrupadas apresuradamente cerca de la ciudad de Montcornet, al norte de París, el coronel Charles de Gaulle (1890-1970) lanzó tres acciones ofensivas que casi alcanzaron el cuartel general

IZQUIERDA: ESTE CABO SIRVIÓ con el 1.er Regimiento Panzer, una de las unidades que participaron en la incursión en Sedán.

ABAJO: UN EFECTIVO TANQUE medio-ligero con armamento montado de asalto, antitanque y antiaéreo, el Pz 38t, fabricado en Chequia durante la guerra. Este modelo combatió en la 2.ª División Panzer.

avanzado de Guderian. En torno a Dunkerque se reunió un perímetro defensivo para que las tropas británicas y francesas tuvieran un lugar de retirada. La preocupación ahora era encontrar la manera de que las fuerzas británicas y francesas escaparan a la aniquilación en Dunkerque. Sin embargo, el 21 de mayo cuatro batallones se encontraron cerca de Arras con la 7.ª División Panzer y la División *Totenkopf* de las Waffen SS. Esto no impidió que las divisiones acorazadas alemanas penetrasen hasta la costa dos días más tarde. La Fuerza Expedicionaria Británica estaba bloqueada. Por si fuera poco, el ejército belga capituló el 28 de mayo.

TRAS LA BATALLA

Han sido muchas las razones para explicar la orden de Hitler de que Guderian detuviera sus tropas en Dunkerque. Podría haberse debido a que el terreno pantanoso junto a la costa no era apropiado para los tanques, o quizá fue por el contratiempo de Arras o por el deseo de Von Rundstedt de reagrupar sus fuerzas para el asalto en París. Churchill estaba resuelto a mantener a Francia dentro de la guerra, y envió todos los refuerzos que pudo para que desembarcaran en Cherburgo y Brest, pero las esperanzas de progreso eran vanas ante los *panzer* y los Stukas. El 14 de junio, la implacable fuerza destructora de la *Wehrmacht* hizo su entrada en la indefensa capital francesa. En unos pocos meses, el interés de Hitler se desplazaría hacia el este.

ERICH VON MANSTEIN

Erich von Manstein (1887-1973), el arquitecto de la *Blitzkrieg*, fue ascendido a general mariscal de campo el 19 de julio de 1940, tras la caída de Francia. En 1941-1942, estuvo al frente del 11.º Ejército en la conquista de Crimea, mientras que su contraofensiva caucasiana salvó de la destrucción al Grupo Militar del Don tras la aplastante derrota alemana en Stalingrado a finales de 1942. Sus enfrentamientos con Hitler fueron en aumento conforme la situación iba empeorando en el frente oriental. Esto sirvió para alimentar la desconfianza de Hitler, probablemente influenciado por los orígenes judíos de Manstein. Hitler lo relevó del mando en 1944, pero demostró atesorar un espíritu de supervivencia, a pesar de sus devaneos con el movimiento de resistencia antinazi. En 1948 fue imputado como criminal de guerra, encarcelado y finalmente liberado en 1953. Posteriormente trabajó como asesor de asuntos militares para el Gobierno de Alemania Occidental y falleció en Múnich el 1 de junio de 1973, con 85 años.

LOS PANZER III Y IV circulan por la calle principal de una ciudad, en algún lugar al norte de Francia. El Panzer IV, un robusto veterano, mantuvo especialmente el tipo ante los aliados.

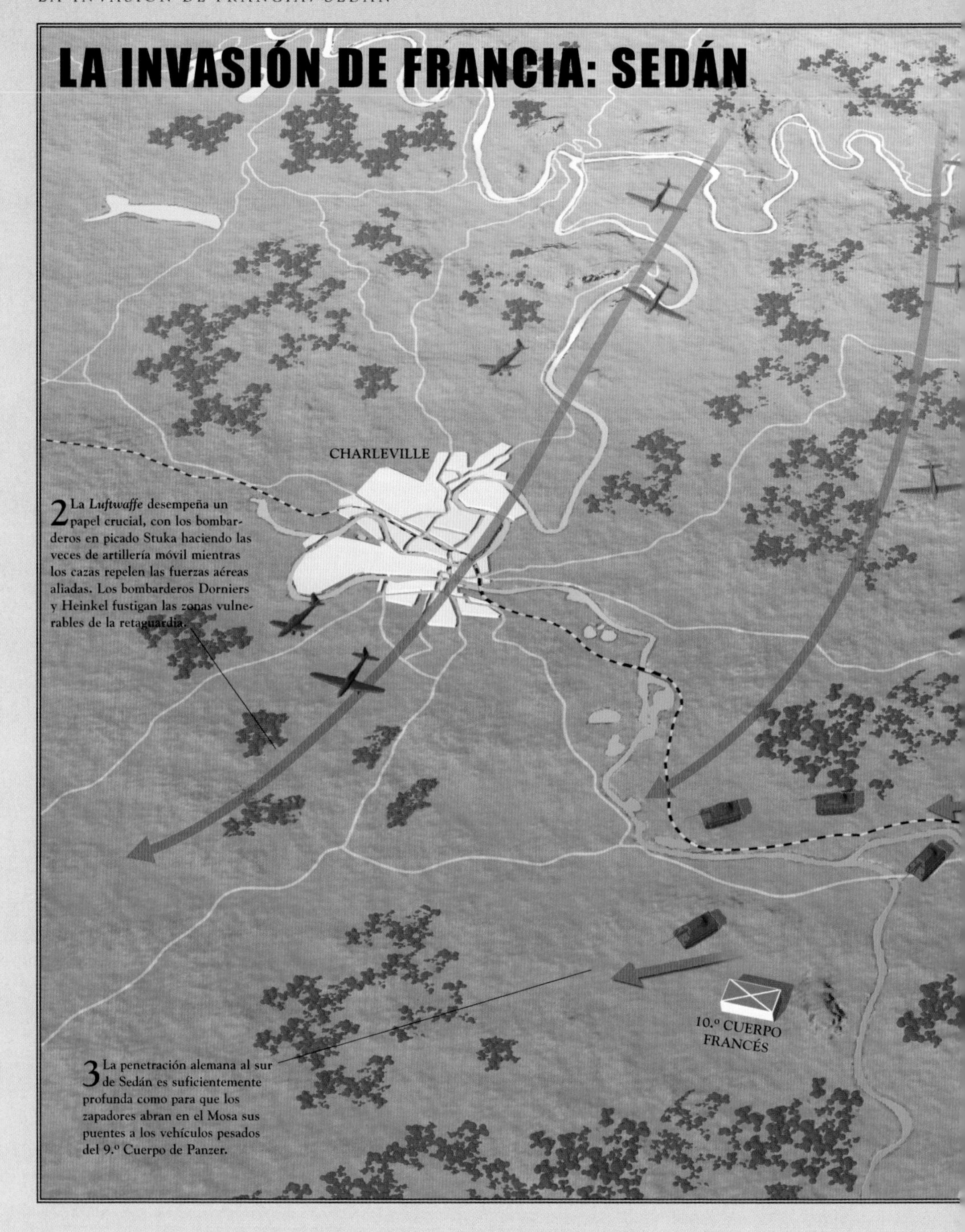
LA INVASIÓN DE FRANCIA: SEDÁN
CHARLEVILLE
2 La *Luftwaffe* desempeña un papel crucial, con los bombarderos en picado Stuka haciendo las veces de artillería móvil mientras los cazas repelen las fuerzas aéreas aliadas. Los bombarderos Dorniers y Heinkel fustigan las zonas vulnerables de la retaguardia.
10.º CUERPO FRANCÉS
3 La penetración alemana al sur de Sedán es suficientemente profunda como para que los zapadores abran en el Mosa sus puentes a los vehículos pesados del 9.º Cuerpo de Panzer.

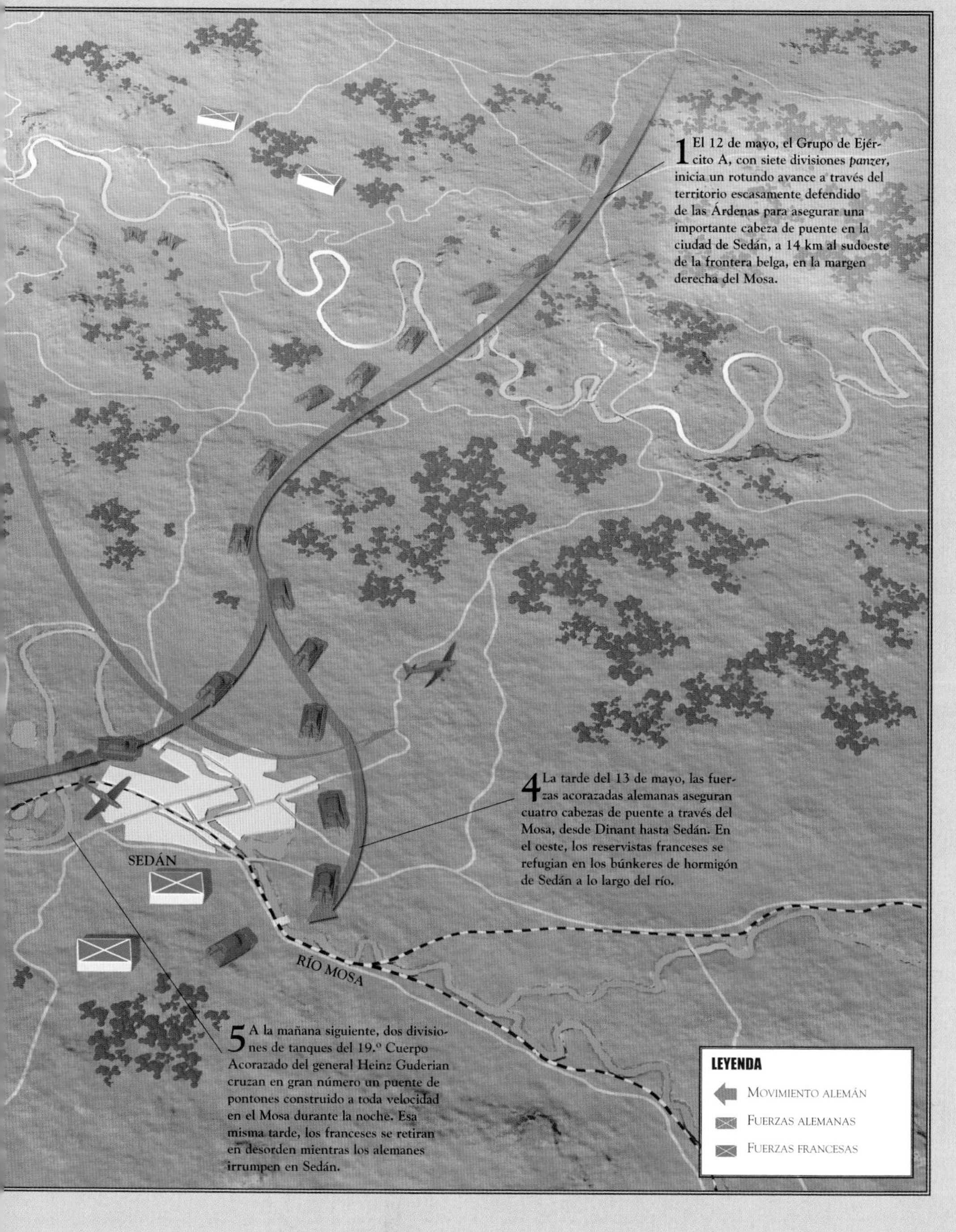
1 El 12 de mayo, el Grupo de Ejército A, con siete divisiones *panzer*, inicia un rotundo avance a través del territorio escasamente defendido de las Árdenas para asegurar una importante cabeza de puente en la ciudad de Sedán, a 14 km al sudoeste de la frontera belga, en la margen derecha del Mosa.
4 La tarde del 13 de mayo, las fuerzas acorazadas alemanas aseguran cuatro cabezas de puente a través del Mosa, desde Dinant hasta Sedán. En el oeste, los reservistas franceses se refugian en los búnkeres de hormigón de Sedán a lo largo del río.
SEDÁN
RÍO MOSA
5 A la mañana siguiente, dos divisiones de tanques del 19.º Cuerpo Acorazado del general Heinz Guderian cruzan en gran número un puente de pontones construido a toda velocidad en el Mosa durante la noche. Esa misma tarde, los franceses se retiran en desorden mientras los alemanes irrumpen en Sedán.
LEYENDA
Movimiento alemán
Fuerzas alemanas
Fuerzas francesas

DUNKERQUE 1940

Durante las semanas iniciales de la Segunda Guerra Mundial en el oeste, miles de soldados de la Fuerza Expedicionaria Británica y el 1.er Ejército francés fueron evacuados del continente europeo a lo largo de nueve días de lucha desesperada en la costa del canal de la Mancha.

El rescate en sí fue considerado un milagro, ya que una flotilla reunida a toda prisa con barcos militares y civiles tuvo que soportar el acoso de los ataques aéreos de la *Luftwaffe* alemana para transportar a las tropas a un lugar seguro.

Durante ocho meses, los ejércitos de ambos bandos no habían ido más allá de un cauteloso estudio. Entonces, el 10 de mayo de 1940, aquella *Sitzkrieg* o «guerra de broma» saltó en pedazos con la invasión alemana de Francia y los Países Bajos. En el norte, 30 divisiones del Grupo de Ejército B cruzaron las fronteras de Holanda y Bélgica, y crearon así un frente de 322 km. Más al sur, 45 divisiones del Grupo de Ejército A atravesaron el bosque de las Árdenas y evitaron las defensas de la línea Maginot. Bajo las órdenes de uno de los más destacados partidarios de la lucha móvil, el general

DATOS DE DUNKERQUE

Quiénes: La Fuerza Expedicionaria Británica y fuerzas armadas francesas, belgas, holandesas y británicas bajo el mando del mariscal de campo John, lord Gort (1886-1946), contra el Grupo de Ejército A alemán dirigido por el general Gerd von Rundstedt (1875-1953).

Cómo: Los alemanes forzaron la evacuación de los británicos y otros aliados, pero no pudieron dar el golpe definitivo que podría haber alterado el curso de la Segunda Guerra Mundial a su favor.

Dónde: En la ciudad portuaria de Dunkerque y sus alrededores, en la costa del canal de la Mancha, en el noroeste de Francia.

Cuándo: Del 26 de mayo al 4 de junio de 1940.

Por qué: Los alemanes pretendían ocupar Europa occidental con la conquista de Francia y los Países Bajos.

Resultado: Las fuerzas aliadas perdieron miles de prisioneros junto con grandes cantidades de material militar. Sin embargo, 338.226 soldados pudieron ser evacuados a Inglaterra.

SOLDADOS BRITÁNICOS Y FRANCESES HERIDOS *abandonan en fila la playa de Dunkerque. Días después de la ofensiva alemana lanzada el 10 de mayo de 1940, la Fuerza Expedicionaria Británica y los restos del ejército francés se vieron forzados a evacuar el continente europeo.*

Heinz Guderian (1888-1954), los tanques y la infantería motorizada alemana barrieron sin piedad el noroeste, con un avance en forma de arco que les permitió llegar hasta la costa.

BLITZKRIEG: LA GUERRA RELÁMPAGO

La asombrosa rapidez de la ofensiva alemana amenazaba con acorralar a todas las tropas aliadas al norte de la incursión del Grupo de Ejército A, mientras tres divisiones *panzer* de Guderian avanzaban a marchas forzadas en dirección a los puertos del canal de Boulogne, Calais y Dunkerque. Tres posiciones clave, los franceses en Lille, unidades del ejército belga en el río Lys y los británicos en Calais, oponían resistencia al ataque alemán. A las 72 horas de llegar a Abbeville, los alemanes capturaron Boulogne y Calais, y efectivos de la División Panzer avanzaron hasta

posiciones a 19 km de Dunkerque, la única vía de escape con la que aún contaban las fuerzas aliadas del norte de Francia y Bélgica. A pesar de que se le había ordenado montar un contraataque para apoyar a los franceses, el mariscal de campo John, lord Gort (1886-1946), comandante de la Fuerza Expedicionaria Británica, optó sin embargo por concentrar sus tropas en las proximidades de Dunkerque para evacuar el mayor número posible de soldados a la relativa seguridad que brindaba Inglaterra. La heroica defensa de Lille que realizaron los franceses, la de Boulogne a cargo del 2.º Batallón de la Guardia Irlandesa y un batallón de la Guardia Galesa, así como la de Calais por parte de la 30.ª Brigada de Infantería Británica, proporcionaron a Gort un tiempo precioso para preparar un perímetro defensivo en torno a Dunkerque. Sin embargo, todo esfuerzo parecía vano, ya que los comandantes de las divisiones acorazadas alemanas tenían ya la torre de la iglesia de la ciudad en el punto de mira de sus prismáticos.

TOMMY EL INDOMABLE

Con su fiel fusil Lee-Enfield colgando al hombro y el casco característico sujetado a la barbilla por el robusto barboquejo, un soldado de la Fuerza Expedicionaria Británica (BEF), conocida cariñosamente como Tommy, consigue reflejar una expresión alegre en los oscuros días de 1940. Conforme la amenaza de guerra con la Alemania nazi iba en aumento, el reclutamiento elevó rápidamente la fortaleza del ejército británico, y solo en 1939 las tropas británicas aumentaron en un millón de hombres.

En el momento de la ofensiva de primavera de los alemanes, en 1940, la BEF estaba compuesta por 10 divisiones desplegadas en el continente europeo. Durante la evacuación de la BEF de Dunkerque, denominada operación Dynamo, más de 218.000 soldados británicos y 120.000 franceses fueron puestos a salvo mediante una evacuación por mar hacia las costas británicas en la que se implicaron muchos efectivos civiles.

UNA PAUSA PARA LOS *PANZER*

De manera más que inesperada, la mayor ayuda al plan de evacuación de los aliados llegó de manos del propio Hitler. El 24 de mayo, el *Führer* visitó la base de operaciones del general Gerd von Rundstedt (1875-1953), comandante del Grupo de

ARRIBA: MILES DE SOLDADOS ALIADOS *a la espera del rescate en Dunkerque, mientras los acorazados y la infantería alemanes continúan presionando un perímetro cada vez más reducido.*

Ejército A, en Charleville. Influenciado por el mariscal imperial Hermann Göring (1893-1946) para que permitiera a su *Luftwaffe* asestar el golpe mortal al enemigo en Dunkerque, Hitler ordenó a Rundstedt que detuviera los tanques de sus seis divisiones *panzer* a lo largo del canal Aa. La orden dejó a Guderian «estupefacto». Durante casi 48 horas el ataque terrestre alemán remitió y las tropas aliadas concentradas en Dunkerque fueron golpeadas bajo el ensordecedor vuelo de los Stukas y bombardeadas por los cazas de la *Luftwaffe*. El 26 de mayo se reanudó el ataque por tierra, pero aquel respiro había permitido a Gort reforzar la tenue defensa conectando un tramo de 48 km de costa desde Gravelines, en el sur, hasta Nieuport (Bélgica), en el norte. Dos días más tarde, el rey belga Leopoldo III (1901-1983) ordenó la rendición de sus fuerzas, y el perímetro defensivo de los aliados no paraba de estrecharse. En último extremo, las fuerzas aliadas quedaron recluidas en un foco de resistencia de solo 11 km de ancho.

DERECHA: BAJO LA AMENAZA CONSTANTE *del ataque aéreo de la* Luftwaffe, *los soldados de la Fuerza Expedicionaria Británica hacen cola para subirse a la próxima embarcación que los transportará desde Dunkerque a puerto seguro.*

MIENTRAS AL FONDO SE LEVANTA LA CORTINA DE HUMO *de un ataque aéreo de la* Luftwaffe, *un soldado británico tendido boca arriba apunta a un avión alemán.*

OPERACIÓN DYNAMO

Ya el 20 de mayo, cuando se estaba poniendo de manifiesto la debacle de los aliados en el continente, el primer ministro británico, Winston Churchill (1874-1965), autorizó la preparación de la operación Dynamo, esto es, la evacuación de la Fuerza Expedicionaria Británica de Francia.

A la Marina Real Británica le era imposible aportar los buques necesarios para el rescate, y el vicealmirante Bertram Ramsay (1883-1945) convocó a todas las naves mayores de 9,3 m de eslora a que se reunieran en los puertos de Inglaterra. Barcos recreativos, *ferries*, goletas de regata y sus tripulaciones civiles se unieron a los destructores de la Marina Real en la peligrosa travesía de 88 km por el canal de la Mancha, sembrado con minas alemanas, bajo continuos ataques aéreos y dentro del alcance de la artillería pesada alemana.

LOS ATAQUES AÉREOS

El bombardeo de la *Luftwaffe* había dejado en llamas la ciudad de Dunkerque y las instalaciones del puerto habían quedado destruidas. Para recibir a bordo a los soldados, los buques de rescate se vieron obligados a arriesgarse a encallar en las playas o amarrar en uno de los dos «malecones». Fueron muchos los actos de heroísmo que se registraron durante los transbordos de los buques. Un yate de 19 m, el *Sundowner*, consiguió llevar a buen puerto a 130 soldados, mientras que cerca de un centenar perecieron a bordo del vapor a paletas *Fenella* cuando una bomba alemana hendió su cubierta y explotó. Casi un tercio de las 693 naves que participaron fueron destruidas, pero desde el 26 de mayo hasta el rescate final, que culminó en las horas previas al amanecer del 4 de junio, un total de 338.226 soldados aliados arribaron a costas inglesas.

A su llegada, los soldados aliados, exhaustos y maltrechos, fueron recibidos como héroes. Los ciudadanos británicos salieron al unísono de sus hogares con comida y bebida para las hambrientas tropas. Casi todo su equipamiento pesado había quedado abandonado en las playas de Dunkerque, miles de sus compañeros habían muerto o habían sido capturados, y las fuerzas armadas británicas y francesas habían sufrido una de las más contundentes derrotas militares de su historia.

Derecha: Después de que la aviación alemana hundiera su barco, atónitos soldados franceses y marineros de la Marina Británica son rescatados de las aguas del canal de la Mancha durante la operación Dynamo.

TRAS LA BATALLA

Los historiadores han debatido en torno a las razones que llevaron a Hitler a detener sus *panzer*. Algunos afirman que el propósito de los alemanes ya estaba completamente centrado en la derrota total de Francia y la captura de París. Otros sostienen que Hitler estaba preocupado por el terreno pantanoso de Flandes, que era poco indicado para las maniobras de los tanques. Los propios tanques se habían desplazado a marchas forzadas y llevaban ya un tiempo en combate, por lo que muchos de ellos necesitaban una puesta a punto, y algunos valiosos efectivos se habrían perdido sin duda en un eventual ataque total sobre las defensas aliadas. Göring argumentó que la *Luftwaffe* era claramente más leal y fervientemente nazi que la plana mayor del ejército alemán. Por tanto, debía concederse a las fuerzas del aire el honor de aniquilar al enemigo.

Sin embargo, en último extremo la *Luftwaffe* había fracasado en su intento de forzar una capitulación de los aliados. Miles de soldados aliados habían escapado a la muerte o la captura. El milagro de Dunkerque se considera un momento conmovedor en la historia militar, y la decisión de Hitler de detener a sus *panzer* ha pasado a la posteridad como una de las grandes incógnitas de la Segunda Guerra Mundial. Nunca se sabrá qué habría ocurrido si hubieran proseguido su avance.

Abajo: Soldados británicos y franceses capturados durante la ocupación alemana de Dunkerque. La Luftwaffe no había podido aniquilar a las fuerzas aliadas, y los que lograron ser rescatados aún combatieron durante otra jornada.

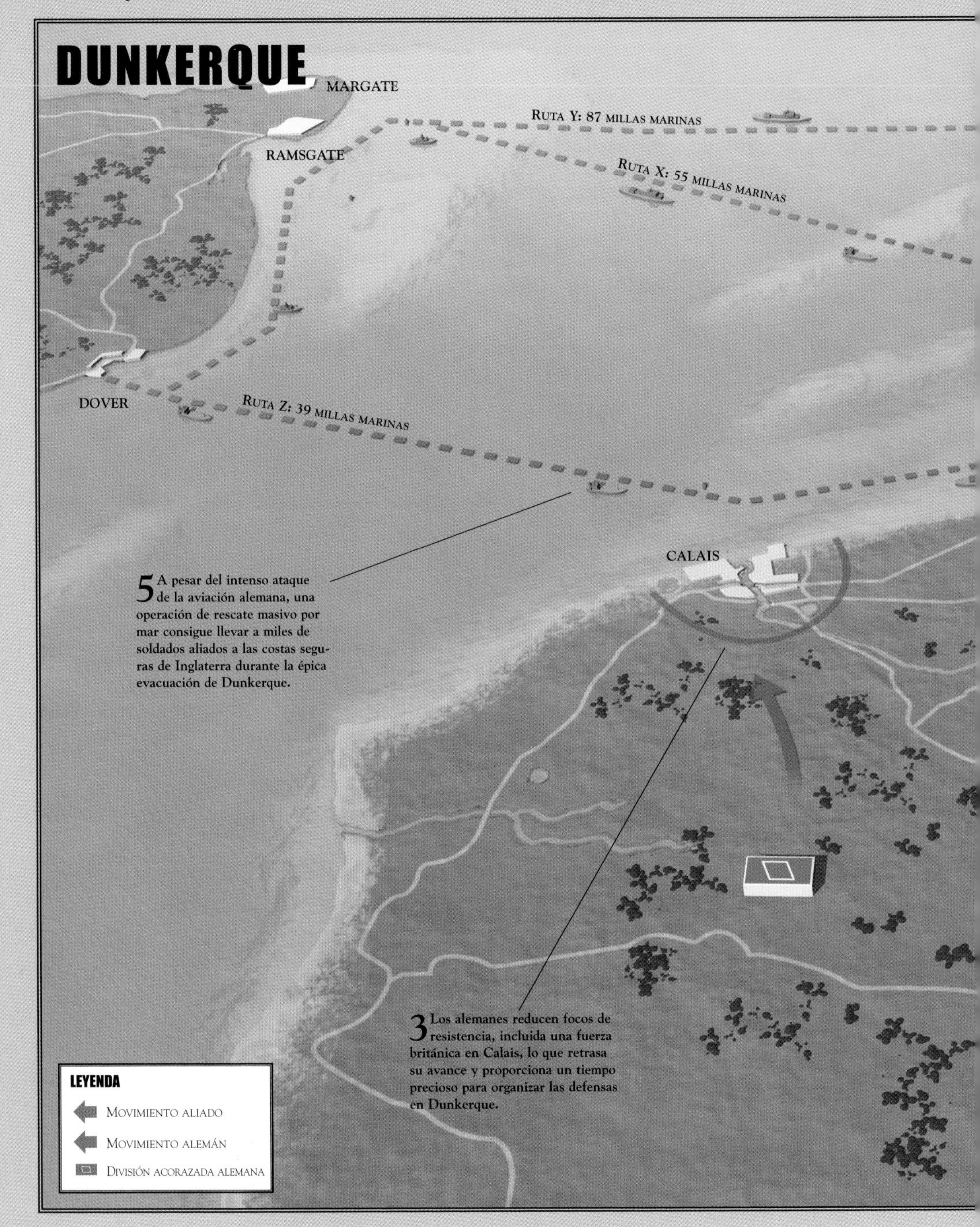
DUNKERQUE
MARGATE
RAMSGATE
Ruta Y: 87 millas marinas
Ruta X: 55 millas marinas
DOVER
Ruta Z: 39 millas marinas
CALAIS
5 A pesar del intenso ataque de la aviación alemana, una operación de rescate masivo por mar consigue llevar a miles de soldados aliados a las costas seguras de Inglaterra durante la épica evacuación de Dunkerque.
3 Los alemanes reducen focos de resistencia, incluida una fuerza británica en Calais, lo que retrasa su avance y proporciona un tiempo precioso para organizar las defensas en Dunkerque.
LEYENDA
Movimiento aliado
Movimiento alemán
División acorazada alemana

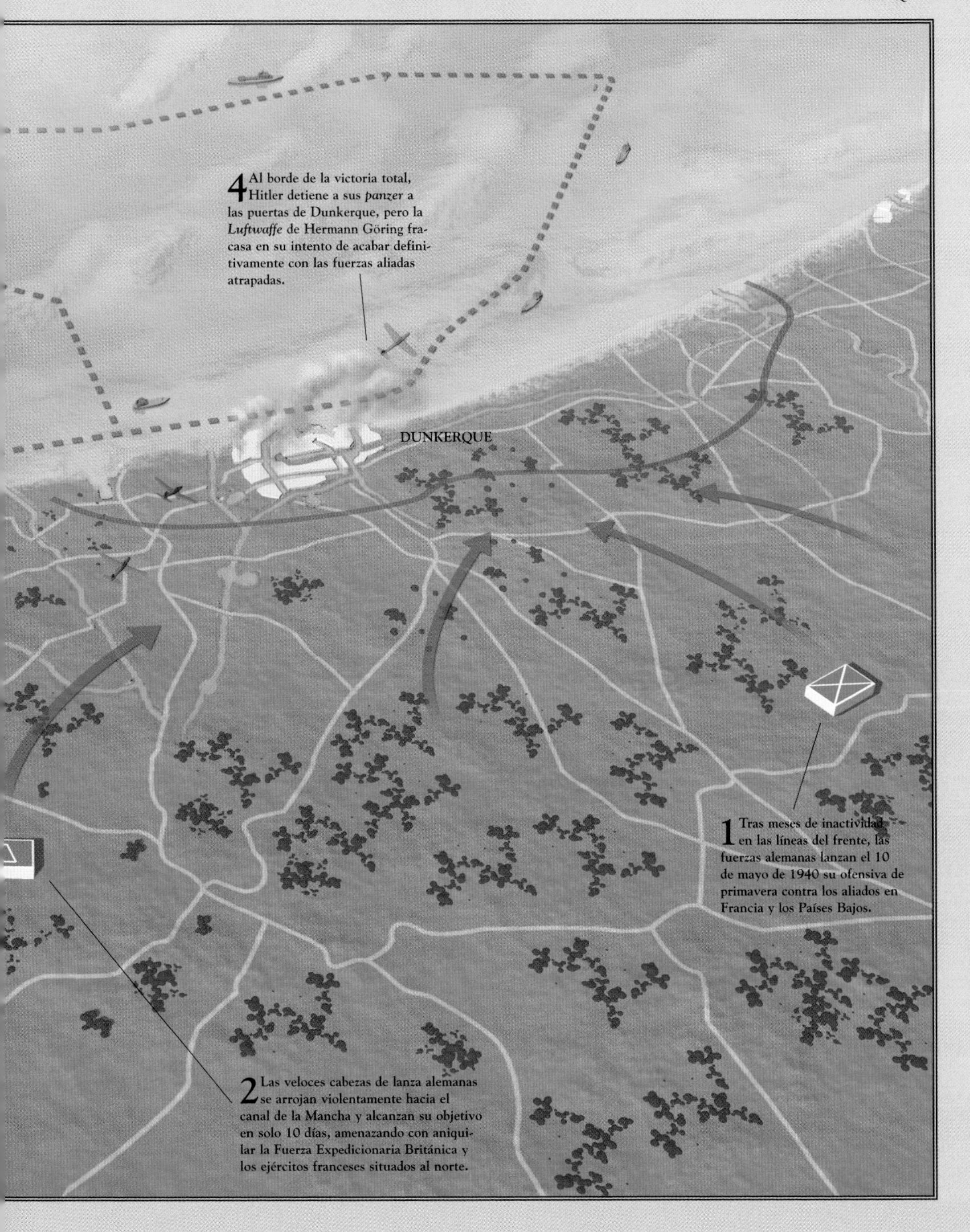
4 Al borde de la victoria total, Hitler detiene a sus *panzer* a las puertas de Dunkerque, pero la *Luftwaffe* de Hermann Göring fracasa en su intento de acabar definitivamente con las fuerzas aliadas atrapadas.
DUNKERQUE
1 Tras meses de inactividad en las líneas del frente, las fuerzas alemanas lanzan el 10 de mayo de 1940 su ofensiva de primavera contra los aliados en Francia y los Países Bajos.
2 Las veloces cabezas de lanza alemanas se arrojan violentamente hacia el canal de la Mancha y alcanzan su objetivo en solo 10 días, amenazando con aniquilar la Fuerza Expedicionaria Británica y los ejércitos franceses situados al norte.

LA BATALLA DE INGLATERRA

1940

Los alemanes habían conquistado Francia y los Países Bajos. Durante los meses iniciales de la Segunda Guerra Mundial en Europa, la Alemania nazi se había impuesto victoriosa. Mientras las tropas alemanas desfilaban por los Campos Elíseos, el Führer *planeaba invadir Gran Bretaña.*

Asentados en la costa francesa, los oficiales y los soldados alemanes tenían puestas sus miras al otro lado del canal de la Mancha, una franja de 32 km de mar que los separaba de su enemigo. Todos y cada uno de ellos eran conscientes de que la conquista de Gran Bretaña sería el mayor desafío al que se habían enfrentado.

DATOS DE LA BATALLA DE INGLATERRA

Quiénes: La *Luftwaffe*, bajo el mando del mariscal imperial Hermann Göring (1893-1946), contra el Comando de Cazas de la RAF a las órdenes del mariscal en jefe del aire Hugh Dowding (1882-1970).

Cómo: La *Luftwaffe* intentó destruir la RAF y más tarde asolar las ciudades británicas.

Dónde: En el espacio aéreo de Gran Bretaña y el canal de la Mancha.

Cuándo: Del 10 de julio de 1940 al 10 de mayo de 1941.

Por qué: Inicialmente, los alemanes necesitaban el control aéreo para cubrir la operación León Marino, es decir, la invasión de Gran Bretaña. Más tarde, el *Blitz* tuvo el objetivo fundamental de aterrorizar a la población.

Resultado: La *Luftwaffe* fracasó en su intento de someter a la RAF y doblegar la voluntad del pueblo británico. La operación León Marino fue cancelada.

Desde la posición ventajosa de su tejado, un vigía de ataques aéreos escudriña el cielo londinense en busca de bombarderos de la Luftwaffe. *Al fondo se yergue la silueta de la catedral de San Pablo.*

ARRIBA: EL PRIMER MINISTRO WINSTON CHURCHILL *visita las defensas costeras en el litoral del sur de Inglaterra, en agosto de 1940.*

Sin embargo, rebosaban confianza. La operación León Marino, nombre en clave de la invasión, implicaba reunir tropas y material, así como organizar suficientes barcazas apropiadas para transportar la maquinaria de guerra al otro lado del estrecho canal. Con todo, el control aéreo era un requisito indispensable para el éxito de la invasión.

LA BATALLA DEL CANAL *(KANALKAMPF)*

Los alemanes bautizaron la fase inicial como *Kanalkampf* o (batalla del Canal). Para el resto del mundo, la contienda aérea que comenzó el 10 de julio de 1940 y se prolongó durante 10 meses fue denominada en conjunto como la batalla de Inglaterra. Menos de tres semanas después de la caída de Francia, el mariscal imperial Hermann Göring (1893-1946) y su *Luftwaffe* iniciaron los esfuerzos por hacerse con el control del cielo británico. Inicialmente, Hitler había fijado la fecha de la invasión para el 15 de agosto, y los aviones alemanes debían arrasar los puertos y las embarcaciones británicas.

Göring había reunido más de 750 cazas para escoltar a más de 1.300 bombarderos Heinkel He-111 y Dornier Do-17 junto con 300 de los terribles bombarderos en picado Junkers Ju-87 Stuka, que ya habían demostrado su poder destructor en Polonia y Francia. El mariscal en jefe de las fuerzas aéreas Hugh Dowding (1882-1970), jefe del Comando de Cazas de la RAF (Real Fuerza Aérea Británica), sólo pudo reunir algo más de 700 cazas, además de otros modelos obsoletos reservados para la defensa. Durante las cuatro semanas siguientes se produjeron encarnizados combates aéreos a diario. Los alemanes consiguieron hundir una serie de buques mercantes, y la Marina Real Británica trasladó buena parte de sus naves y personal de Dover a Portsmouth. Sin embargo, la *Luftwaffe* no consiguió erosionar con suficiente contundencia la fuerza de la RAF.

IZQUIERDA: UN PILOTO DE BOMBARDERO *de la* Luftwaffe *vestido con su uniforme de vuelo.*

ARRIBA: CONCEBIDO *como avión comercial, el* Heinkel He-111 *fue convertido sin dificultad en un bombardero.*

Al principio de la batalla, los ingleses pudieron apreciar el valor de una inteligencia precisa y de un nuevo dispositivo de advertencia llamado *radar*, ya que ambas herramientas les permitían conocer por adelantado la llegada de los ataques aéreos alemanes. También quedó claro que los pesados Stuka no resultaban apropiados para una lucha aire-aire, y eran presa fácil para los cazas de la RAF. A pesar de que habían perdido 300 aviones mientras que las bajas de la fuerza aérea británica no llegaban ni a la mitad, los alemanes consideraron sus operaciones iniciales suficientemente efectivas como para dar paso a la segunda ronda de los preparativos aéreos para la invasión.

EL DÍA DEL ÁGUILA

Aún confiados en la victoria, los aviadores alemanes cantaban a menudo una alegre melodía con el texto *Wir fliegen gegen England* (Volamos contra Inglaterra). Göring programó el *Adlertag* o (día del águila) para el 13 de agosto de 1940. La segunda fase de la batalla de Inglaterra debía concluir con la claudicación total de la RAF por medio del

ABAJO: VALEROSOS MIEMBROS DEL *Cuerpo de Bomberos de Londres forcejean para colocar una manguera en disposición de apagar un fuego desatado por las bombas incendiarias de la* Luftwaffe.

EL MESSERSCHMITT ME-109 *fue el principal caza utilizado por la* Luftwaffe *en la Segunda Guerra Mundial. Llevaba un armamento muy pesado y contaba con pilotos muy hábiles, pero su limitada autonomía solo permitía 20 minutos de combate en espacio aéreo enemigo sobre Gran Bretaña.*

bombardeo sistemático de sus aeródromos en la zona central y meridional de Inglaterra; el colofón sería la eliminación de los aviones y los pilotos del Comando de Cazas.

El día del águila, los alemanes perdieron 46 aviones y la RAF solo 13. No obstante, esta jornada estuvo seguida por una semana de combates aéreos diurnos prácticamente continuos. Desde abajo, los civiles podían seguir con la mirada los remolinos de vapor que dejaban a su paso los aviones de combate. De vez en cuando veían la bocanada de un avión que explotaba o el largo rastro de color negro que despedía algún caza tocado mientras se precipitaba hacia el suelo. A pesar de que sus pérdidas reales fueron inferiores a las de la *Luftwaffe*, el Comando de Cazas estaba siendo llevado al límite de sus posibilidades. A menudo se llamaba al combate a jóvenes pilotos con apenas unas horas de vuelo, las instalaciones habían sido bombardeadas y ametralladas y los rigores de la lucha se habían dejado sentir en los aviones en condiciones de volar que quedaban.

UN ALIVIO FORTUITO

Junto con los ataques diurnos, Göring también ordenó a sus pilotos llevar a cabo misiones de bombardeo nocturnas contra objetivos militares en Gran Bretaña. Las ciudades más importantes, especialmente Londres, no se habían usado como objetivo en previsión de las probables represalias de bombarderos de la RAF contra ciudades alemanas. Sin embargo, la noche del 24 de agosto de 1940, algunos bombarderos de la *Luftwaffe* extraviaron el rumbo y soltaron su artillería sobre la ciudad de Londres. La noche siguiente, los bombarderos de la RAF golpearon Berlín. Enfurecido, el *Führer* se propuso reducir a escombros las ciudades británicas.

El 7 de septiembre de 1940, Hitler cambió la estrategia. La *Luftwaffe* debía bombardear Londres hasta su rendición. Una semana más tarde, sin embargo, pospuso la operación León Marino indefinidamente. Durante la primera noche del *Blitz*, se registraron más de 2.000 muertos o heridos entre la población londinense. Londres no fue la única ciudad arrasada por las bombas alemanas en los meses siguientes. La noche del 14 de noviembre de 1940, Coventry fue asediada por más de 400 bombarderos de la *Luftwaffe*, lo que supuso 568 bajas civiles y más de 1.200 heridos. Birmingham, Liverpool y Manchester

también fueron atacadas. Sin embargo, el punto de inflexión lo marcó el cambio en la estrategia alemana y el gran espíritu de resistencia demostrado por la población británica. Los últimos bombardeos de la *Luftwaffe* en la ofensiva del *Blitz* sacudieron Londres la noche del 10 de mayo de 1941.

UNA MIRADA HACIA EL ESTE

La frustración de Hitler por el fracaso de Göring en su intento de destruir la RAF se vio mitigada por su preocupación por los preparativos para la operación Barbarroja, es decir, la invasión de la Unión Soviética, que estaba programada para el 22 de junio de 1941. Algunos historiadores sostienen que el *Führer* se había mostrado reticente a proseguir la batalla contra los ingleses con la esperanza de que se uniesen a él en la guerra contra los comunistas soviéticos. De todas maneras, ya por el otoño de 1940 Hitler había llegado a la conclusión de que era imposible ganar la batalla de Inglaterra. La oportunidad clave para la victoria se había desperdiciado y las pérdidas de la *Luftwaffe* no cesaban de aumentar. Las ciudades inglesas estaban en llamas, pero la RAF seguía siendo una fuerza potente.

El 20 de agosto de 1940, el primer ministro Winston Churchill (1874-1965) se dirigió a la Cámara de los Comunes elogiando el coraje de los intrépidos pilotos de la RAF. «Nunca jamás en la historia de las contiendas humanas», declaró, «tantos han tenido tanto que agradecer a tan pocos».

LOS LONDINENSES ESCRUTAN EL CIELO en busca de algún signo de aproximación de aviones alemanes mientras los soldados toman posiciones en los cañones antiaéreos de Hyde Park. Hitler y el jefe de la Luftwaffe, *Hermann Göring, creían que el* Blitz *podía doblegar a Gran Bretaña.*

EL SUPERMARINE SPITFIRE

Concebido originalmente en la década de los treinta por el diseñador aeronáutico británico Reginald Mitchell, el Supermarine Spitfire surcó los aires por primera vez el 5 de marzo de 1936. La producción se iniciaría dos años más tarde. Propulsado por un motor Rolls-Royce Merlin y armado en principio con un par de cañones de 20 mm y cuatro ametralladoras Browning .303, el Spitfire representaba la tecnología más puntera desplegada por la RAF durante la batalla de Inglaterra.

El excelente rendimiento del Spitfire lo convertía en un adversario a la altura del Messerschmitt Me-109 alemán. Sin embargo, solo había disponible un reducido número de ejemplares, en comparación con el más antiguo Hawker Hurricane. Por consiguiente, la RAF dio instrucciones para que los escuadrones de Spitfires se enfrentaran a los cazas alemanes mientras los Hurricanes atacaban las formaciones de bombarderos, más lentas. El avión mostrado en la ilustración es un Spitfire Mk 1 del 66.º Escuadrón.

LA BATALLA DE INGLATERRA

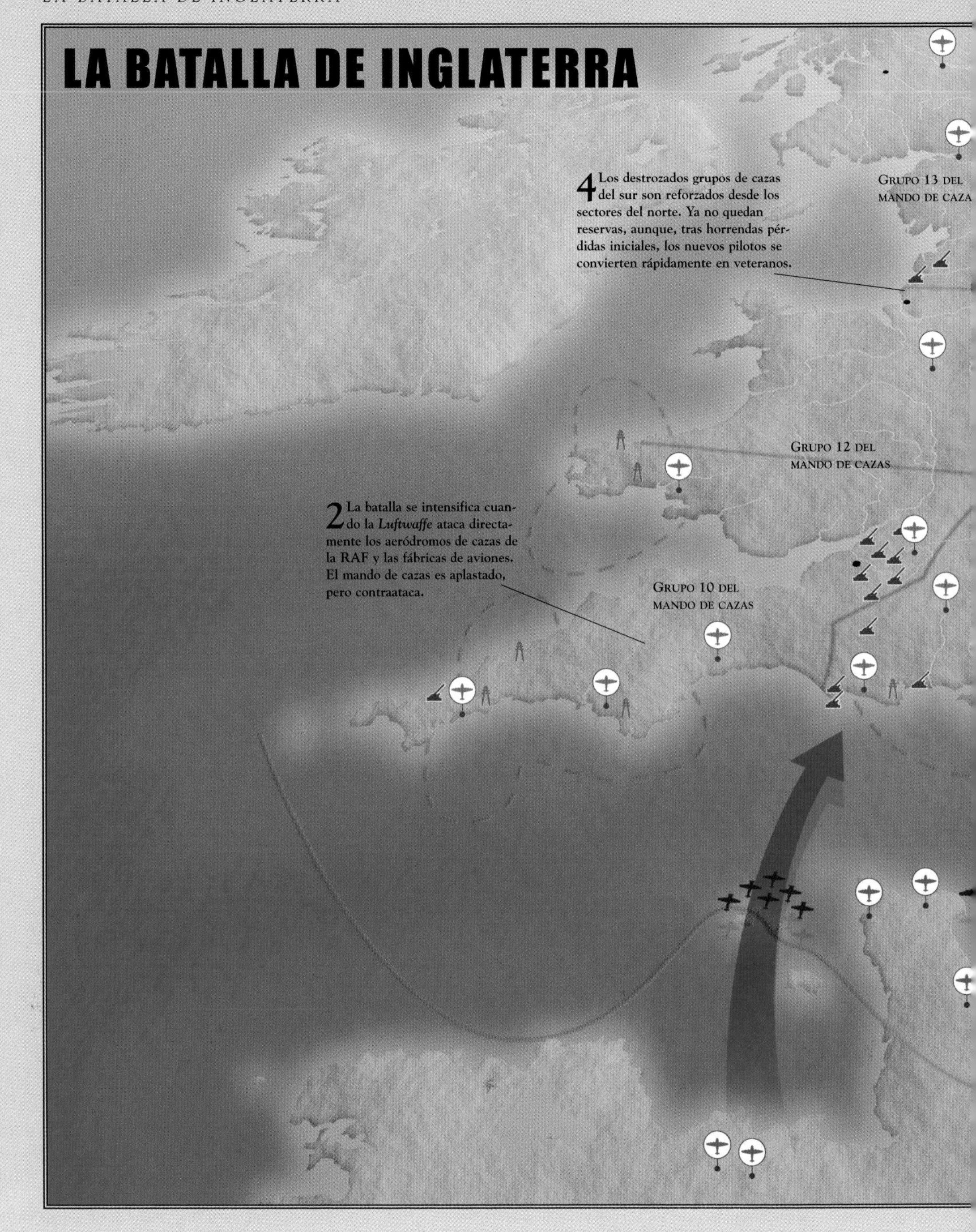

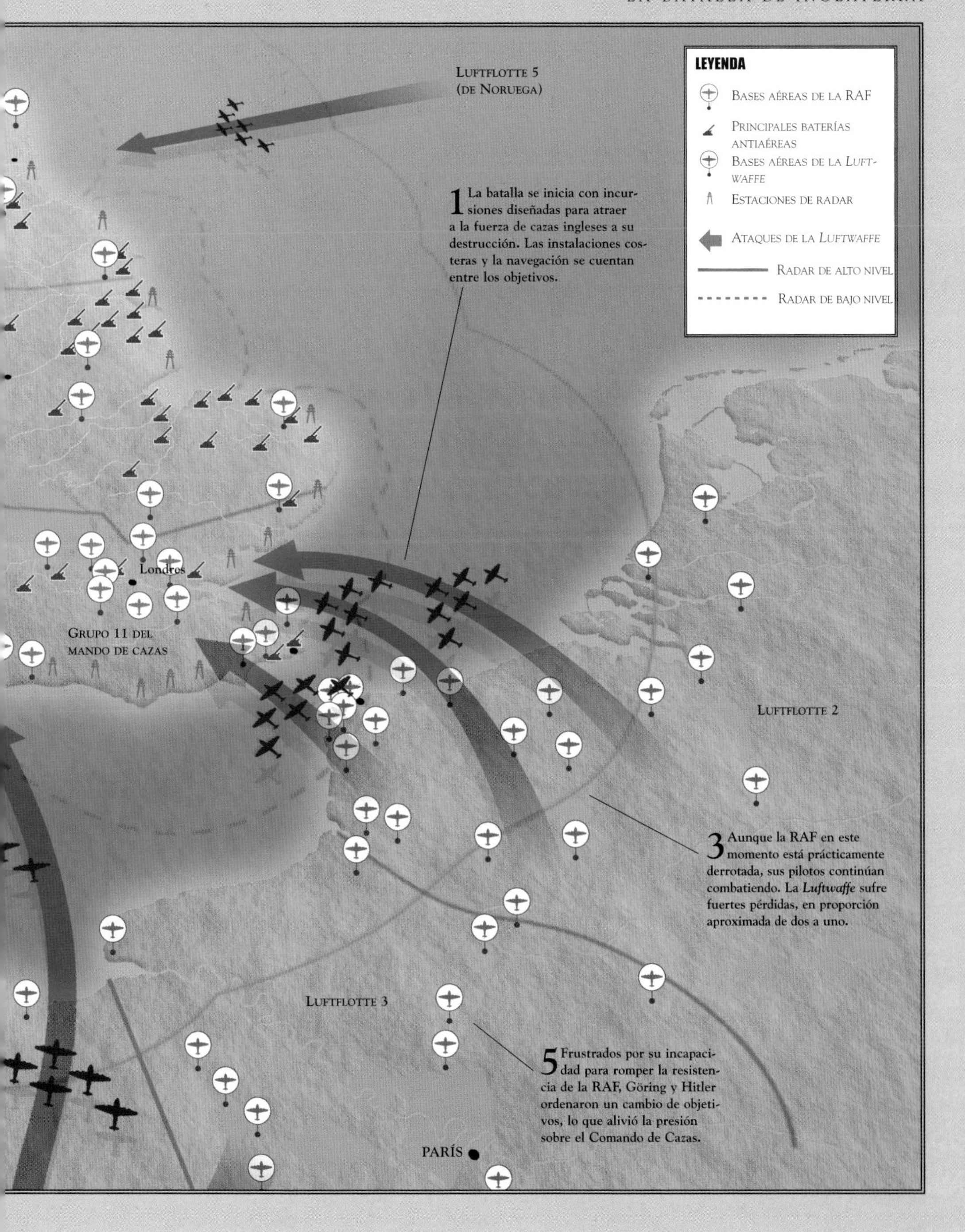
LEYENDA
Bases aéreas de la RAF
Principales baterías antiaéreas
Bases aéreas de la Luftwaffe
Estaciones de radar
Ataques de la Luftwaffe
Radar de alto nivel
Radar de bajo nivel
Luftflotte 5
(de Noruega)
1 La batalla se inicia con incursiones diseñadas para atraer a la fuerza de cazas ingleses a su destrucción. Las instalaciones costeras y la navegación se cuentan entre los objetivos.
Londres
Grupo 11 del
mando de cazas
Luftflotte 2
3 Aunque la RAF en este momento está prácticamente derrotada, sus pilotos continúan combatiendo. La Luftwaffe sufre fuertes pérdidas, en proporción aproximada de dos a uno.
Luftflotte 3
5 Frustrados por su incapacidad para romper la resistencia de la RAF, Göring y Hitler ordenaron un cambio de objetivos, lo que alivió la presión sobre el Comando de Cazas.
PARÍS

LA BATALLA DE CRETA 1941

Aunque el asalto aerotransportado lanzado por los alemanes sobre Creta concluyó con éxito, supuso un terrible coste en términos de bajas y motivó un agudo declive de la sección de paracaidistas de la Luftwaffe *como arma sorpresiva. Jamás se volvería a lanzar una operación a esta escala.*

Creta, una isla montañosa de 260 km de largo situada en el Mediterráneo oriental a 100 km de la península helénica, se convirtió a partir de abril de 1941 en el único fragmento de territorio griego bajo control de los aliados. Una de las amenazas que representaba Creta para los alemanes era su condición de recurso clave debido a la enorme presencia de la Marina Real Británica en la bahía de Suda, al este de Khania, la capital de la isla por aquel entonces. Era uno de los puertos naturales más grandes del Mediterráneo y resultaba vital como centro de repostaje. La aviación británica también podía bloquear desde allí los convoyes navales que cruzaban el

DATOS DE LA BATALLA DE CRETA

Quiénes: el comandante en jefe de la guarnición *Creforce*, el mayor general Bernard Freyberg, cruz de la Victoria (1889-1963), contra el general Kurt Student (1890-1978), comandante del 9.º *Flieger Corps*, las tropas de élite aerotransportadas de la *Luftwaffe*.

Cómo: Los alemanes aterrizaron en Creta procedentes de la península helénica y expulsaron al grueso de las tropas aliadas tras 10 días de encarnizados combates.

Dónde: En Creta, la isla más grande de Grecia y la segunda mayor del Mediterráneo oriental.

Cuándo: El principal ataque alemán sobre Grecia se produjo entre el 20 de mayo y el 2 de junio de 1941.

Por qué: Los alemanes necesitaban con urgencia una salida libre hacia el este, y Creta suponía una importante amenaza para sus operaciones, especialmente para los convoyes navales que cruzaban el Mediterráneo para abastecer a las fuerzas de Rommel en el norte de África.

Resultado: Los alemanes ocuparon Creta hasta el final de la guerra, pero las guarniciones se redujeron tras la retirada general de las fuerzas alemanas del este mediterráneo a finales de 1944.

TROPAS TRANSPORTADAS EN PLANEADORES, aterrizadas como parte de la invasión aerotransportada de Creta, disfrutan de un descanso y un almuerzo a base de salchichas.

Mediterráneo para abastecer a las fuerzas de Rommel en el norte de África. Además, Hitler intuía el valor potencial de Creta como fortaleza para resguardar el flanco balcánico de la prevista operación Barbarroja, la invasión de la Unión Soviética. Hitler ordenó la invasión de Creta el 25 de abril, bajo el nombre en clave de operación Mercurio. Sin embargo, la fecha se pospuso hasta el 20 de mayo por problemas logísticos.

LAS TROPAS DE PARACAIDISTAS

El general Kurt Student, progenitor de los *Fallschirmjäger* o (cazadores del cielo), era un firme defensor del combate aéreo y había proclamado con insistencia la necesidad de un ataque aerotransportado sobre Creta. Sin embargo, Hitler consideraba que una campaña aérea sería demasiado peligrosa, y había predicho un precio inaceptable en cuanto a número de bajas. Aun así, ante la insistencia del jefe de la *Luftwaffe*, Hermann Göring (1893-1946), el *Führer* accedió.

En previsión de la invasión, en mayo de 1941 las fuerzas de la Commonwealth desplegadas en Creta se organizaron en cinco áreas de defensa muy separadas entre sí, a lo largo de la

IZQUIERDA: LAS FUERZAS DE ÉLITE DE LOS GEBIRGSJÄGER *alemanes (tropas de montaña) transportadas en planeadores partieron de la península helénica y fueron lanzados sobre Creta.*

ABAJO: JU 52 CON FUERZAS AEROTRANSPORTADAS *a bordo aterrizaron en aeródromos clave el segundo día de invasión, en que se tomó el de Maleme.*

EL GENERAL KURT STUDENT

El general Kurt Student (1890-1978, a la derecha en la fotografía) combatió en la Primera Guerra Mundial como piloto de caza, y fue elegido por Göring en 1938 para formar una fuerza de infantería de paracaidistas que llegaría a alcanzar unos 4.500 integrantes. Tras la evacuación de Creta, las tropas de Student combatirían fundamentalmente como infantería. Student no recibió condecorción alguna por sus servicios, y su trato personal con Hitler llegó a su fin. Aunque no mostró un excesivo interés por el nazismo, fue conducido ante un tribunal militar aliado en 1947 por ocho cargos de crímenes de guerra en Creta. Fue absuelto de algunos de los cargos, pero se le sentenció a cinco años de cárcel. Los griegos solicitaron su extradición de Alemania, pero nunca fue entregado y falleció a la edad de 88 años.

TODOS Y CADA UNO DE LOS SUPERVIVIENTES de las tropas de Student recibieron una cruz de Hierro, pero, tras las bajas sufridas, afirmó: «Creta fue la tumba de las tropas paracaidistas alemanas».

costa norte: en torno a los tres aeródromos de Heraklion, Rethymnon y Maleme, así como en la bahía de Suda y el puerto de Khania. Al amanecer del 20 de mayo, la guarnición defensiva de la isla, formada por tropas Anzac (fuerzas conjuntas australianas y neozelandesas), británicas y locales, fue sometida al habitual intenso bombardeo y al aullido de los Stuka.

Pocas horas después, se produciría una invasión a cargo de las fuerzas de élite aerotransportadas. El asalto se realizó en dos oleadas: la primera se dirigió contra Maleme y Khania, al oeste, mientras que la segunda se concentró en Rethymnon y Heraklion, más al este. La operación fue realizada con aviones de transporte y 100 planeadores que despegaron de las bases de la península helénica. De ellos saltaron 6.000 paracaidistas e infantería aerotransportada sobre Maleme y sus alrededores, golpeando las posiciones de las tropas neozelandesas.

El general Student dividió sus fuerzas en tres grupos de batalla, el occidental, el central y el oriental, y se concentró particularmente en Khania y la prominente península de Akrotiri. Así obtendría de un solo golpe un aeródromo y un puerto donde la línea de batalla podría reforzarse antes de acometer su principal objetivo: la captura de la capital.

Con más de 40.000 defensores (tropas Anzac, británicas e irregulares griegos y cretenses) de la *Creforce* a sus órdenes, el mayor general Bernard Freyberg se enfrentaba a serios problemas: tropas agotadas y desmoralizadas, maltrechos tanques procedentes del norte de África, ausencia de cobertura aérea y escasez de comunicaciones. Sin embargo, Freyberg recibía la información de los códigos alemanes descifrados y estaba al tanto de las intenciones de Student. Además, contaba con el apoyo de la leal población local.

UN MIEMBRO DE LA 7.ª DIVISIÓN AÉREA de las unidades Fallschirmjäger, *integradas por infantería ligera aerotransportada, que saltaron sobre la isla durante la batalla de Creta.*

EL ESTABLECIMIENTO DE LAS CABEZAS DE PUENTE

A pesar de que muchos de los paracaidistas alemanes representaban objetivos fáciles al precipitarse sobre las posiciones de los neozelandeses, muchos lograron sobrevivir y reagruparse para lanzar después un fiero ataque sobre Maleme. Un duro golpe fue la pérdida el primer día de una pequeña colina conocida por los militares como «colina 107» que dominaba el aeródromo de Maleme desde el sur. Se produjo una extraordinaria acumulación de fuerzas alemanas, especialmente batallones de paracaidistas y bombarderos en picado que se congregaron en el sudeste del aeródromo. El teniente coronel Les Andrew, comandante de los neozelandeses en la zona, estaba resuelto a pasar al ataque.

Sin recibir ningún apoyo adicional, atacó a los invasores por iniciativa propia, pero no pudo con la abrumadora superioridad de los paracaidistas que tenían el control de la colina. Su pequeña fuerza cayó pronto derrotada y sus tanques quedaron inmovilizados. La colina 107 fue tomada sin oposición y el control del aeródromo pasó a manos alemanas.

Student, más decidido que nunca a consolidar la cabeza de puente de Maleme, introdujo durante los siguientes dos días un total de 3.200 efectivos de montaña y paracaidistas. Se encontró con una dura resistencia local, pero los alemanes consiguieron doblegarla y los Stuka entraron en acción. El 25 de mayo, los neozelandeses a las órdenes del coronel Howard Kippenberger obtuvieron cierto éxito con un contraataque al sudoeste de Khania. Pero esto solo retrasó el avance alemán, y Kippenberger carecía de recursos para recuperarse.

Lo que quedaba de la posición de Maleme tuvo que rendirse ante la presencia de 2.000 tropas de montaña alemanas adicionales. Los defensores se retiraron a Khania, que cayó el 27 de mayo. Fue imposible oponer resistencia al poderío de los alemanes por aire y finalmente por tierra, en buena medida debido a la falta de munición, lo que debilitó las divisiones aliadas. Había llegado la hora de una evacuación general.

La retirada de la bahía de Suda fue cubierta por comandos británicos lanzados sobre la isla, mientras que entre el 28 de mayo y el 1 de junio la flota mediterránea británica recogió a unos 17.000 hombres en Sphakia, en la costa sur de la isla. La *Luftwaffe* hundió hasta nueve buques. Ya en tierra firme, hubo que dejar atrás a 5.000 hombres separados de sus unidades. Los alemanes perdieron a 1.990 hombres, mientras que las fuerzas británicas y de la Commonwealth registraron 1.742 bajas.

Los débiles planeadores alemanes, de lona y madera, eran objetivos vulnerables. Muchos se estrellaron en los olivares o quedaron destruidos al aterrizar, y los defensores cortaron la huida de sus tripulaciones.

ARRIBA: PARACAIDISTAS ALEMANES *avanzan entre los cuerpos de soldados aliados tras su exitosa invasión de Creta.*

TRAS LA BATALLA

Hitler, afectado por las cifras de las bajas en Creta, informó a Student de que consideraba que los días de los paracaidistas habían llegado a su fin, dado que ya no se trataba de un arma sorpresa. Durante la batalla de Creta, habían muerto más de 1.700 hombres de las tropas Anzac y británicas, un número similar resultaron heridos y otros 12.000 fueron hechos prisioneros. La cuantía de las pérdidas alemanas arroja resultados dispares, y una de las cifras más altas apuntadas ha sido 3.986 muertos y desaparecidos, de los que 2.000 habrían perecido ya en el propio salto en paracaídas sobre la isla.

La ocupación de Creta se reveló como un arma de doble filo. Los cretenses opusieron resistencia de guerrillas, forzando a los alemanes a guarnecer más tropas de las que habrían deseado, lo que les obligaba a prescindir de ellas en otra parte.

IZQUIERDA: A PESAR DE QUE MUCHOS TOMMIES BRITÁNICOS, *como estos de la bahía de Suda, se vieron obligados a rendirse, otros escaparon en pequeñas embarcaciones o se refugiaron en las montañas para combatir al lado de los partisanos.*

LA BATALLA DE CRETA

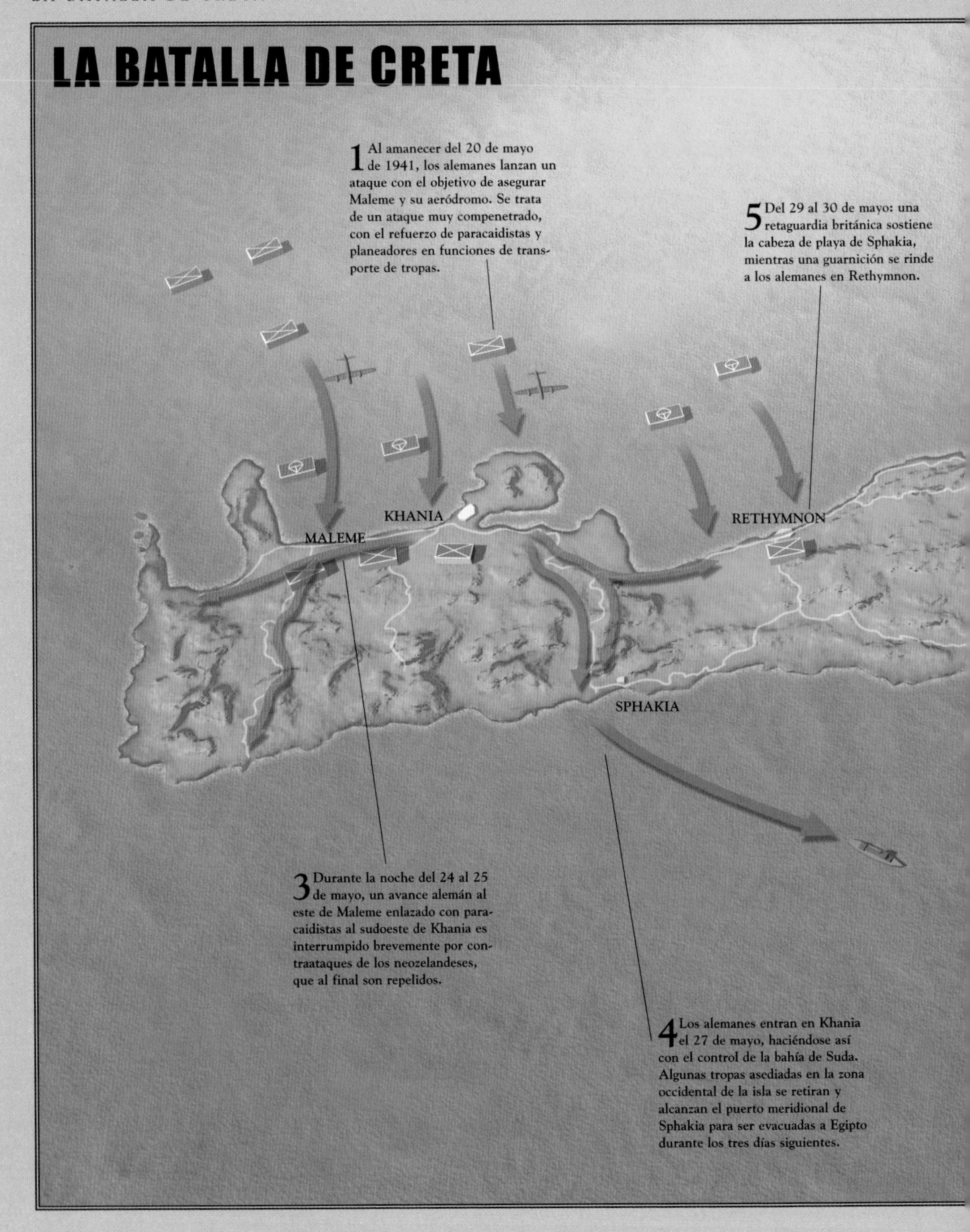

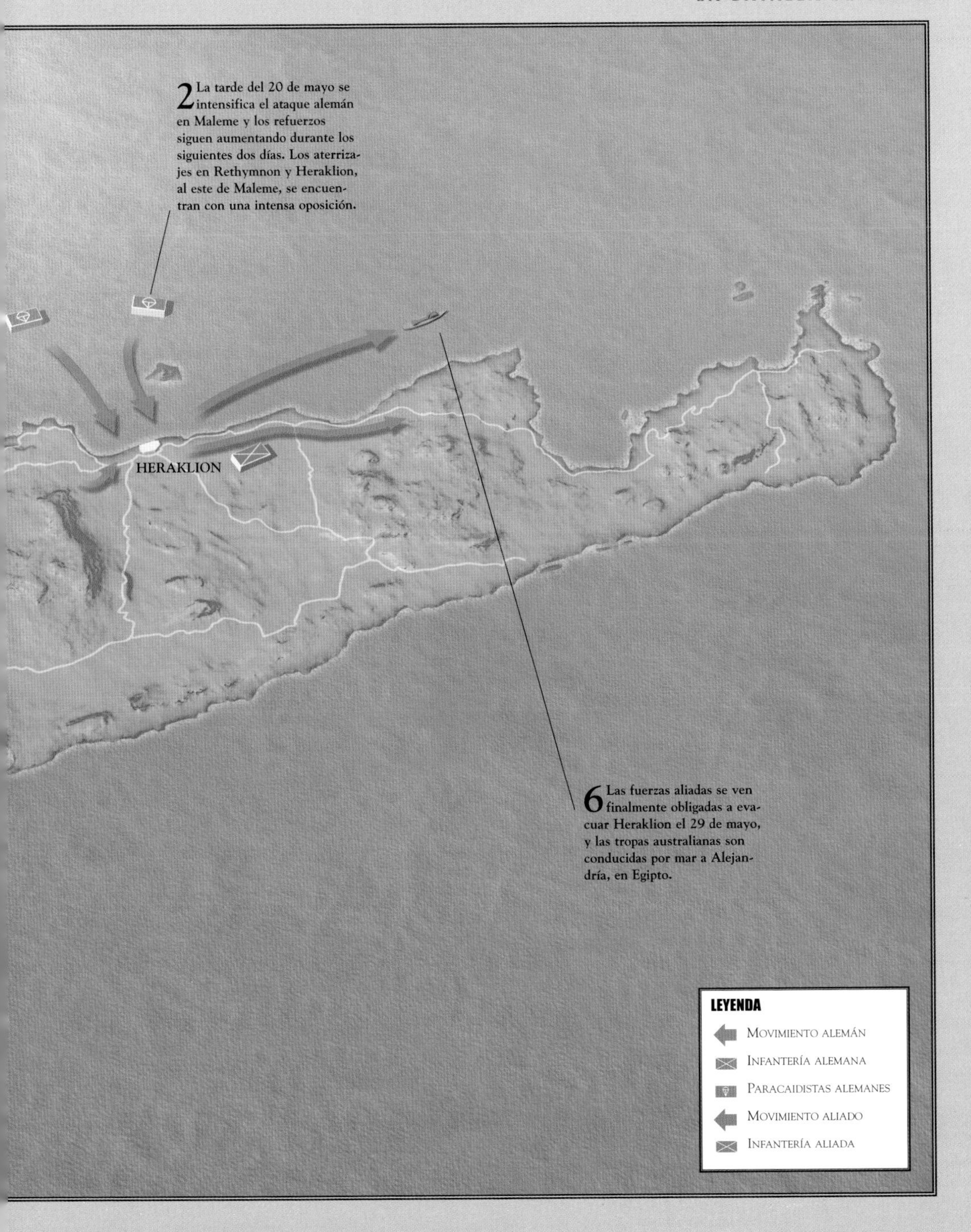
2 La tarde del 20 de mayo se intensifica el ataque alemán en Maleme y los refuerzos siguen aumentando durante los siguientes dos días. Los aterrizajes en Rethymnon y Heraklion, al este de Maleme, se encuentran con una intensa oposición.
HERAKLION
6 Las fuerzas aliadas se ven finalmente obligadas a evacuar Heraklion el 29 de mayo, y las tropas australianas son conducidas por mar a Alejandría, en Egipto.
LEYENDA
Movimiento alemán
Infantería alemana
Paracaidistas alemanes
Movimiento aliado
Infantería aliada

LA CAZA DEL *BISMARCK* 1941

En el verano de 1941, la batalla del Atlántico se había convertido en una lucha por la supervivencia de Gran Bretaña. Los submarinos nazis no solo causaban estragos en los convoyes y hundían buques mercantes, además, los buques de guerra de superficie de la Kriegsmarine *(la Armada alemana) también planteaban una amenaza considerable.*

De enero a abril se perdieron más de 610.000 toneladas de embarcaciones aliadas. Entonces, en mayo, se cumplieron los peores temores del almirantazgo británico. El enorme buque de guerra *Bismarck*, de 42.800 toneladas, había levado anclas y la operación *Rheinübung* (maniobras del Rin) estaba en marcha. Junto con el crucero pesado *Prinz Eugen*, el gran acorazado *Bismarck* podía causar estragos en la flota mercante de los aliados con sus ocho cañones de 380 mm.

DATOS DE LA CAZA DEL *BISMARCK*

Quiénes: efectivos de la Marina Real Británica a las órdenes del almirante John Tovey (1885-1971) contra el acorazado alemán *Bismarck* y el crucero *Prinz Eugen*, bajo el mando del almirante Günther Lütjens (1889-1941).

Cómo: El *Bismarck* y el *Prinz Eugen* intentaron atacar a la flota aliada, pero tuvieron que enfrentarse a la oposición de la Marina Real.

Dónde: En el Atlántico norte, cerca de las rutas de los convoyes aliados.

Cuándo: Del 18 al 27 de mayo de 1941.

Por qué: Los alemanes tenían la esperanza de provocar pérdidas sustanciales en la flota mercante aliada, ahogando así la línea de suministro hacia Gran Bretaña.

Resultado: En una persecución épica, la Marina Real logró hundir el *Bismarck*. La *Kriegsmarine* no lanzaría ya más ataques serios de superficie contra la flota aliada en el Atlántico.

PORTATORPEDOS FAIREY SWORDFISH, los anacronismos volantes que lograron frenar al acorazado alemán Bismarck, *son amarrados a la cubierta del portaaviones HMS* Victorious *en medio de un mar embravecido.*

El almirante Günther Lütjens, comandante de la fuerza de choque de la Kriegsmarine *que incluía el acorazado* Bismarck *y el crucero pesado* Prinz Eugen, *luciendo su cruz de Hierro.*

Al reconocer el peligro inminente, el almirante John Tovey (1885-1971), comandante de la flota metropolitana británica en Scapa Flow, comenzó a organizar sus dispersos efectivos de superficie para encontrar y hundir el *Bismarck*. Entretanto, el almirante Günther Lütjens (1889-1941), a bordo del coloso alemán, sabía que sus movimientos habían sido observados por el crucero sueco *Gotland* y por aviones patrulla del país neutral escandinavo. El 21 de mayo, el buque de guerra fue fotografiado por un avión británico.

HUIDA Y PERSECUCIÓN

Lütjens estaba resuelto a salir a mar abierto, y escogió el estrecho de Dinamarca, una de las tres opciones de las que disponía. Seguidos de cerca por dos cruceros británicos (el *Suffolk* y el *Norfolk*), el *Bismarck* y el *Prinz Eugen* se encontraron en la oscuridad previa al alba del 24 de mayo con la oposición del HMS *Prince of Wales*, un buque de guerra recién armado, y el vetusto crucero de combate HMS *Hood*. Botado en 1918, el *Hood* igualaba en armamento el poder del *Bismarck*, pero era más vulnerable a los cañones pesados del enemigo.

Al poco de iniciarse la contienda, un obús alemán penetró en la fina coraza del *Hood* e hizo explotar un depósito de munición. Una explosión gigantesca envolvió el buque, que se vino abajo. Solo sobrevivieron tres de los 1.421 marineros que tripulaban el crucero de combate. El *Prince of Wales* había sufrido serios daños, ya que un obús alemán había destruido su puente. Aunque el *Bismarck* solo recibió tres impactos, uno de ellos abrió una vía de agua en el castillo de proa que dejaba entrar toneladas de agua. Otro rompió un tanque de combustible, y la fuga formó una reveladora mancha en el agua. A pesar de que el capitán del *Bismarck*, Ernst Lindemann, había insistido en volver rumbo a Alemania, Lütjens envió de nuevo al *Prinz Eugen* a la búsqueda de mercantes y puso rumbo hacia el puerto francés de Brest con su barco tocado. Tenía la esperanza de contar en la ruta con la protección de los submarinos o con cobertura aérea de aviones con base en Francia.

EL *BISMARCK*

Bautizado en honor del «canciller de hierro» de una Alemania unificada, el acorazado *Bismarck* emprendió la operación *Rheinübung* el 18 de mayo de 1941. Con sus cerca de 43.000 toneladas, representaba una importante amenaza para las embarcaciones aliadas destacadas en el Atlántico. El armamento principal del *Bismarck* consistía en ocho cañones de 380 mm.

Capaz de alcanzar velocidades superiores a los 30 nudos, el *Bismarck* fue perseguido sin descanso por unidades pesadas de la Marina Real Británica. Quedó fuera de combate tras los ataques de portatorpedos Swordfish y se hundió finalmente el 27 de mayo. Sin embargo, el acorazado y su acompañante, el crucero pesado *Prinz Eugen*, habían cosechado anteriormente un gran éxito: consiguieron hundir el crucero de combate HMS *Hood*, el orgullo de la Marina Real.

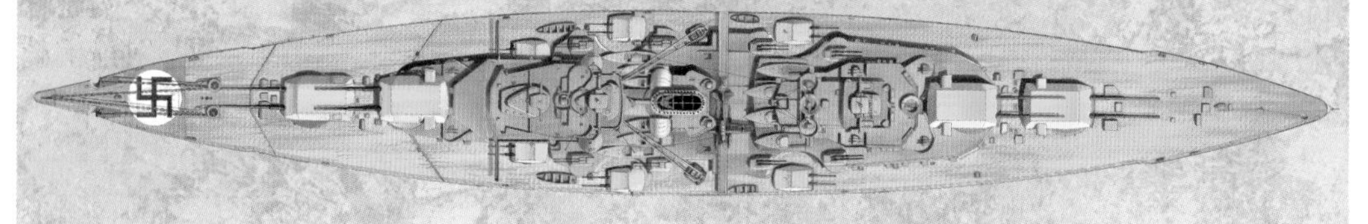

MARINEROS DE LA ARMADA ALEMANA o Kriegsmarine, *durante una inspección de los oficiales antes de zarpar de un fondeadero en el mar Báltico.*

PERSEVERANCIA Y BUENA SUERTE

A pesar de la devastadora pérdida del *Hood*, los británicos no cejaron en su empeño de dar caza al *Bismarck*. La noche del 24 de mayo, los alemanes consiguieron dejar atrás a los cruceros que les pisaban los talones, tras repeler un ataque de portatorpedos Fairey Swordfish que habían despegado desde el portaaviones *Victorious*. Entonces, inexplicablemente, Lütjens comenzó a transmitir un extenso mensaje de radio a Berlín, sin ser consciente de que los británicos le habían perdido el rastro temporalmente. Los perseguidores interceptaron la señal, corrigieron un error de navegación que los había enviado con un rumbo incorrecto y fijaron de nuevo a su presa en el punto de mira.

NAVEGANDO EN FILA INDIA, el Bismark *visto desde la popa del* Prinz Eugen *tras tomar rumbo al Atlántico norte.*

La mañana del 26 de mayo, un hidroavión Consolidated PBY Catalina localizó al *Bismarck* a menos de 800 millas de la costa francesa, acercándose al alcance de una pantalla aérea de protección de la *Luftwaffe*. Varios de los buques de la Marina Real que habían participado inicialmente en la persecución se vieron obligados a regresar a puerto para repostar. El acorazado HMS *King George V*, con Tovey a bordo, siguió adelante. Liberado de su labor de escolta, el HMS *Rodney* se unió a la caza, al igual que la Fuerza H con base en Gibraltar, bajo el mando del almirante James Somerville (1882-1949). No obstante, los británicos habían perdido una distancia y un tiempo preciosos. El *Bismarck* aún tenía opciones de escapar.

LOS SWORDFISH AL ANOCHECER

Pero Tovey aún tenía algún as en la manga. El Fairey Swordfish era una antigualla volante, un biplano construido básicamente de madera, lona y alambre. La tarde del 26 de mayo, quince de ellos, con los torpedos a punto bajo sus vientres, despegaron de la cubierta de lanzamiento del portaaviones HMS *Ark Royal* de la Fuerza H. Varios de ellos atacaron por error al crucero HMS *Sheffield*, por suerte sin acierto.

Cuando se acercaba el crepúsculo, los Stringbags restantes lograron afinar la puntería de sus ataques ante una cortina de fuego antiaéreo cada vez más débil. Dos torpedos alcanzaron el blanco. Uno de los impactos no tuvo mayores consecuencias. El otro resultó catastrófico para los alemanes. Volando a solo 15,5 m sobre el agua y en pleno temporal, el subteniente John Moffat soltó el arma de su avión, que golpeó con fuerza la popa del *Bismarck* y bloqueó el timón 15° a babor. En consecuencia, la enorme nave solo podía navegar siguiendo un rumbo: al noroeste, donde estaba reunida toda la fuerza de la Marina Real, ansiosa de venganza.

UNA LLUVIA DE OBUSES

Ahora todos los marineros a bordo del *Bismarck* sabían que su suerte estaba echada. Lindemann ordenó abrir las bodegas y permitió que los hombres llevaran consigo todas las provisiones que pudieran. La Marina Real regresaría a la luz del alba y tendría lugar la lucha a muerte.

A las 08.47 del 27 de mayo, los cañones de 406 mm del *Rodney* abrieron fuego a una distancia de 12 millas. El *King George* se unió. La tripulación del *Bismarck* combatió con valentía, pero los impactos sufridos dañaron gravemente su sistema de control de incendios y dejaron fuera de combate a su armamento principal. Los acorazados británicos se acercaron a menos de 2 millas, mientras los cuerpos de los soldados muertos y heridos se amontonaban en las cubiertas del *Bismarck*. A las 11.00, la nave seguía a flote, pero estaba en llamas de proa a popa y era incapaz de responder a los ataques. Poco después, el acorazado giró a babor y se hundió por la popa.

UNA CONTROVERSIA PERSISTENTE

Durante mucho tiempo, se ha adjudicado a tres impactos de torpedo del crucero HMS *Dorsetshire* el honor de haber dado el golpe de gracia. Sin embargo, los supervivientes del *Bismarck* afirman que fueron ellos mismos quienes abrieron las compuertas y echaron el barco a pique. La exploración del pecio tiende a confirmar sus declaraciones, pero no aporta conclusiones definitivas. Solo 115 de los más de 2.000 marineros del *Bismarck* fueron sacados de las heladas aguas del Atlántico. Se podría haber rescatado a más, pero el sonido de una alarma de detección de submarinos lo impidió.

ARRIBA: BIPLANOS FAIREY SWORDFISH en vuelo, con los torpedos colgando bajo el fuselaje. Construidos fundamentalmente de madera y lona, los Swordfish demostraron su efectividad contra el Bismarck.

La épica caza del *Bismarck* sigue resonando como un episodio clásico en la historia de las batallas navales. La pérdida del gran acorazado supuso el fin de la amenaza que planteaba la flota de superficie de la *Kriegsmarine* a la flota mercante aliada en el Atlántico. Hitler no quería arriesgar los pocos barcos importantes que le quedaban. En el lejano norte, los buques de guerra alemanes amenazaban los convoyes aliados que se dirigían hacia los puertos soviéticos de Murmansk y Arkhangelsk. Sin embargo, el Atlántico siguió bajo el control de los submarinos hasta que también fueron derrotados.

ABAJO: TOCADO Y CON LA PROA ALGO CAÍDA, el Bismarck *surca las aguas del Atlántico antes de su fatal encuentro con la Marina Real, principalmente con los acorazados* King George V *y* Rodney.

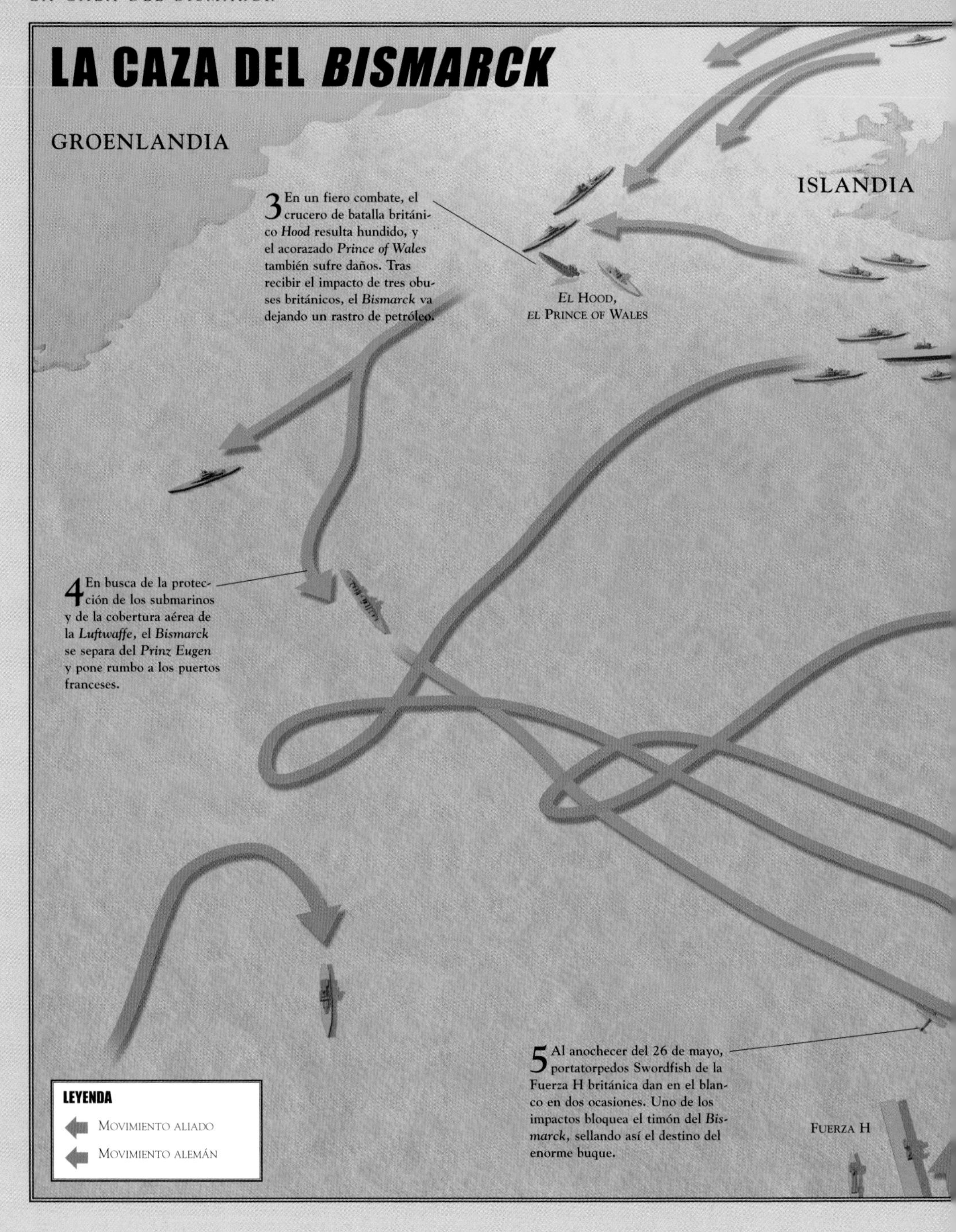
LA CAZA DEL *BISMARCK*
GROENLANDIA
ISLANDIA
3 En un fiero combate, el crucero de batalla británico *Hood* resulta hundido, y el acorazado *Prince of Wales* también sufre daños. Tras recibir el impacto de tres obuses británicos, el *Bismarck* va dejando un rastro de petróleo.
EL HOOD, EL PRINCE OF WALES
4 En busca de la protección de los submarinos y de la cobertura aérea de la *Luftwaffe*, el *Bismarck* se separa del *Prinz Eugen* y pone rumbo a los puertos franceses.
5 Al anochecer del 26 de mayo, portatorpedos Swordfish de la Fuerza H británica dan en el blanco en dos ocasiones. Uno de los impactos bloquea el timón del *Bismarck*, sellando así el destino del enorme buque.
FUERZA H
LEYENDA
MOVIMIENTO ALIADO
MOVIMIENTO ALEMÁN

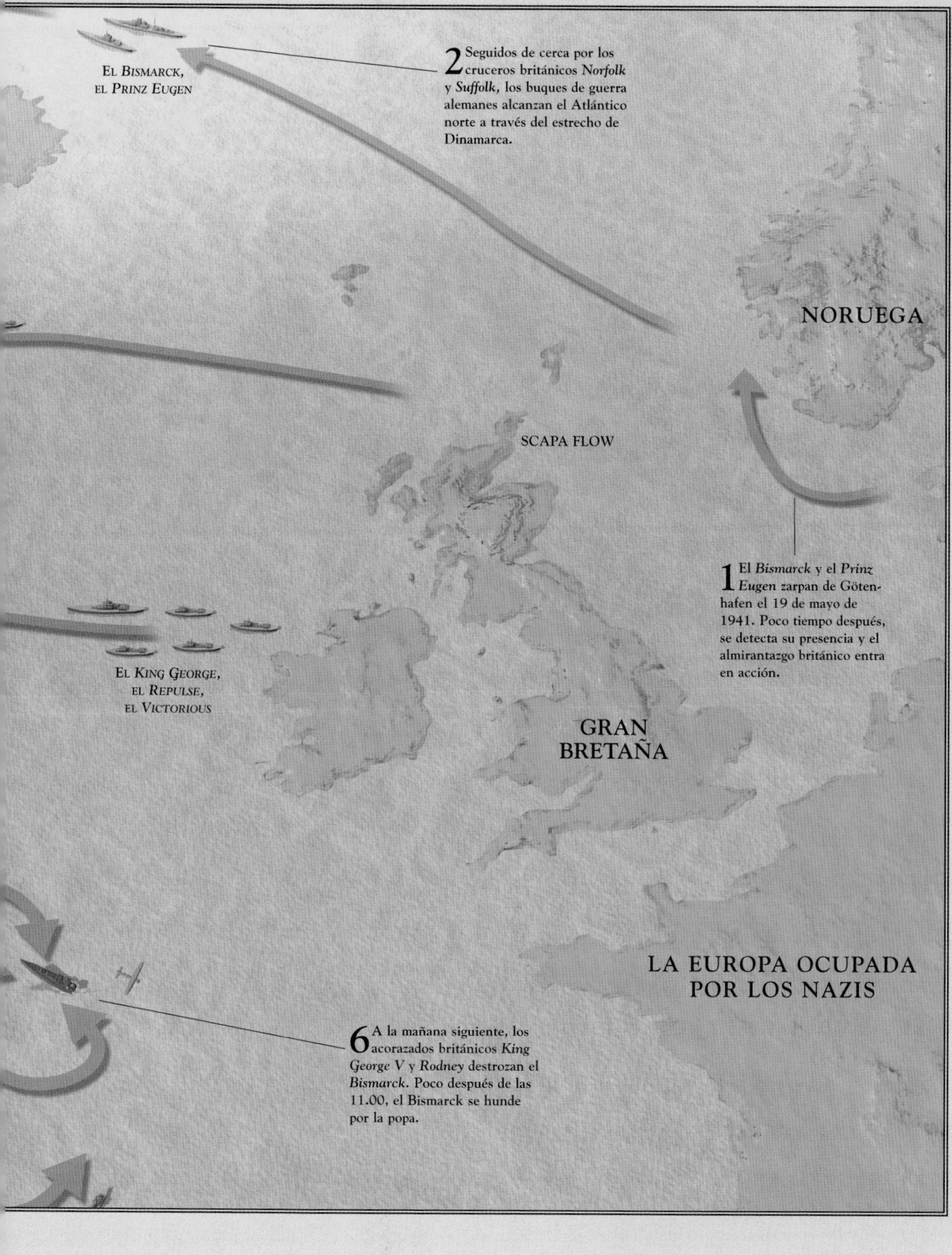

EL BISMARCK,
EL PRINZ EUGEN

2 Seguidos de cerca por los cruceros británicos *Norfolk* y *Suffolk*, los buques de guerra alemanes alcanzan el Atlántico norte a través del estrecho de Dinamarca.

NORUEGA

SCAPA FLOW

1 El *Bismarck* y el *Prinz Eugen* zarpan de Götenhafen el 19 de mayo de 1941. Poco tiempo después, se detecta su presencia y el almirantazgo británico entra en acción.

EL KING GEORGE,
EL REPULSE,
EL VICTORIOUS

GRAN BRETAÑA

LA EUROPA OCUPADA POR LOS NAZIS

6 A la mañana siguiente, los acorazados británicos *King George V* y *Rodney* destrozan el *Bismarck*. Poco después de las 11.00, el Bismarck se hunde por la popa.

315

OPERACIÓN BARBARROJA 1941

Un enorme ejército de 3,3 millones de hombres invadió la Unión Soviética el 22 de junio de 1941. Esta enorme fuerza invasora debía capturar Moscú, Ucrania y Leningrado en poco tiempo.

La mayor operación militar de todos los tiempos, conocida bajo el nombre en clave de Barbarroja, estaba en marcha. En ella, la *Wehrmacht* alemana obtendría sus victorias más espectaculares. No obstante, no precipitó la victoria definitiva, y el Ejército Rojo entraría victorioso en Berlín cuatro años más tarde.

Hitler había centrado toda su atención en capturar Leningrado y despejar los Estados bálticos. Sin embargo, había asignado el menor número de efectivos al Grupo de Ejército Norte bajo el mando del mariscal Von Leeb (1876-1956). En consecuencia, el avance de Von Leeb era lento y, en lugar de una captura rápida de la metrópoli, se produjo un largo asedio que tendría en último extremo consecuencias fatales.

DATOS DE LA OPERACIÓN BARBARROJA

Quiénes: Tres grupos de ejército alemanes (norte, centro y sur) bajo el mando, respectivamente, de los mariscales Ritter von Leeb (1876-1956), Fedor von Bock (1880-1945) y Gerd von Rundstedt (1875-1953) recibieron el encargo de Hitler de destruir el Ejército Rojo en dos meses.

Cómo: Barbarroja supuso el punto de inflexión decisivo para la guerra. Si la Unión Soviética lograba sobrevivir a la acometida alemana, el *Reich* de Hitler se vería abocado a una guerra simultánea en dos frentes.

Dónde: En julio de 1941, cuando Finlandia se había unido a la acometida alemana por el norte, el frente oriental llegaría a extenderse desde el mar Negro hasta la zona norte del Ártico, y los alemanes alcanzarían prácticamente los aledaños de la capital rusa.

Cuándo: Del 22 de junio al 5 de diciembre de 1941.

Por qué: Tras el fracaso de su intento de dominar Gran Bretaña en el verano de 1940, Hitler aventuró que su *Wehrmacht* sería capaz de derrotar a la Unión Soviética antes de que los estadounidenses interviniesen en la guerra al lado de los británicos.

Resultado: En último extremo, el resultado de Barbarroja decidió el desenlace de la Segunda Guerra Mundial.

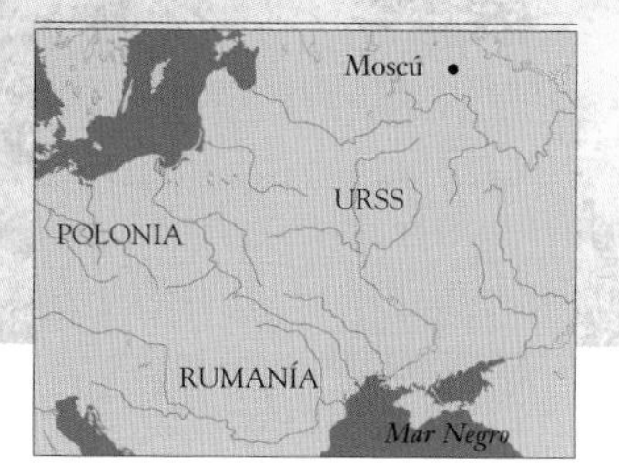

Un tanque 35(T) de construcción checa pasa por delante de una casa señorial en llamas en Bielorrusia a principios de junio de 1941, mientras la Blitzkrieg *arrasa el territorio soviético.*

LA HISTORIA TIENDE A CONSIDERAR AL EJÉRCITO ALEMÁN como una fuerza motorizada de rápido movimiento. Sin embargo, la realidad es que buena parte del equipo fue transportado a caballo: en la invasión de la Unión Soviética se utilizaron más de 750.000 caballos.

VICTORIAS EN UCRANIA, EL CONTRATIEMPO DE ROSTOV

Al Grupo de Ejército Sur del mariscal Gerd von Rundstedt (1875-1953), compuesto por 41 divisiones, se le encomendó una empresa crucial: tomar Ucrania. Por sus abundantes campos de grano y el poderío industrial de la región de Donbass, era una conquista más que necesaria.

Sin embargo, por desgracia para Rundstedt, el frente sudeste, el más fuerte de los grupos de ejército soviéticos, opuso una fiera resistencia, conducido con mano sabia por su comandante, el general Mikhail Kirponos (1892-1941). En consecuencia, el Grupo de Ejército Sur sólo pudo avanzar con lentitud y dando pasos muy calculados. Aun así, entraron en acción los *panzer* del Grupo de Ejército Centro, que se reunieron con los de Rundstedt el 10 de septiembre al este de Kiev.

Tres enormes ejércitos soviéticos (el 5.°, el 26.° y el 37.°) habían quedado atrapados en la ciudad de Kiev y sus alrededores. Kirponos murió intentando escapar de la trampa alemana, y 665.000 de sus hombres fueron capturados.

El 1.er Grupo Panzer lanzó su ataque el 30 de septiembre, y el 6 de octubre ya había atrapado a buena parte del frente sudeste soviético. Dos ejércitos (el 9.° y el 18.°) quedaron destruidos, dejando tras de sí 100.000 prisioneros.

EL «LIBERADOR» PRONTO *se convertiría en un salvaje opresor:* Un landser *(soldado de infantería) alemán, con una granja rusa en llamas al fondo.*

Los alemanes continuaron su avance hacia Rostov, en el río Don, que fue capturada el 20 de noviembre. Sin embargo, el alto mando soviético *(Stavka)* lanzó un vigoroso contraataque de tres ejércitos contra las líneas alemanas, que por aquel momento ya estaban demasiado extendidas. El 29 de noviembre, esta ciudad estratégicamente ubicada volvió a manos soviéticas, y los alemanes escaparon por muy poco a una versión anticipada de Stalingrado.

EL AVANCE DEL GRUPO DE EJÉRCITO CENTRO

Cuando Napoleón invadió Rusia en 1812, logró llegar hasta Moscú, pero no pudo alcanzar la victoria final. Los generales de Hitler, especialmente Fedor von Bock (1880-1945), comandante del Grupo de Ejército Centro, creían que la captura de Moscú supondría el colapso de toda la Unión Soviética. Al igual que en el sur, aquí los alemanes también cosecharon éxitos importantes. Una serie de ejércitos quedaron atrapados dentro del saliente de Bialystok y en un amplio reducto al oeste de Minsk, donde se tomaron 300.000 prisioneros. Stalin había relevado de sus funciones al comandante del frente occidental, el general Dimitri Pavlov (1897-1941), quien, a su regreso a Moscú, fue fusilado por sus errores. Su puesto fue ocupado por el mariscal Simeon Timoshenko (1883-1973).

Sin embargo, el Ejército Rojo continuaría sufriendo reveses catastróficos. Smolensk, la puerta hacia Moscú, cayó el 16 de julio. Stalin estaba ahora decidido a bloquear el avance alemán, por lo que se lanzaron una serie de contraataques a cargo de los ejércitos del frente occidental, una acción que les costó otros 300.000 hombres y 3.000 tanques. En las filas alemanas se iba asentando el sentimiento de que cada éxito no les acercaba ni un paso más a la victoria y que las reservas del Ejército Rojo eran inagotables.

EL GENERAL HEINZ GUDERIAN

Heinz Guderian (1888-1954) fue el comandante de tanques más exitoso de Hitler, y combinaba una brillante inteligencia con excelentes habilidades como comandante de campo práctico y duro. Fue nombrado jefe de la 2.ª División Panzer en 1935, participó en la campaña polaca (septiembre de 1939) y tomó parte en la incursión en Sedán el 14 de mayo de 1940. Durante la campaña Barbarroja, Guderian estuvo al mando del 2.º Grupo Panzer. Pensaba marchar sobre Moscú tras haber tomado Smolensk en julio, pero sus tropas *panzer* fueron redigiridas hacia el sur. Guderian fue conocido con el sobrenombre de «Heinz, el rápido» por su estilo duro con sus tropas, que, sin embargo, lo admiraban. Durante la operación Tifón, estuvo al mando del 2.º Ejército Panzer, pero fue relevado de sus funciones el 25 de diciembre y alejado del mando hasta 1943.

Hitler, que no compartía la opinión de sus generales, desvió la mayoría de las divisiones *panzer* del Grupo de Ejército Centro para que tomaran parte en la batalla de Kiev. Durante más de un mes, el frente central, de 800 km, se mantuvo sin cambios, lo que brindó al Ejército Rojo un tiempo de incalculable valor para preparar sus defensas. El general Andrei Yeremenko (1892-1970) contaba con tres ejércitos (30 divisiones) en Bryansk, mientras que Timoshenko tenía consigo seis ejércitos con 55 divisiones en Vyazma. Increíblemente, en octubre todas estas fuerzas ya habían sido aniquiladas o capturadas.

Izquierda: Con Rusia ante otra salvaje invasión, estos ucranianos cavan zanjas antitanque a finales del verano de 1941.

La marcha sobre Moscú, conocida en clave como operación Tifón, fue lanzada el 2 de octubre al brillante sol del primer albor. El Grupo de Ejército Centro comprendía un millón de hombres divididos en 77 divisiones, con 1.700 tanques y casi un millar de aviones.

Cinco días más tarde, el 4.º Grupo Panzer del general Hoepner, en colaboración con el 3.er Grupo Panzer del general Hermann Hoth (1885-1971), ya había atrapado a los seis ejércitos de Timoshenko en un enorme cerco en la ciudad de Vyazma y sus alrededores.

LA BATALLA DE MOSCÚ

El 9 de octubre, Hoth y Hoepner se reunieron con los *panzer* de Guderian, de modo que los ejércitos soviéticos 3.º, 13.º y 50.º quedaron atrapados al norte y al sur de Bryansk. Tras dejar atrás las tropas imprescindibles para sellar los cercos de Vyazma y Bryansk, los grupos *panzer* del Grupo de Ejército pusieron rumbo a Mozhaiska y Tula. Estos reductos fueron eliminados el 14 y el 20 de octubre respectivamente, en lo que supuso la destrucción de ocho ejércitos. El bagaje obtenido fue tan importante como en Kiev: unos 673.000 prisioneros, más de 1.000 tanques y 5.000 cañones.

A pesar de las lluvias torrenciales, a mediados de mes los alemanes habían recorrido ya dos tercios de la distancia que les separaba de Moscú. Finalmente, la moral de los soviéticos se vino abajo. El 16 de octubre se rompió la ley y el orden en la capital, y un millón de sus ciudadanos escaparon, en lo que se conoce como «la gran huida». Solo la orden de tirar a matar proclamada por la NKVD (Policía Secreta Soviética) fue capaz de cortar el pánico de raíz y poner fin al pillaje y al caos.

Abajo: Un equipo alemán Pak-36 deja fuera de combate a un tanque ligero soviético durante la contienda del verano de 1941.

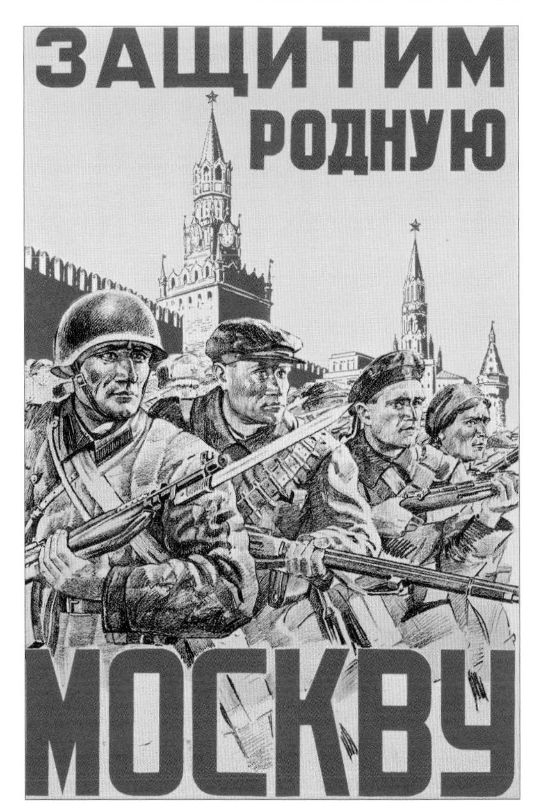

DERECHA: OCTUBRE DE 1941: *propaganda soviética intentando mostrar una nación unida aprestándose para la defensa de la capital. En realidad, lo que reinaba antes de aquel invierno era la opresión, la corrupción y el derrotismo.*

El tiempo enfrió a principios de noviembre, lo que permitió a los alemanes volver a avanzar por las carreteras, ahora heladas y duras. Sin embargo, el frío se hizo pronto excesivo, con temperaturas de hasta -21 °C, y en las filas soviéticas había aparecido un nuevo comandante, el general Georgi Zhukov (1896-1974), que ya había salvado Leningrado y estaba preparando un contraataque contra las exhaustas tropas alemanas. El 18 de noviembre, Zhukov tenía a su disposición 21 divisiones siberianas descansadas, curtidas y totalmente equipadas.

El plan alemán era un asalto frontal con 36 divisiones, mientras que los tres grupos *panzer* rodeaban a los defensores soviéticos en torno a Moscú. El 27 de noviembre, la 2.ª División Panzer estaba a solo 22 km de la capital y ya podía divisar los pináculos de los palacios del Kremlin.

El Grupo de Ejército de Bock ocupaba entonces un frente de casi 1.000 km de largo con apenas 60 divisiones. La lenta ofensiva se vio detenida el 5 de diciembre, cuando las temperaturas se desplomaron hasta los -35 °C. Ese mismo día, Zhukov ordenó al frente de Kalinin del general Ivan Konev (1897-1973) lanzar un ataque, y al día siguiente su propio frente occidental pasó a la ofensiva. El ataque cogió a los alemanes por sorpresa, y durante los siguientes dos meses el Ejército Rojo mantuvo la iniciativa en el frente central.

El fracaso de Tifón significaba la derrota de Barbarroja. A largo plazo, el contraataque soviético firmó igualmente el acta de defunción del *Reich* nazi alemán. Dos días después del inicio de la ofensiva de Zhukov, Estados Unidos entró en la guerra, y la derrota de Hitler no era más que cuestión de tiempo.

ABAJO: EL PANZER MK III *(este modelo pertenecía a la 2.ª División Panzer) era la robusta montura de las fuerzas acorazadas alemanas, pero no fue rival para el T-34 soviético.*

OPERACIÓN BARBARROJA

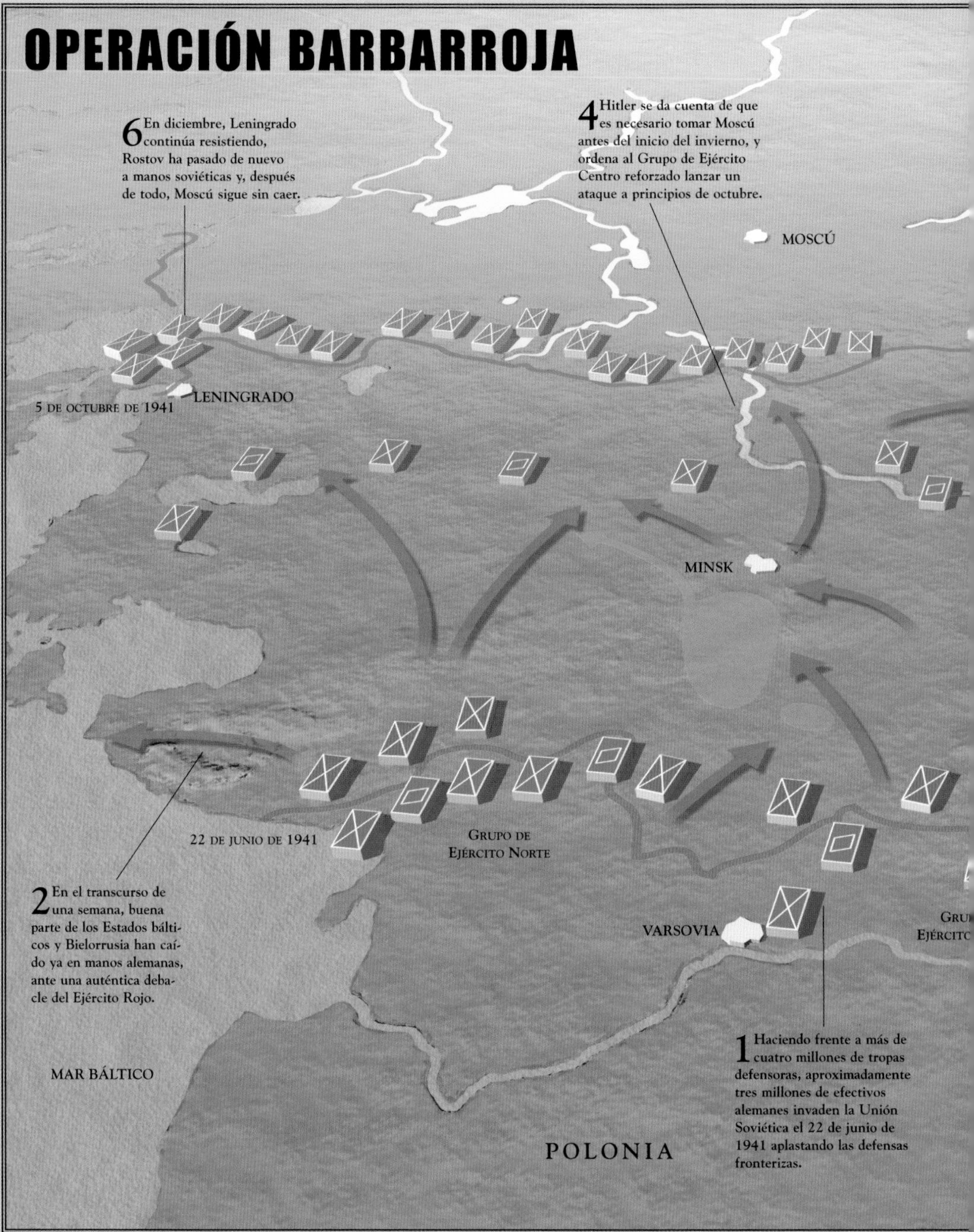

6 En diciembre, Leningrado continúa resistiendo, Rostov ha pasado de nuevo a manos soviéticas y, después de todo, Moscú sigue sin caer.

4 Hitler se da cuenta de que es necesario tomar Moscú antes del inicio del invierno, y ordena al Grupo de Ejército Centro reforzado lanzar un ataque a principios de octubre.

MOSCÚ

LENINGRADO

5 DE OCTUBRE DE 1941

MINSK

22 DE JUNIO DE 1941

GRUPO DE EJÉRCITO NORTE

2 En el transcurso de una semana, buena parte de los Estados bálticos y Bielorrusia han caído ya en manos alemanas, ante una auténtica debacle del Ejército Rojo.

VARSOVIA

GRU
EJÉRCITO

1 Haciendo frente a más de cuatro millones de tropas defensoras, aproximadamente tres millones de efectivos alemanes invaden la Unión Soviética el 22 de junio de 1941 aplastando las defensas fronterizas.

MAR BÁLTICO

POLONIA

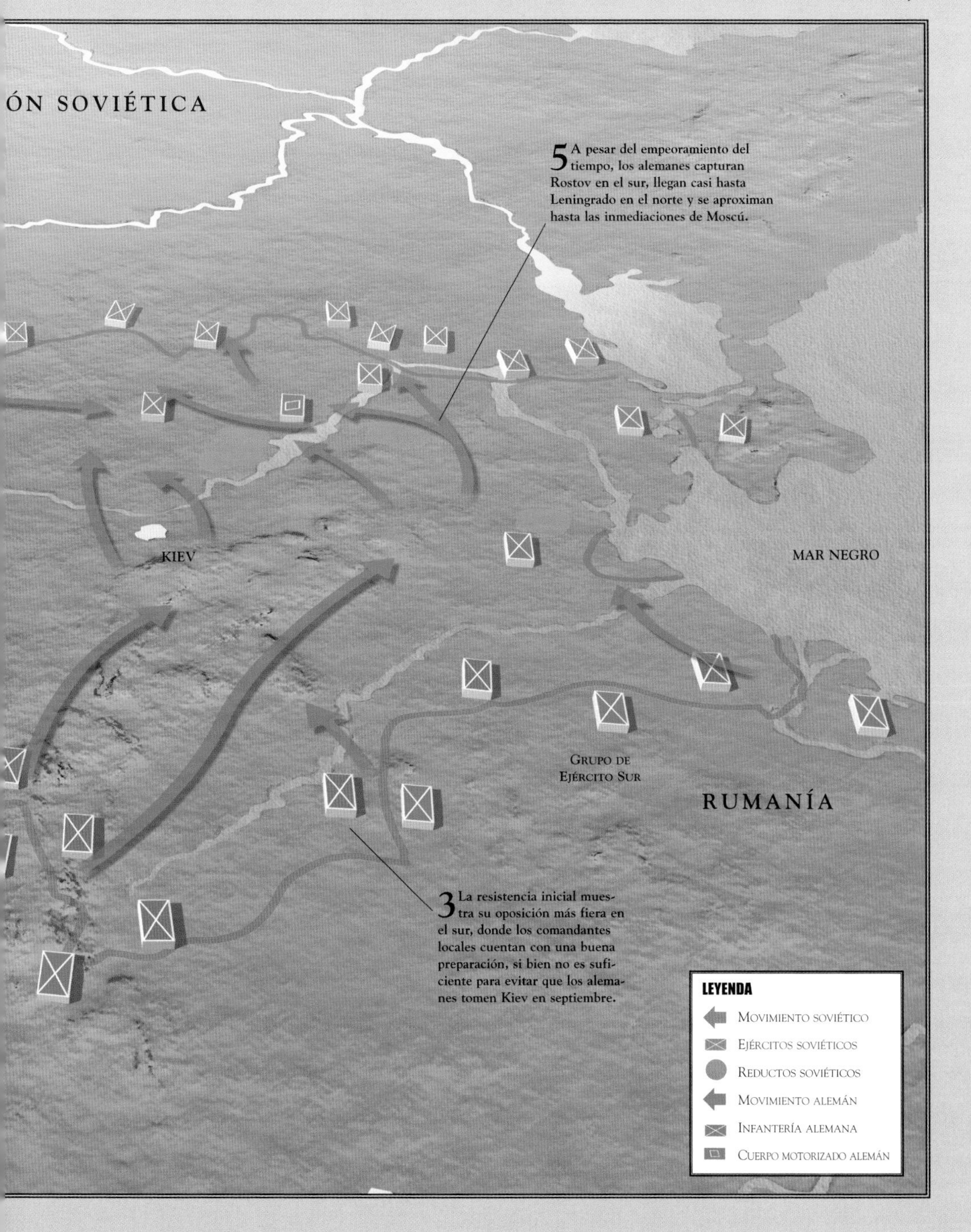
ÓN SOVIÉTICA
5 A pesar del empeoramiento del tiempo, los alemanes capturan Rostov en el sur, llegan casi hasta Leningrado en el norte y se aproximan hasta las inmediaciones de Moscú.
KIEV
MAR NEGRO
GRUPO DE EJÉRCITO SUR
RUMANÍA
3 La resistencia inicial muestra su oposición más fiera en el sur, donde los comandantes locales cuentan con una buena preparación, si bien no es suficiente para evitar que los alemanes tomen Kiev en septiembre.
LEYENDA
MOVIMIENTO SOVIÉTICO
EJÉRCITOS SOVIÉTICOS
REDUCTOS SOVIÉTICOS
MOVIMIENTO ALEMÁN
INFANTERÍA ALEMANA
CUERPO MOTORIZADO ALEMÁN

EL ASEDIO DE LENINGRADO 1941-44

El asedio de Leningrado fue una terrible epopeya de perseverancia que costó la vida de 1,5 millones de personas, tanto soldados como civiles. En total se prolongó casi 900 días.

El 22 de junio de 1941, una oleada de tropas alemanas cruzó la frontera soviética en el marco de la operación Barbarroja. La *Wehrmacht* estaba dividida en tres formaciones principales (los Grupos de Ejército Norte, Centro y Sur), cada una con sus propios objetivos. El Grupo de Ejército Norte, bajo el mando del mariscal de campo Wilhelm von Leeb (1876-1956), tenía en su punto de mira a Leningrado, una enorme metrópoli de un millón de habitantes situada en el golfo de Finlandia. Las fuerzas de Von Leeb, al igual que los demás elementos de la operación Barbarroja, registraron vigorosos progresos en su empuje a través de los Estados bálticos y su incursión el 9 de agosto a través del río Luga, a solo 120 km al sur de Leningrado.

DATOS DEL ASEDIO DE LENINGRADO

Quiénes: El Grupo de Ejército Norte alemán a las órdenes de varios comandantes contra los frentes soviéticos Volkhov y Leningrado, bajo el mando del general Kirill Meretskov (1897-1968) y el mariscal Leonid Govorov (1897-1955), respectivamente.

Cómo: Un bloqueo parcial de Leningrado a cargo del Grupo de Ejército Norte redujo la ciudad a condiciones de hambruna, y solo se pudo romper el cerco tras una sucesión de ofensivas soviéticas a lo largo de tres años.

Dónde: En Leningrado (conocida en la actualidad como San Petersburgo), una ciudad al norte de Rusia, junto al golfo de Finlandia.

Cuándo: El asedio se prolongó realmente desde septiembre de 1941 hasta enero de 1944.

Por qué: Leningrado era desde el principio uno de los objetivos de la operación Barbarroja de Hitler, pero a finales de 1943 las operaciones allí tenían una escasa función militar aparte de mantener la línea general del frente alemán.

Resultado: Un millón de civiles murieron de inanición o por los ataques de bombas y obuses, pero la derrota final de los alemanes fue un factor clave en la derrota general de la *Wehrmacht* en el frente oriental.

UNA UNIDAD DEL EJÉRCITO ROJO *despliega un ataque característico en el sector de Leningrado, en el invierno de 1943: una carga sencilla con la cobertura de ametralladoras pesadas.*

ARRIBA: LOS BOMBARDEROS EN PICADO JU-87 STUKA fueron utilizados como «artillería volante» para interceptar los convoyes de suministro soviéticos.

SALVADA, PERO ABOCADA A UN ASEDIO

La suerte de la ciudad parecía echada, en buena medida porque las fuerzas aliadas germano-finlandesas no cesaban de abrirse paso desde el norte combatiendo en la zona entre el lago Ladoga y el mar. Las conexiones más importantes de Leningrado por carretera y ferrocarril fueron cayendo una tras otra en poder de los alemanes (Novgorod el 16 de agosto, Chudovo el 20), y el 1 de septiembre los obuses de la artillería alemana estaban cayendo ya sobre la propia ciudad. Los habitantes de Leningrado se dispusieron a librar una batalla por la supervivencia. A partir del 9 de septiembre, el admirado general soviético Georgi Zhukov (1896-1974) estuvo presente en la ciudad y convirtió la hermosa ciudad norteña en una sólida fortaleza rodeada por posiciones defensivas, casamatas y trincheras. No obstante, el asalto directo de los alemanes sobre Leningrado no llegó. El 6 de septiembre, Hitler trasladó la prioridad de Barbarroja a objetivos más meridionales y desplazó buena parte del poderío de los *panzer* de Von Leeb en apoyo de la ofensiva. Eso suponía que Leningrado debía ser derrotada por medio del asedio y los bombardeos.

Durante septiembre y octubre, la situación estratégica de Leningrado empeoró. Las principales estaciones de ferrocarril de Schlisselburg y Mga, al este, cayeron en manos alemanas, y en octubre Von Leeb inició una ofensiva contra el vital centro de ferrocarriles de Tikhvin, que cayó el 8 de noviembre. Un cerco de acero se iba estrechando cada vez más en torno a Leningrado, pero la contienda no estaba siendo sencilla para los alemanes. La ofensiva había estirado en demasía un Grupo de Ejército Norte ya debilitado, que ahora debía hacer frente a la presión de los ejércitos del frente Volkhov, a las órdenes del general Kirill Meretskov (1897-1968). El 10 de diciembre de 1941, Tikhvin pasó de nuevo a

IZQUIERDA: UN SOLDADO DE INFANTERÍA del Ejército Rojo bien equipado, visto aquí en otoño de 1941 armado con el Tokarev SVT-40, un antiguo rifle semiautomático soviético.

ARRIBA: LA VÍA DE SUSTENTO: UN CONVOY DE CAMIONES *se desplaza sobre el helado lago Ladoga. En tales condiciones, podían recorrer el trayecto hasta 400 camiones al día.*

control soviético tras una gran ofensiva manejada con brutalidad por el Ejército Rojo, y a principios de enero los alemanes se vieron obligados a restablecer las líneas de su frente más al oeste. Sin embargo, la población de Leningrado, desesperada, solo disponía de los corredores de suministro más estrechos.

EL HAMBRE Y LA RESISTENCIA

Mientras los ejércitos alemán y soviético combatían a las afueras de Leningrado por la supremacía, en la propia ciudad se mantenía una lucha no menos terrible: la batalla contra el hambre. En un invierno especialmente duro, los ciudadanos de Leningrado estaban empezando a morir

DERECHA: LA INFANTERÍA ALEMANA *combate el invierno ruso a finales de 1941. Como en otros lugares, el áspero clima ruso obstaculizó la movilidad de los alemanes en el frente de Leningrado.*

ARRIBA: CIVILES DE LENINGRADO CONGREGADOS *en un pequeño grupo para distribuir los escasos víveres disponibles y transportarlos en trineo por las calles heladas.*

de inanición por millares, y sus apuros se recrudecieron aún más a causa del colapso del abastecimiento de combustible que les proporcionaba el necesario calor.

A finales de noviembre, había cuerpos sembrados por todas las calles, y la gente perecía literalmente mientras caminaba o acurrucada junto a las puertas. En un solo día se registraron hasta 13.500 muertes. El canibalismo se convirtió en un modo de supervivencia, y algunos vendedores callejeros empezaron a comerciar con carne de dudoso origen. Todo animal, ya fuera salvaje o doméstico, era sacrificado para obtener comida, y otros artículos, como el aceite de linaza y las velas de sebo, también se hicieron un hueco en el menú. Este horrible panorama tenía como telón de fondo el constante bombardeo de la aviación y la artillería alemanas.

El principal sustento de la ciudad era el lago Ladoga, si bien no resultaba el más adecuado como fuente de suministro. Las provisiones se transportaban por tierra hasta Tikhvin, y luego hasta puntos de desembarco como Novaya Ladoga y Lednevo. Las condiciones en torno a los convoyes de distribución eran desoladoras:

ABAJO: EL TANQUE T34/76 FUE *el principal vehículo acorazado de combate de los soviéticos en el frente de Leningrado, y su contribución fue decisiva en la ruptura del asedio alemán en 1944.*

numerosos camioneros, tripulaciones de barcos y refugiados encontraron su tumba en el fondo del Ladoga. Sin embargo, en la primavera de 1942 se tendieron a través del río conductos de combustible y electricidad, lo que permitió disponer de la energía necesaria para cocinas y calefacciones. A pesar de que las condiciones habían mejorado hacia finales de 1942, el bloqueo se prolongó durante casi 900 días. Pereció un millón de personas entre una población de 2,5 millones.

LA RUPTURA DEL ASEDIO

En 1942, los soviéticos confiaban en seguir reforzando su ventaja. En enero, una gran ofensiva a cargo del frente Volkhov entre Novgorod (justo al norte del lago Ilmen) y Spasskaya Polist abrió un saliente de 60 km en el frente alemán, pero la ofensiva se estancó en marzo, proporcionando a los alemanes la oportunidad de escapar del saliente y destruir por completo el 2.º Ejército de Choque soviético. Sin embargo, el ataque soviético había alarmado lo suficiente a Hitler como para que ordenara el relevo de Von Leeb y lo sustituyera por el mariscal de campo Georg von Küchler (1881-1968). El propio Küchler también sería apartado en agosto de 1942 tras resistirse a la idea de Hitler de una ofensiva general para aplastar Leningrado, conocida en clave como «Luces del norte». Entonces, Manstein asumió el cargo.

Entre el 27 de agosto y el 25 de septiembre de 1942 se produjo un movimiento considerable en torno a Leningrado. Una ofensiva contra el cuello de botella a cargo de Meretskov fue finalmente detenida por Manstein, pero su contraofensiva también quedó abortada por la defensa soviética. Sin embargo, el cambio crítico en la fortuna de la contienda se produjo en enero de 1943. El frente soviético de Leningrado, a las órdenes del mariscal Govorov (1897-1955) y compuesto por cuatro ejércitos, descargó una ofensiva combinada junto con el frente Volkhov contra las fuerzas alemanas congregadas en el cuello de botella. El poderío de la combinación entre hombres y unidades acorazadas resultó irresistible, y Schlisselburg volvió a manos soviéticas el 19 de enero. A principios de febrero, los rusos ya habían restablecido los trayectos directos por ferrocarril hacia Leningrado, a pesar de que seguían sometidos a un constante bombardeo alemán y el pasillo controlado por el Ejército Rojo no tenía más que 10 km de ancho.

EL FIN DEL ASEDIO

Lo peor del asedio ya había pasado, pero el bloqueo parcial se prolongó hasta enero de 1944. Los alemanes mantuvieron sus líneas a pesar de haber quedado debilitadas por el traslado de fuerzas ordenado por Hitler para su ofensiva de 1943 en Ucrania. El 14 de enero de 1944, una abrumadora ofensiva soviética a cargo de los dos frentes del Ejército Rojo irrumpió sobre las defensas alemanas y obligó a las tropas de la *Wehrmacht* a batirse en retirada. El 27 de enero, con la reconquista de la línea de ferrocarril Leningrado-Moscú, Stalin proclamó oficialmente el fin del asedio de Leningrado.

LA TRAICIÓN DE LENINGRADO

El asedio de Leningrado se convirtió en todo un icono durante los años que siguieron a su liberación, y artistas, escritores, músicos e historiadores alabaron la resistencia en sus obras. Esta publicidad pronto alentó la paranoia de Stalin, que, de hecho, llevaba largo tiempo sospechando que Leningrado podía dar lugar a una base de poder que rivalizara con el suyo. En 1946, comenzó a actuar contra las figuras clave de la resistencia de Leningrado, y los arrestó bajo cargos falsos. La organización del Partido en Leningrado fue purgada, y unas 2.000 personas fueron ejecutadas, encarceladas o exiliadas entre 1946 y 1950, entre ellos Pyotr Popkov, Aleksei Kuznetsov y Nikolai Voznesensky.

Los habitantes de la ciudad conmemoran el 50.º aniversario del fin del asedio de Leningrado en el cementerio de San Petersburgo, en 1994.

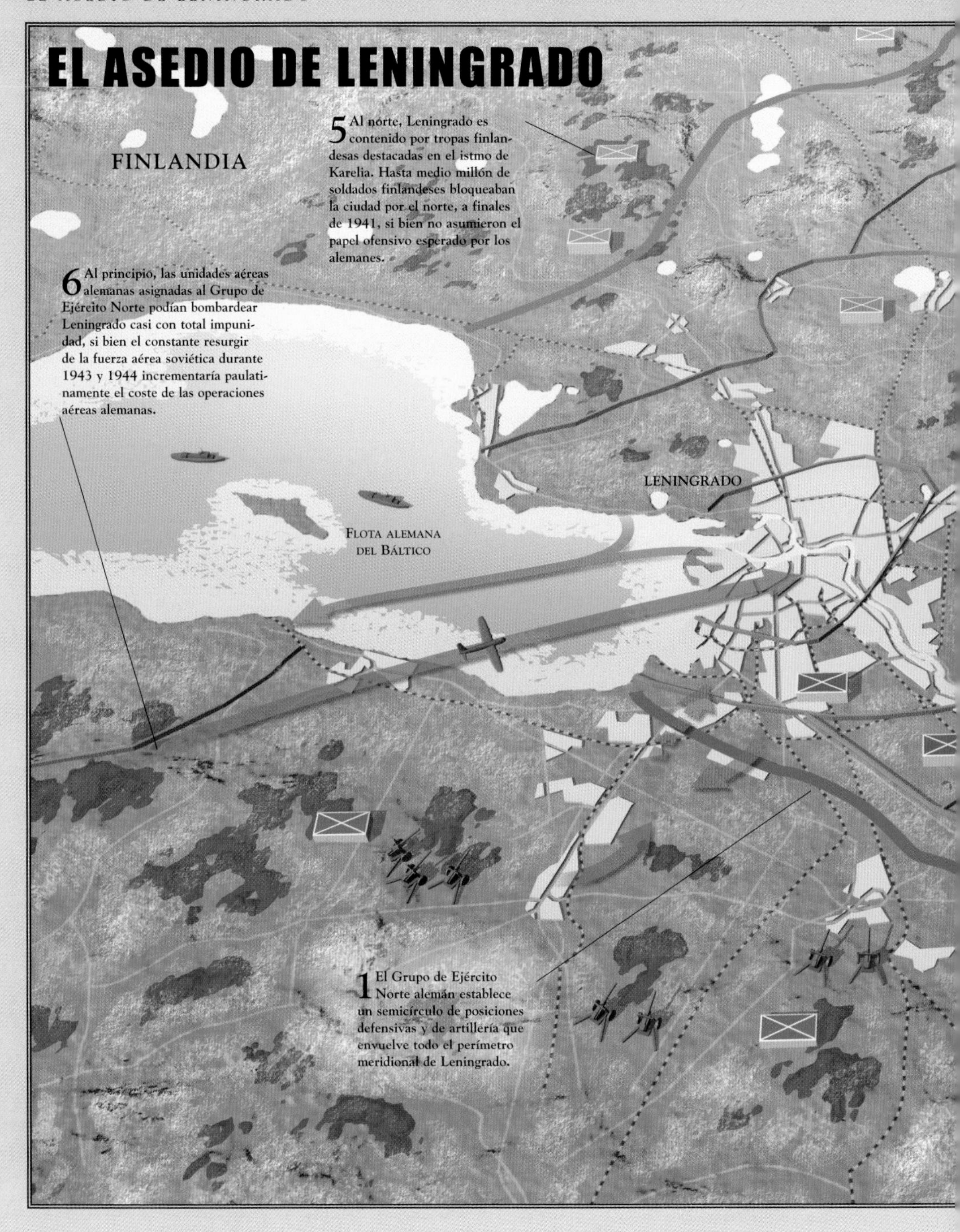
EL ASEDIO DE LENINGRADO
FINLANDIA
5 Al norte, Leningrado es contenido por tropas finlandesas destacadas en el istmo de Karelia. Hasta medio millón de soldados finlandeses bloqueaban la ciudad por el norte, a finales de 1941, si bien no asumieron el papel ofensivo esperado por los alemanes.
6 Al principio, las unidades aéreas alemanas asignadas al Grupo de Ejéreito Norte podían bombardear Leningrado casi con total impunidad, si bien el constante resurgir de la fuerza aérea soviética durante 1943 y 1944 incrementaría paulatinamente el coste de las operaciones aéreas alemanas.
LENINGRADO
FLOTA ALEMANA DEL BÁLTICO
1 El Grupo de Ejército Norte alemán establece un semicírculo de posiciones defensivas y de artillería que envuelve todo el perímetro meridional de Leningrado.

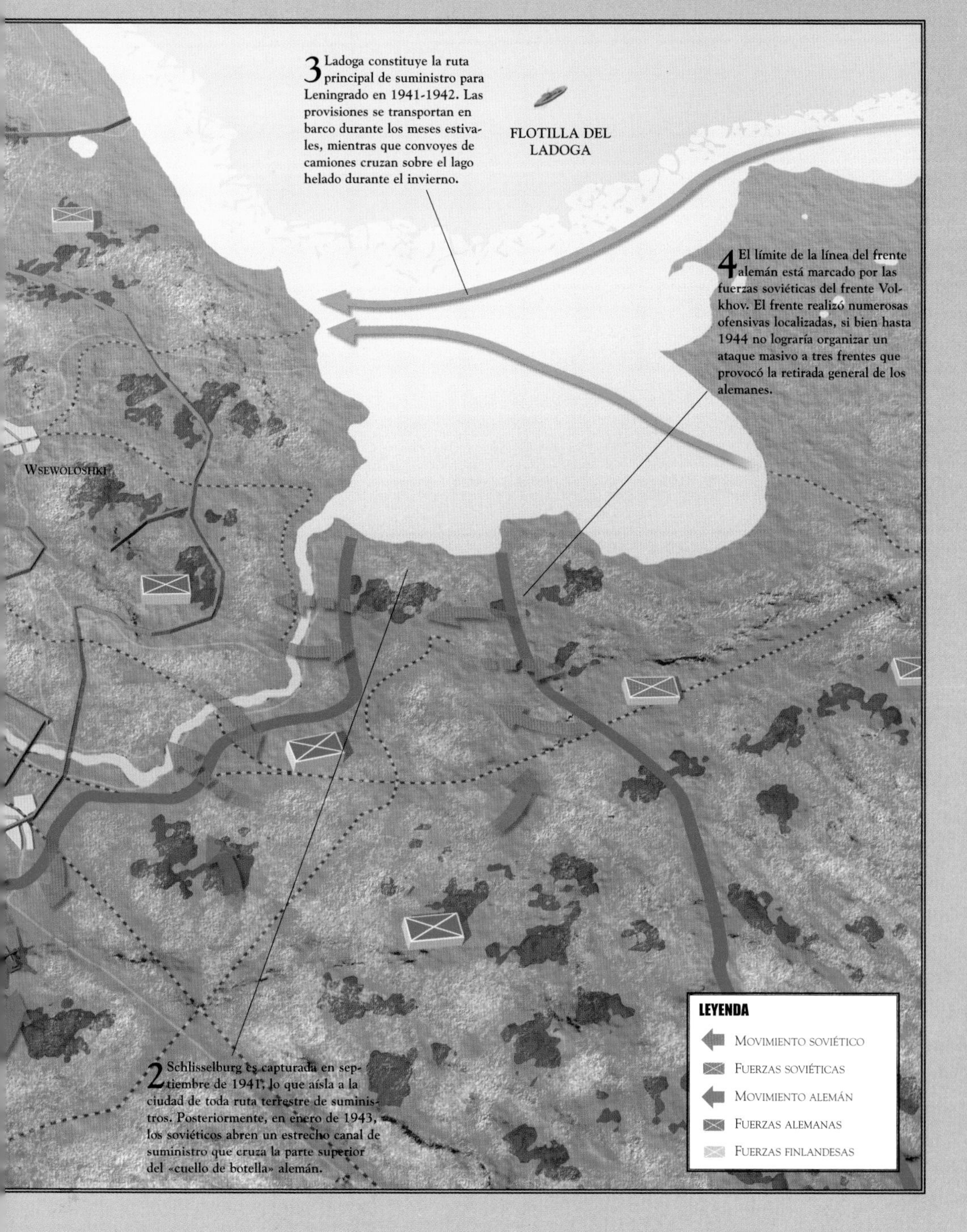
3 Ladoga constituye la ruta principal de suministro para Leningrado en 1941-1942. Las provisiones se transportan en barco durante los meses estivales, mientras que convoyes de camiones cruzan sobre el lago helado durante el invierno.
FLOTILLA DEL LADOGA
4 El límite de la línea del frente alemán está marcado por las fuerzas soviéticas del frente Volkhov. El frente realizó numerosas ofensivas localizadas, si bien hasta 1944 no lograría organizar un ataque masivo a tres frentes que provocó la retirada general de los alemanes.
WSEWOLOSHKI
2 Schlisselburg es capturada en septiembre de 1941, lo que aísla a la ciudad de toda ruta terrestre de suministros. Posteriormente, en enero de 1943, los soviéticos abren un estrecho canal de suministro que cruza la parte superior del «cuello de botella» alemán.
LEYENDA
Movimiento soviético
Fuerzas soviéticas
Movimiento alemán
Fuerzas alemanas
Fuerzas finlandesas

EL EQUILIBRIO

Con la entrada de Estados Unidos en la guerra en diciembre de 1941, Winston Churchill «durmió el sueño de los salvados y los agradecidos», porque «ya no cabía duda sobre el desenlace», según referirían estas famosas palabras. Con todo, Alemania proseguía su ascenso y Japón campaba a sus anchas en el Lejano Oriente. Los estadounidenses aún tardarían un tiempo en desplegar su poderío de manera decisiva, y la guerra distaba mucho de estar ganada.

Aún serían necesarias cruentas y desesperadas batallas como El Alamein, en el desierto occidental, y a una escala mucho mayor Stalingrado y Kursk, en el frente oriental, para volver las tornas contra los alemanes, al igual que Midway, Guadalcanal e Imphal para hacer lo propio contra los japoneses en el escenario del Pacífico.

MARINES ESTADOUNIDENSES SE PONEN A CUBIERTO *en una de las operaciones de desembarco en las islas Salomón el 30 de junio de 1943. Las decisivas batallas de Midway y Guadalcanal se revelaron como el punto de inflexión de la guerra en el Pacífico.*

PEARL HARBOR

1941

Cuando los aviones de combate japoneses atacaron Pearl Harbor culminaron años de tensión entre ambos países. Japón necesitaba recursos para sustentar el aumento de su población y alimentar su gran aparato militar.

En 1931, el ejército japonés había invadido Manchuria, lo que supuso el inicio de una década de combates en China. En 1941, Japón ya había ocupado la totalidad de Indochina.

En respuesta a la creciente amenaza, el presidente Franklin D. Roosevelt (1882-1945) empleó la presión política y económica para poner freno a las ambiciones niponas. En mayo de 1940 ordenó a la flota estadounidense del Pacífico, que ya se encontraba de maniobras en aguas hawaianas, permanecer estacionada en Pearl Harbor y no regresar a su puerto de origen en San Pedro (California). En el verano de

DATOS DE PEARL HARBOR

Quiénes: La flota combinada japonesa bajo el mando estratégico del almirante Isoroku Yamamoto (1884-1943) y el mando táctico del vicealmirante Chuichi Nagumo (1887-1944) contra la flota estadounidense del Pacífico a las órdenes del almirante Husband Kimmel (1882-1968) y las fuerzas armadas del ejército estadounidense bajo el mando del general Walter Short (1880-1949).

Cómo: La flota combinada japonesa reunió a seis portaaviones ligeros para lanzar un audaz ataque sobre la base de la flota estadounidense del Pacífico, a 3.400 millas de distancia.

Dónde: En Pearl Harbor y las instalaciones militares estadounidenses de la isla de Oahu.

Cuándo: 7 de diciembre de 1941.

Por qué: Ante las sanciones estadounidenses y británicas, Japón necesitaba neutralizar el poderío naval de Estados Unidos en el Pacífico, a fin de apoderarse de los recursos británicos y holandeses en la región.

Resultado: Japón provocó unos daños considerables con un escaso coste, pero solo consiguió «despertar a un gigante dormido y llenarlo de una terrible resolución».

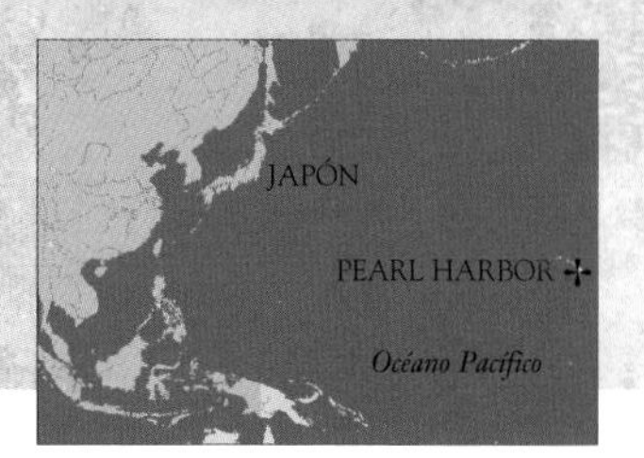

GOLPEADO POR VARIOS TORPEDOS *japoneses, el acorazado USS* West Virginia *es pasto de las llamas y se hunde en las aguas poco profundas de Pearl Harbor. En primer plano, unos marineros sacan a un superviviente del agua.*

IZQUIERDA: EL ALMIRANTE CHUICHI NAGUMO, a pesar de no tener experiencia en guerra aeronaval, llegó a ser comandante de la mayor flota japonesa en abril de 1941.

1940 prohibió la exportación a Japón de minerales estratégicos, productos químicos y chatarra de hierro. El 26 de julio de 1941, en represalia por la ocupación japonesa de Indochina, decretó un embargo sobre el petróleo, nacionalizó el ejército filipino y congeló los activos japoneses en Estados Unidos.

AVISOS DE GUERRA

El almirante Isoroku Yamamoto (1884-1943), comandante en jefe de la flota combinada, era reacio a entrar en guerra con Estados Unidos. Sin embargo, se convirtió en el arquitecto de lo que fue concebido como un golpe devastador al poder militar estadounidense en el Pacífico, un ataque preventivo a cargo de efectivos aéreos transportados en portaaviones contra la flota estadounidense del Pacífico anclada en Pearl Harbor. Durante meses, los pilotos japoneses se entrenaron en secreto. Por fin, el 26 de noviembre de 1941 su poderosa Armada zarpó de la bahía de Hittokapu, en las islas

ABAJO: LOS MOTORES DE LOS CAZAS JAPONESES Mitsubishi Zero cobran vida a bordo del portaaviones Shokaku. *Los Zero proporcionaron cobertura aérea a los atacantes de Pearl Harbor.*

Kuriles. Dos acorazados, tres cruceros de combate, nueve destructores y tres submarinos sirvieron de escolta al corazón de la fuerza de ataque, compuesto por seis portaaviones: el *Akagi*, el *Kaga*, el *Soryu*, el *Hiryu*, el *Shokaku* y el *Zuikaku*.

Los líderes militares y los diplomáticos estadounidenses eran conscientes de que el inicio de la guerra con Japón era inminente. Sin embargo, estaban convencidos de que el primer ataque se produciría en las Filipinas o en el sudeste asiático. El día después de que zarpara la flota japonesa, los comandantes estadounidenses del Pacífico recibieron un aviso de guerra. Sin embargo, el comandante de la flota estadounidense en el Pacífico, el almirante Husband Kimmel (1882-1968), y su homólogo del ejército, el general Walter Short (1880-1949), estaban más preocupados por poner a salvo del sabotaje las instalaciones y el equipo.

IGNORADAS LAS PRIMERAS ADVERTENCIAS

En las horas previas al amanecer del 7 de diciembre, la fuerza de ataque japonesa había alcanzado su estación designada 230 millas al norte de la isla de Oahu. A las 03.30, hora del Pacífico, expertos en criptoanálisis estadounidenses interceptaron en Washington DC el último fragmento de un mensaje dividido en 14 partes remitido por Tokio a sus emisarios en Estados Unidos. El mensaje parecía indicar que la apertura de hostilidades por parte de Japón era cuestión de horas.

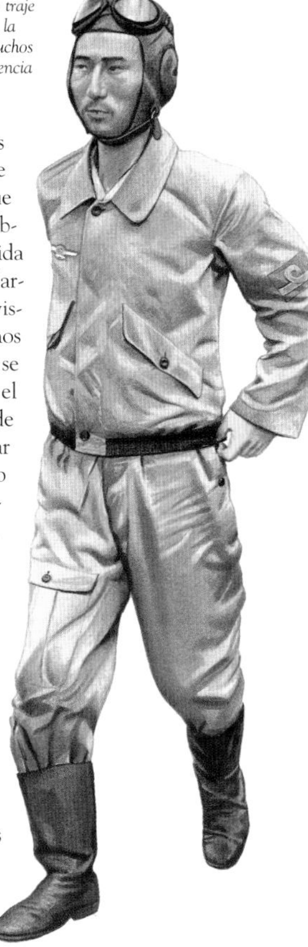

UN PILOTO JAPONÉS, con gorro, gafas y traje de combate, se dirige hacia su avión. En la época del ataque sobre Pearl Harbor, muchos aviadores japoneses contaban con experiencia de combate adquirida en China.

A las 03.45, el dragaminas USS *Condor* avistó durante una patrulla rutinaria lo que parecía el periscopio de un submarino en una zona restringida cerca de la entrada a Pearl Harbor. Probablemente habían avistado uno de los cinco submarinos enanos japoneses a los que se confió la tarea de entrar en el puerto y torpedear los buques de guerra estadounidenses. A pesar de que aquellos submarinos no culminaron con éxito su misión, sus tripulaciones de dos hombres fueron tratadas como héroes a su regreso a Japón... con una notable excepción: una vez que su submarino inutilizado fue remolcado a la playa, el alférez Kazuo Sakamaki fue capturado y se convirtió en el primer prisionero japonés de la Segunda Guerra Mundial.

Cuando los primeros rayos del alba despuntaban por el oriente, los 183 aviones japoneses encargados de

EL VERSÁTIL VAL

Diseñado en 1935 como bombardero en picado tipo 99 modelo 11, el Aichi D3A1 fue el bombardero en picado utilizado fundamentalmente por la Armada imperial japonesa hasta 1942. Conocido por los aliados por el sobrenombre de *Val*, este avión fue utilizado en grandes contingentes durante el ataque sobre Pearl Harbor, el 7 de diciembre de 1941.

En manos de un piloto experimentado, el *Val* demostró su condición de plataforma de extrema precisión para el lanzamiento de artillería, y en su momento de mayor esplendor llegó a registrar un porcentaje de acierto superior al 80%. Sin embargo, a consecuencia de las graves bajas de pilotos experimentados, su eficiencia en combate quedó mermada.

la primera oleada del ataque despegaron de las cubiertas de los portaaviones. A las 06.40, mientras patrullaba en torno a la entrada a Pearl Harbor, el destructor USS *Ward* divisó y atacó a uno de los submarinos enanos. El segundo obús de 76 mm del destructor alcanzó la torreta de la nave, que se hundió inmediatamente. El mensaje del *Ward* que informaba acerca de aquel contacto hostil fue rechazado como si se tratara de otro avistamiento fantasma. Solo 20 minutos después, la estación de radares Opana del ejército de Estados Unidos en Point Kahuku (Oahu) captó y dio parte de una formación no identificada de efectivos aéreos. Tampoco esta advertencia fue tenida en cuenta. A las 07.30, la segunda oleada de 170 aviones japoneses ya estaba surcando los aires.

¡TORA!, ¡TORA!, ¡TORA!

Sin encontrar ninguna oposición por parte de cazas o defensas antiaéreas estadounidenses, los bombarderos del teniente coronel Mitsuo Fuchida (1902-1976) despejaron las montañas al oeste de Pearl Harbor. Cuando parecía que los atacantes habían logrado una sorpresa total, Fuchida transmitió el mensaje «¡Tora, Tora, Tora!» a la flota japonesa. Las primeras bombas cayeron sobre Ford Island a las 07.55; la estación aérea naval de Kaneohe, Wheeler Field, Bellows Field, Hickam Field y la estación aérea del cuerpo de Marina en Ewa se vieron atacadas por bombarderos y cazas de asalto, lo que provocó la destrucción de buena parte de la fuerza aérea estadounidense en tierra.

Anclada a lo largo de Battleship Row, al sudeste de Ford Island, estaba la flor y nata de la flota estadounidense del

ARRIBA: SOLDADOS ESTADOUNIDENSES, *uno de ellos sosteniendo un par de binoculares, escrutan, nerviosos, el cielo sobre Pearl Harbor tras el ataque japonés. Sus armas son ametralladoras Browning de 7,62 mm.*

ABAJO: MIENTRAS EL HUMO CAUSADO POR EL ATAQUE *japonés ennegrece el cielo, el USS* Shaw *explota con espectaculares consecuencias durante las operaciones japonesas sobre Pearl Harbor.*

Pacífico. Los siete acorazados (el *Nevada*, el *Arizona*, el *West Virginia*, el *Tennessee*, el *Oklahoma*, el *Maryland* y el *California*) representaban blancos fáciles para los aullantes bombarderos en picado y portatorpedos, que pasaban en vuelo rasante por el puerto y lanzaban su letal munición a unos escasos 15,5 m. El buque insignia de la flota, el acorazado USS *Pennsylvania*, se encontraba en un dique seco cercano. En cuestión de minutos, Pearl Harbor estaba en llamas.

UN GOLPE ABRUMADOR

En poco menos de dos horas, Japón había alterado el equilibrio de poder en el Pacífico. Aquel intrépido ataque había acabado con la vida de 2.403 estadounidenses. Dieciocho de las 96 embarcaciones resultaron hundidas o gravemente dañadas. Un total de 165 aviones estadounidenses fueron destruidos y otros 128 dañados. En cambio, los japoneses solo perdieron 29 aviones, cinco submarinos enanos y un submarino de la flotilla, y sufrieron 185 bajas.

A pesar de haber logrado una gran victoria, los japoneses fracasaron en dos objetivos muy importantes. Los portaaviones estadounidenses, su objetivo fundamental, estaban en alta mar, de modo que salieron indemnes del ataque. La incursión aérea también había dejado de lado 23 millones de litros de combustible almacenados en depósitos en torno a Pearl Harbor y apenas había afectado a las instalaciones de reparación, que a la postre resultarían decisivas en las operaciones futuras. El día después del ataque, el presidente Roosevelt convocó una sesión conjunta del Congreso para proclamar una declaración de guerra y calificó la fecha del 7 de diciembre de 1941 como «un día que pervivirá en la infamia».

LAS ESTELAS DE LOS TORPEDOS JAPONESES *se dirigen hacia Battleship Row, en Pearl Harbor, el 7 de diciembre de 1941, mientras se pueden ver las secuelas de los impactos anteriores y la fuga de combustible en el puerto.*

PEARL HARBOR
3 A las 07.55, bombarderos Kate lanzan sus torpedos sobre buques-objetivo al noroeste de Ford Island. Allí era donde habitualmente estaban atracados los portaaviones que faltaban.
RADA CENTRAL
6 El USS *Nevada* intentó ponerse a salvo saliendo a mar abierto, pero fue atacado por una oleada tras otra de portatorpedos y bombarderos en picado.
FORD ISLAND
ESTACIÓN AÉREA NAVAL
USS CALIFORNIA
ASTILLEROS DE LA ARMADA ESTADOUNIDENSE
5 Tras recibir el ataque de la primera y segunda oleadas, Hickam Field es la base aérea de Oahu que sufre los daños más considerables.
RADA SUDESTE

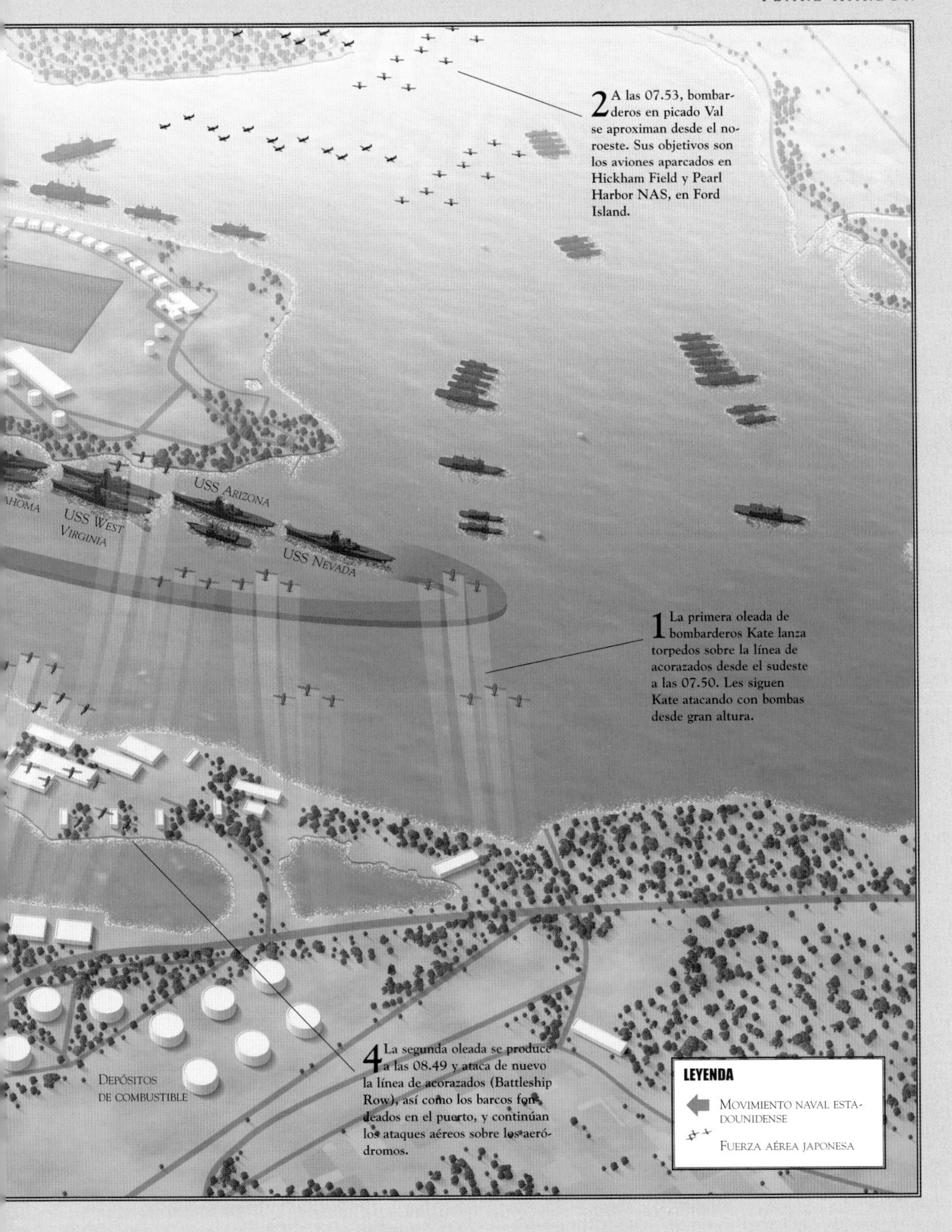
2 A las 07.53, bombarderos en picado Val se aproximan desde el noroeste. Sus objetivos son los aviones aparcados en Hickham Field y Pearl Harbor NAS, en Ford Island.
USS Arizona
USS West Virginia
USS Nevada
1 La primera oleada de bombarderos Kate lanza torpedos sobre la línea de acorazados desde el sudeste a las 07.50. Les siguen Kate atacando con bombas desde gran altura.
Depósitos de combustible
4 La segunda oleada se produce a las 08.49 y ataca de nuevo la línea de acorazados (Battleship Row), así como los barcos fondeados en el puerto, y continúan los ataques aéreos sobre los aeródromos.
LEYENDA
Movimiento naval estadounidense
Fuerza aérea japonesa

LA BATALLA DE MIDWAY 1942

Reticente a entrar en la guerra, el almirante Isoroku Yamamoto (1884-1943), comandante en jefe de la flota combinada japonesa, advirtió antes del ataque a Pearl Harbor: «Durante seis meses, me lanzaré con ferocidad sobre el Pacífico. Después, no puedo garantizar nada».

Yamamoto estaba familiarizado con Estados Unidos, ya que había asistido a la Universidad de Harvard y había servido como agregado naval en Washington DC. Era consciente del enorme poder industrial de Estados Unidos, y estaba convencido de que una serie de victorias rápidas y la destrucción de la flota estadounidense del Pacífico eran la única esperanza de Japón para ganar la guerra.

A pesar de que el ataque a Pearl Harbor había sido un éxito, los portaaviones americanos se encontraban en alta mar y no habían sido destruidos. Yamamoto era

DATOS DE LA BATALLA DE MIDWAY

Quiénes: Las fuerzas navales japonesas al mando del almirante Isoroku Yamamoto (1884-1943) y el almirante Chuichi Nagumo (1887-1944) contra la flota estadounidense del Pacífico a las órdenes de Chester Nimitz (1885-1966), Frank Jack Fletcher (1885-1973) y Raymond Spruance (1886-1969).

Cómo: Una Armada japonesa compuesta por cuatro portaaviones con 256 aviones a bordo, 11 acorazados y numerosos barcos de menor tamaño se enfrentó a una fuerza americana de tres portaaviones, 234 aviones con base naval y terrestre y efectivos menores.

Dónde: En el Pacífico central al oeste de Hawái y en el Pacífico Norte cerca de las Aleutianas.

Cuándo: Del 4 al 7 de junio de 1942.

Por qué: Los japoneses intentaban capturar el atolón de Midway y ocupar las islas de Attu y Kiska en las Aleutianas.

Resultado: Se produjo un punto de inflexión en la guerra del Pacífico, y la batalla supuso una derrota devastadora para Japón. Se hundieron cuatro portaaviones y la invasión de Midway fue repelida.

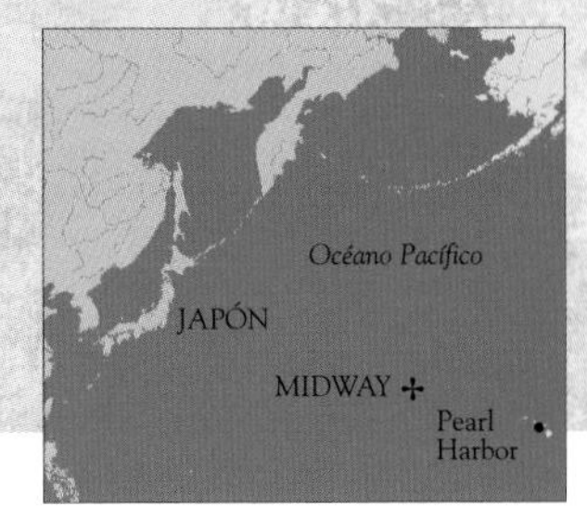

La tripulación a bordo del portaaviones USS Yorktown *atiende los aviones en la pista sobre la cubierta del barco. Tocado en el mar del Coral, el* Yorktown *fue reparado a las 72 horas de regresar a Pearl Harbor.*

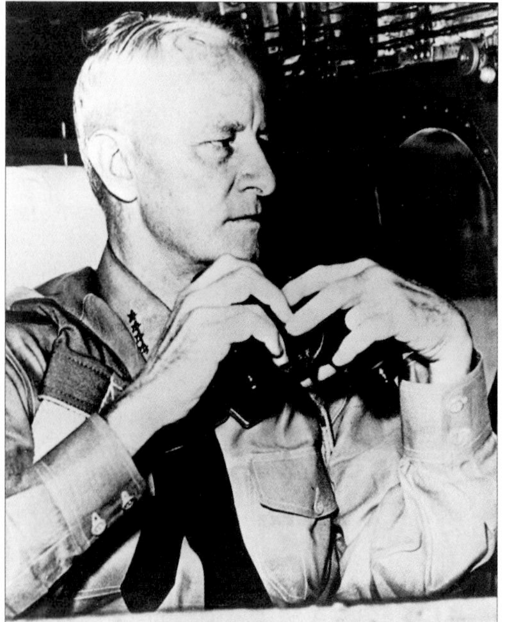

ARRIBA: LA TRIPULACIÓN DEL AVIÓN de reconocimiento americano que localizó la fuerza de invasión japonesa que se dirigía hacia Midway posa junto a su hidroavión Consolidated PBY Catalina.

consciente de que la labor había quedado a medio hace Seguía siendo necesario enfrentarse al grueso de los buques d guerra americanos en una batalla decisiva. A pesar del con tratiempo sufrido en mayo en el mar del Coral, la primer semana de junio de 1942 siguió adelante con sus planes d capturar Midway, un diminuto atolón situado a menc de 1.200 millas al oeste de Hawái compuesto por dos peque ñas islas, Sand y Eastern. Con Midway bajo control japonés el perímetro defensivo del imperio se ampliaría considerable mente. Incluso la propia Hawái podría quedar abierta a un invasión. En el proceso Yamamoto aniquilaría lo que queda ba de la flota estadounidense del Pacífico.

LEYENDO EL CORREO DEL ENEMIGO

Sin embargo, Yamamoto ignoraba que los expertos en crip toanálisis de la Armada estadounidense con base en Pea Harbor habían descifrado el código naval de los japonese JN 25, y que el almirante Chester Nimitz (1885-1966) comandante en jefe de la flota estadounidense del Pacífico, y

IZQUIERDA: EL ALMIRANTE CHESTER W. NIMITZ se convirtió en comandante de la flot del Pacífico después de Pearl Harbor. Agresivo y dispuesto a correr riesgos, desempeñó funciones decisivas en las batallas del mar del Coral y de Midway.

ARRIBA: EL PORTATORPEDOS GRUMMAN TBF AVENGER *demostró su valía también en los bombardeos a nivel y en funciones antisubmarinos. Hubo muchos ejemplares de este gran avión multiusos presentes en Midway.*

estaba planeando la respuesta para contrarrestar la operación en Midway. Nimitz ordenó a los portaaviones USS *Enterprise* y USS *Hornet* y a sus escoltas que se unieran al USS *Yorktown* al nordeste de Midway, a fin de posicionarse a la espera de los japoneses. El almirante Frank Jack Fletcher (1885-1973), a bordo del *Yorktown*, asumió el mando general de la fuerza naval americana, mientras que el almirante Raymond Spruance (1886-1969) operó con un gran margen de autonomía al mando del *Enterprise* y el *Hornet*.

Yamamoto, entretanto, se atuvo a su preferencia por las operaciones complicadas y diseñó un plan que implicaba un amago inicial contra las islas de Attu y Kiska en las Aleutianas, situadas a gran distancia, al norte. A continuación, dividió sus fuerzas en una potente flota de superficie organizada en torno al acorazado *Yamato*, una fuerza de invasión que transportaba a 500 soldados para capturar Midway y una fuerza de portaaviones integrada por cuatro efectivos, el *Akagi*, el *Kaga*, el *Soryu* y el *Hiryu*, que transportaban en total 234 aviones de combate. El propio Yamamoto embarcó a bordo del *Yamato*, mientras que el almirante Chuichi Nagumo (1887-1944) se puso al frente de la fuerza de portaaviones.

ABAJO: EL BOMBARDERO EN PICADO DOUGLAS SBD DAUNTLESS *fue el encargado de asestar el golpe letal contra los cuatro portaaviones de la Armada imperial japonesa durante la batalla de Midway.*

EL INICIO DE LA BATALLA

La mañana del 3 de junio, un avión estadounidense localizó la fuerza invasora japonesa, pero los subsiguientes ataques a cargo de aviones con base en Midway no lograron ningún éxito.

ABAJO: EL ÚLTIMO SUPERVIVIENTE *de la flota de batalla japonesa en Midway, el* Hiryu, *fue alcanzado en la tarde del 4 de junio de 1942. Envuelto en llamas, el portaaviones fue abandonado y hundido unas 12 horas más tarde.*

Al día siguiente, la fuerza de portaaviones japonesa emergió de una cortina de niebla y lluvia y Nagumo lanzó más de 100 aviones contra Midway en un intento de inutilizar su pista de aterrizaje y debilitar las defensas del atolón.

El ataque solo resultó parcialmente efectivo, y Nagumo se encontró con un dilema. Una parte de sus efectivos aéreos se había reservado y armado con torpedos para atacar a los portaaviones americanos en cuanto fueran divisados. Para un segundo ataque sobre Midway sería necesario cambiar los torpedos por bombas en esos aviones, un proceso arriesgado y que requería un tiempo considerable. La necesidad de un segundo ataque sobre Midway quedó confirmada cuando en lo alto aparecieron bombarderos americanos con base en tierra. A pesar de que no lograron causar impactos, Nagumo ordenó que los aviones del primer ataque sobre Midway no regresaran para ser rearmados con bombas.

Momentos después, sin embargo, la resolución de Nagumo se vio puesta a prueba de nuevo cuando un avión de reconocimiento japonés informó de la presencia de 10 barcos estadounidenses navegando a toda velocidad a solo 200 millas al nordeste. Nagumo se planteó ordenar a los aviones ya rearmados con bombas despegar contra Midway mientras los que aún tenían torpedos atacaban a los barcos americanos.

Para complicar aún más la situación, los aviones que regresaban del primer ataque sobre Midway y los cazas Zero que

ABAJO: GRAVEMENTE DAÑADO *tras una colisión con su buque hermano, el* Mogami, *y por los reiterados ataques aéreos estadounidenses, el crucero pesado japonés* Mikuma *navega a la deriva antes de hundirse el 6 de junio de 1942.*

ABAJO: CON UNA CAPACIDAD DE CARGA DE 19.800 *toneladas y con 71 aviones a bordo, el portaaviones japonés* Soryu *(«Dragón Verde») era un veterano de Pearl Harbor. Alcanzado por tres bombas americanas en Midway, el* Soryu *quedó convertido en un infierno en llamas y se hundió.*

realizaban patrullas de protección sobre sus barcos se estaban quedando sin combustible y tenían que aterrizar. Finalmente, Nagumo decidió recuperar los aviones que estaban en el aire y equipar con torpedos a los bombarderos que había retenido. En sus prisas por aterrizar y llenar de combustible unos aviones mientras se rearmaban los demás, las tripulaciones japonesas dejaron fugas de combustible sobre las cubiertas de los portaaviones y colocaron las bombas sin asegurarlas debidamente. Durante un lapso peligrosamente largo, los portaaviones japoneses quedaron completamente vulnerables. Fletcher y Spruance entraron en acción cuando un avión de reconocimiento localizó la fuerza de portaaviones del enemigo sobre las 05.30 del 4 de junio. Rozando casi los límites de su alcance, más de 150 bombarderos en picado, portatorpedos y cazas despegaron del *Hornet*, el *Enterprise* y el *Yorktown*.

UN ERROR DE CÁLCULO FATAL

Algunas de las formaciones extraviaron el rumbo, y se perdió la oportunidad de lanzar un ataque coordinado. Sin embargo, en un golpe de suerte, esto terminaría por obrar en favor de los americanos. Los lentos y obsoletos portatorpedos fueron los primeros en encontrarse con los japoneses, pero quedaron diezmados por el fuego antiaéreo y la cobertura de los Zero.

Se perdieron prácticamente todos sin haber alcanzado su objetivo ni una sola vez. Poco antes de las 10.00, los portaaviones japoneses comenzaron a lanzar sus aviones. Justo cuando los primeros efectivos iniciaban su marcha en las pistas de cubierta, los vigías dieron la alarma. Sin ninguna oposición de los cazas, que se habían alejado en persecución de los últimos portatorpedos, 50 bombarderos en picado estadounidenses comenzaron a hacer blanco. En un abrir y cerrar de ojos cambió el curso de la guerra en el Pacífico. Comenzaron a explotar bombas entre los aviones que esperaban para despegar y en la munición almacenada bajo las cubiertas. El *Akagi*, el *Kaga* y el *Soryu*, en llamas, estaban sentenciados.

UN IMPERIO HECHO PEDAZOS

La acción del 4 de junio de 1942 en las aguas en torno a Midway marcó el punto de inflexión de la Segunda Guerra Mundial en el Pacífico. La pérdida de cuatro portaaviones, un crucero, 332 aviones y más de 2.000 hombres dejó renqueantes a las fuerzas japonesas, y supuso un golpe del que ya nunca se recuperaron. En el otro bando, solo se perdieron un portaaviones, un destructor, 137 aviones y 307 hombres.

Yamamoto contempló durante un breve lapso la posibilidad de aprovechar su superioridad en cuanto a acorazados y cruceros y buscar un enfrentamiento de superficie contra los americanos. Spruance no tenía nada que ganar en ese terreno. Había logrado una gran victoria, y recordó la advertencia de Nimitz sobre el empleo del «principio de riesgo calculado», de modo que decidió retirarse. La invasión de Midway había sido repelida. Los japoneses se retiraron y se vieron obligados a combatir a la defensiva durante el resto de la guerra.

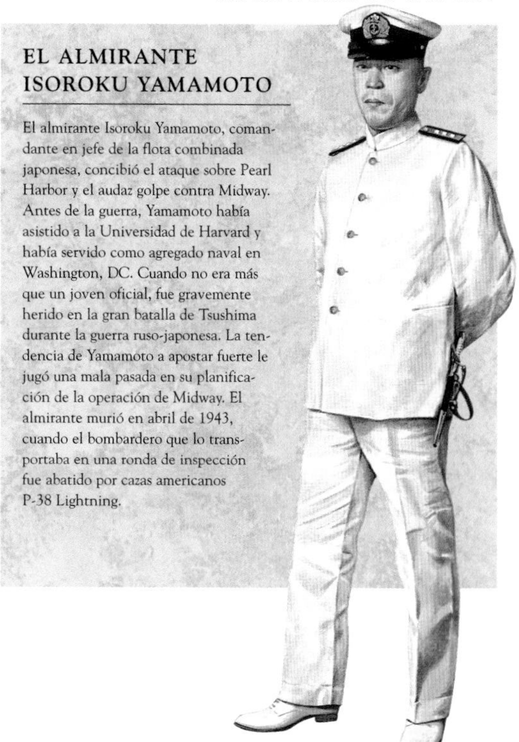

EL ALMIRANTE ISOROKU YAMAMOTO

El almirante Isoroku Yamamoto, comandante en jefe de la flota combinada japonesa, concibió el ataque sobre Pearl Harbor y el audaz golpe contra Midway. Antes de la guerra, Yamamoto había asistido a la Universidad de Harvard y había servido como agregado naval en Washington, DC. Cuando no era más que un joven oficial, fue gravemente herido en la gran batalla de Tsushima durante la guerra ruso-japonesa. La tendencia de Yamamoto a apostar fuerte le jugó una mala pasada en su planificación de la operación de Midway. El almirante murió en abril de 1943, cuando el bombardero que lo transportaba en una ronda de inspección fue abatido por cazas americanos P-38 Lightning.

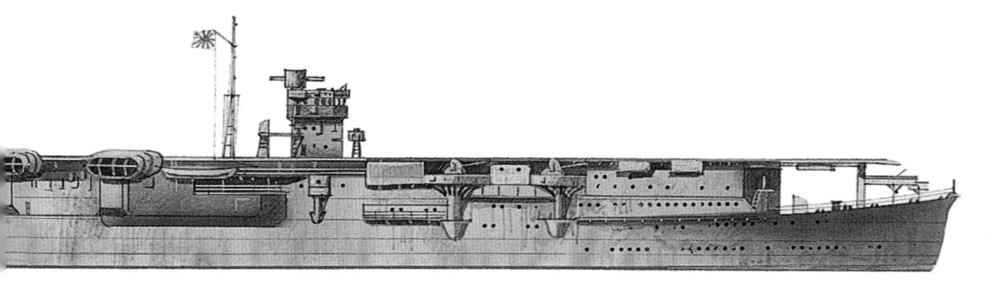

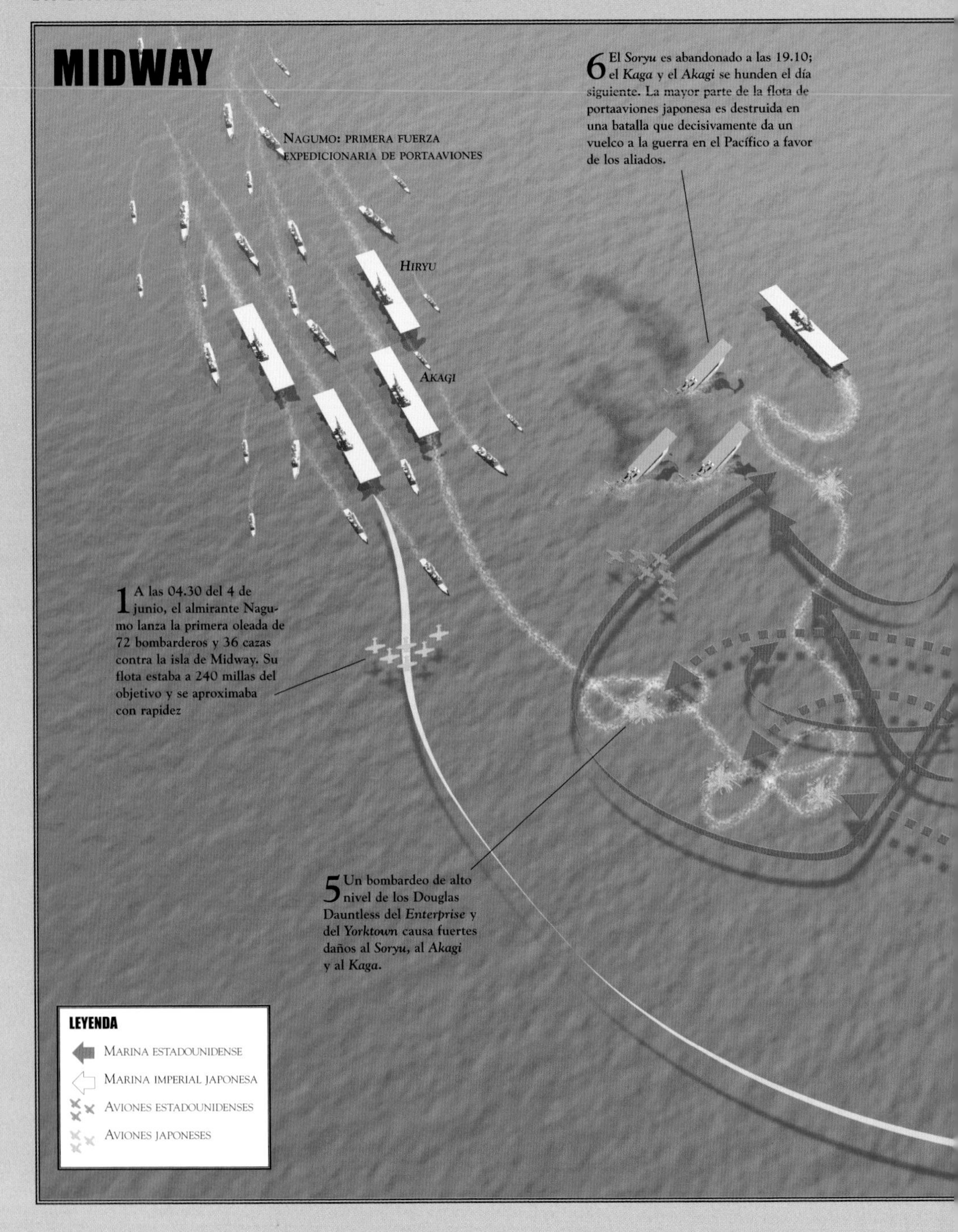
MIDWAY
NAGUMO: PRIMERA FUERZA EXPEDICIONARIA DE PORTAAVIONES
HIRYU
AKAGI
6 El *Soryu* es abandonado a las 19.10; el *Kaga* y el *Akagi* se hunden el día siguiente. La mayor parte de la flota de portaaviones japonesa es destruida en una batalla que decisivamente da un vuelco a la guerra en el Pacífico a favor de los aliados.
1 A las 04.30 del 4 de junio, el almirante Nagumo lanza la primera oleada de 72 bombarderos y 36 cazas contra la isla de Midway. Su flota estaba a 240 millas del objetivo y se aproximaba con rapidez
5 Un bombardeo de alto nivel de los Douglas Dauntless del *Enterprise* y del *Yorktown* causa fuertes daños al *Soryu*, al *Akagi* y al *Kaga*.
LEYENDA
MARINA ESTADOUNIDENSE
MARINA IMPERIAL JAPONESA
AVIONES ESTADOUNIDENSES
AVIONES JAPONESES

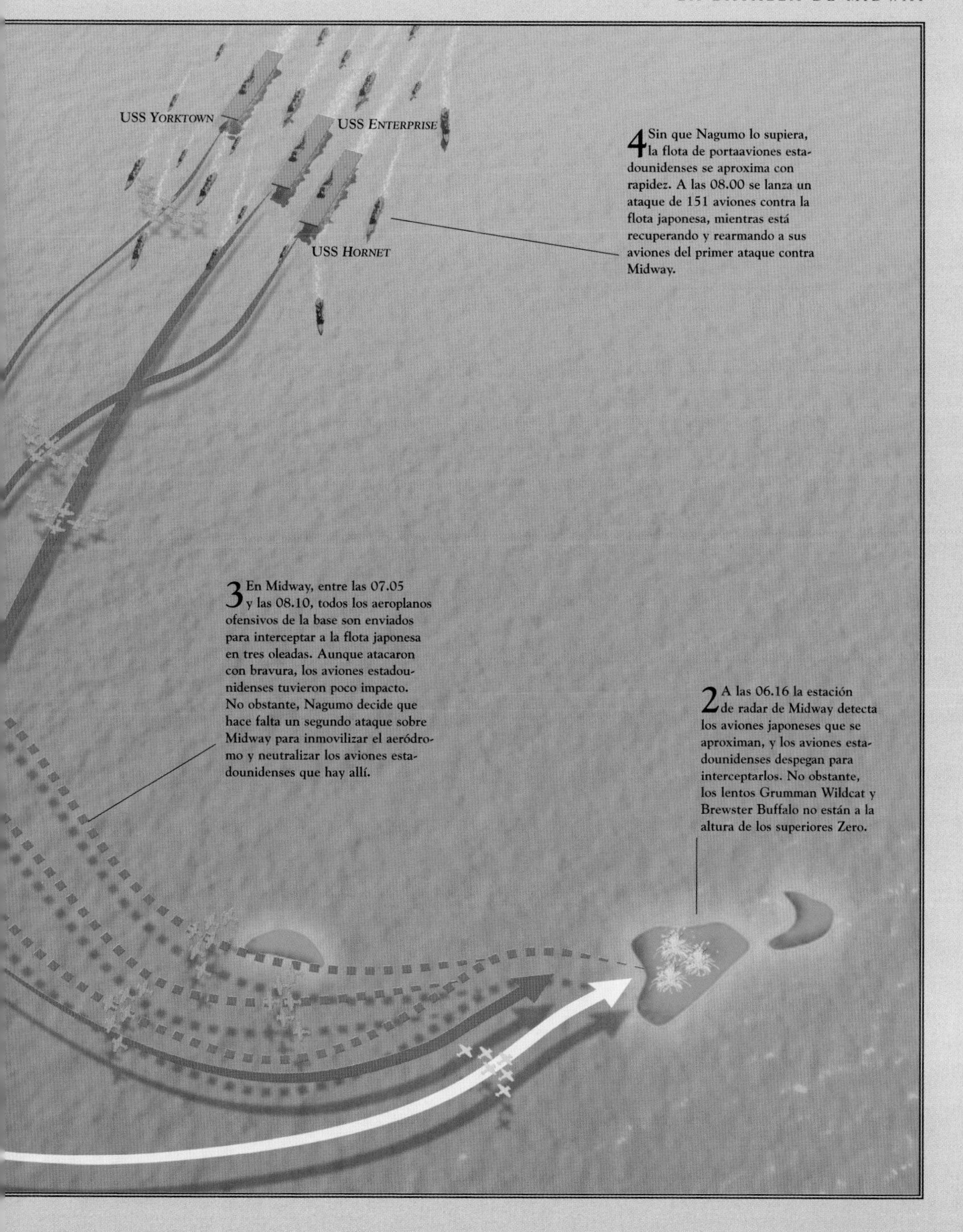

USS YORKTOWN
USS ENTERPRISE
USS HORNET
4 Sin que Nagumo lo supiera, la flota de portaaviones estadounidenses se aproxima con rapidez. A las 08.00 se lanza un ataque de 151 aviones contra la flota japonesa, mientras está recuperando y rearmando a sus aviones del primer ataque contra Midway.
3 En Midway, entre las 07.05 y las 08.10, todos los aeroplanos ofensivos de la base son enviados para interceptar a la flota japonesa en tres oleadas. Aunque atacaron con bravura, los aviones estadounidenses tuvieron poco impacto. No obstante, Nagumo decide que hace falta un segundo ataque sobre Midway para inmovilizar el aeródromo y neutralizar los aviones estadounidenses que hay allí.
2 A las 06.16 la estación de radar de Midway detecta los aviones japoneses que se aproximan, y los aviones estadounidenses despegan para interceptarlos. No obstante, los lentos Grumman Wildcat y Brewster Buffalo no están a la altura de los superiores Zero.

CONVOY PQ-17

1942

El episodio del Convoy PQ-17 supuso un triunfo para las naves pesadas de asalto de superficie, aunque no participaron en los ataques. La amenaza de que un acorazado andaba suelto bastó para disgregar al convoy.

En el momento del estallido de la Segunda Guerra Mundial, la *Kriegsmarine* contaba con varios cruceros pesados potentes y otros barcos de importancia capital. No eran los suficientes para amenazar a la Marina Real Británica, pero sí afectaron al transcurso de la guerra.

La estrategia de «flota en potencia» implicaba que, en vez de salir a una lucha abierta de la que sin duda saldrían derrotadas, las principales unidades alemanas mantenían atados, por el mero hecho de existir, a grandes contingentes de la flota aliada que, de otro modo, podrían utilizarse en cualquier otra parte, como el Mediterráneo o el Pacífico.

DATOS DEL CONVOY PQ-17

Quiénes: Un convoy aliado compuesto por 33 barcos y con una escolta de cuatro cruceros, tres destructores y dos submarinos de la Marina Real Británica, que se dirigía a la Unión Soviética, contra 10 submarinos, aviones con base en Noruega y la amenaza de un ataque de superficie.

Cómo: Una masacre gradual de los buques mercantes y sus escoltas.

Dónde: Al norte de Noruega, en el mar Ártico, cerca de la isla de Spitzbergen.

Cuándo: Junio y julio de 1942.

Por qué: El convoy se disgregó en respuesta a la supuesta amenaza de un ataque de superficie.

Resultado: Bajas masivas entre los buques mercantes aliados; solo 11 embarcaciones llegaron a su destino. Poco después, los aliados suspendieron los convoyes del Ártico a causa de las graves pérdidas.

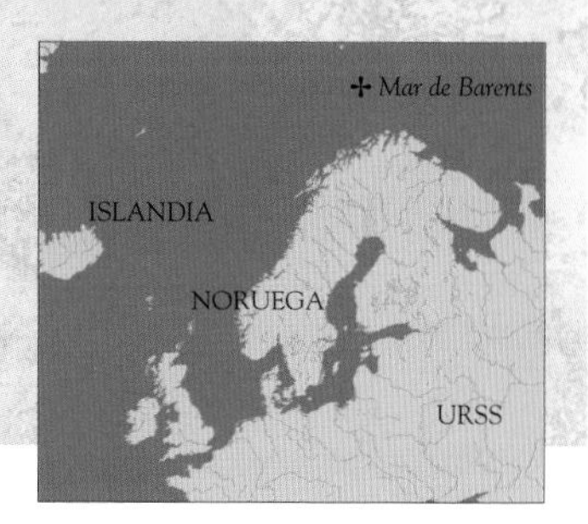

Cargas de profundidad explotan *en el Ártico. Implicara o no la destrucción del submarino, el uso de cargas de profundidad podía evitar que lanzara un ataque certero mientras el convoy avanzaba. Los submarinos de la época eran demasiado lentos para alcanzar a la mayoría de los convoyes una vez que los habían superado.*

EL SUBMARINO MODELO IX era capaz de realizar operaciones de largo alcance, a pesar de que la mayor parte del tiempo debía desplazarse por la superficie. Estas naves podían atacar en cualquier parte de una ruta de convoy y seguir navegando durante largos periodos a la espera de un objetivo apropiado.

Tradicionalmente, las potencias navales más débiles han recurrido a la «guerra de asalto», esto es, lanzar ataques sobre el tráfico marítimo de sus enemigos. Si bien esto suele ser competencia de cruceros y submarinos, un buque importante podía destrozar con rapidez a un convoy y a sus escoltas.

Las grandes naves de asalto de superficie de la Armada alemana constituían por tanto una seria amenaza para las líneas de suministro de los aliados. A pesar de que las operaciones de ataque a cargo de los buques pesados no habían causado tanto impacto como podía esperarse, un ataque sobre un objetivo concentrado de alto valor, como era el caso de un convoy importante, podía obtener resultados de interés estratégico.

Buena parte del esfuerzo se destinó a contener a las principales unidades de la *Kriegsmarine*, especialmente cuando había un convoy crítico de camino. Algunos convoyes estaban protegidos por viejos acorazados o se les asignaban fuerzas pesadas de cobertura a distancia que podían contrarrestar una eventual aparición de naves de asalto. Sin embargo, algunas zonas eran demasiado peligrosas para los barcos más importantes. Una de ellas era el paso ártico de Murmansk.

El ataque alemán sobre Rusia en 1941 introdujo en la guerra a la Unión Soviética del bando de los aliados, y en último extremo condenó al Eje a la derrota. Sin embargo, hubo un momento en que la situación en Rusia era desesperada, y los nuevos aliados necesitaban apoyo. La única manera era hacer llegar hasta los puertos rusos grandes cantidades de tanques, vehículos, artillería, aviones y material militar, y la única ruta posible era el océano Ártico, en torno al norte de Noruega y hasta la entrada de la península de Kola, en el mar Blanco.

LOS SUBMARINOS ERAN VULNERABLES *a los ataques aéreos y a los buques de superficie, así que la vigilancia era esencial. Con aquellas duras condiciones atmosféricas, la parte superior de la torreta era presa de constantes latigazos de hielo.*

LOS CONVOYES DEL ÁRTICO

Desplazar convoyes por el Ártico ya resultaba difícil de por sí, incluso sin la interferencia del enemigo. El hielo planteaba un riesgo constante, y no solo el del agua, sino también el que se formaba sobre los propios barcos. Atascaba las torretas y los cabrestantes, además de incrementar el peso a bordo, de modo que los barcos se balanceaban más y eran más inestables, lo que suponía un peligro aún mayor. La eliminación de hielo era un trabajo continuo. Durante el invierno se hiela buena parte del océano Ártico; los bloques de hielo se desplazan en dirección sur. Esto obliga a los barcos que intentan el paso a navegar relativamente cerca del litoral septentrional de Noruega, que en aquel momento estaba ocupado por fuerzas alemanas. Los aviones y submarinos con base allí no solo tenían que recorrer una distancia mucho más pequeña para encontrar el convoy, sino que debían rastrear un área también más reducida.

SUBMARINO MODELO VIIC

Puesto en servicio en 1941, justo cuando la «época dorada» de los submarinos tocaba a su fin, el modelo VIIC era más pequeño que el modelo IX y tenía un alcance más limitado, así como una carga de torpedos inferior. Fue el principal sostén de la flota alemana de submarinos durante el resto de la guerra, y se construyeron varios cientos de ejemplares.

A pesar de que poco a poco las tornas fueron cambiando en contra de los submarinos, el modelo VIIC cosechó importantes éxitos en combate. A partir de 1944, muchos fueron equipados con *Schnorkels*, unos tubos metálicos de ventilación que aumentaban su autonomía bajo el agua, y otros fueron convertidos en embarcaciones antiaéreas.

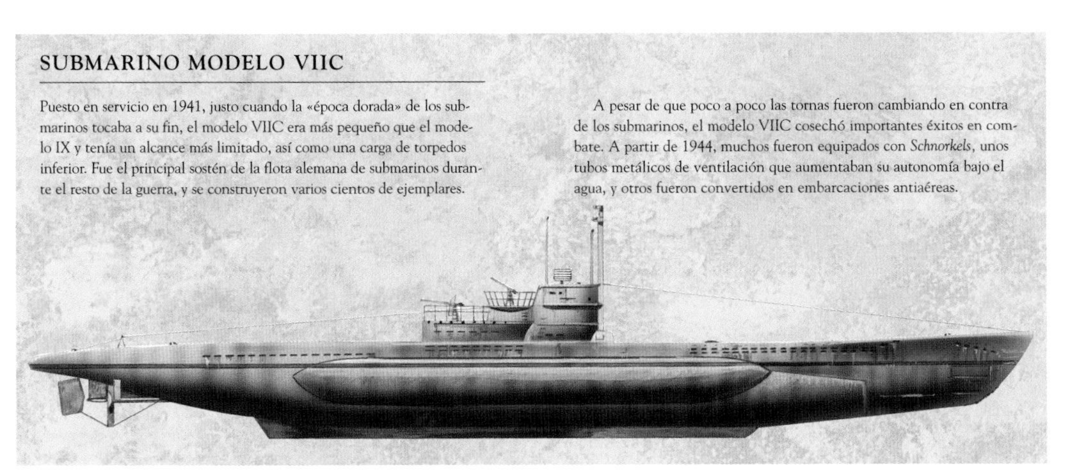

LA ESCASA VISIBILIDAD ERA *un arma de doble filo para los convoyes del Ártico. Por un lado, les ayudaba a evitar los ataques aéreos y submarinos, pero también encubría a los submarinos que lograban encontrar el convoy mientras se aproximaban para lanzar su ataque.*

No obstante, los convoyes de invierno podían aprovechar al menos la cobertura de la oscuridad, ya que en zonas tan al norte había meses de noche completa. Durante el verano, los convoyes podían seguir una ruta más al norte, lo que dejaba cierta distancia entre los barcos y sus enemigos, pero la constante luz del día compensaba esta ventaja defensiva.

Los convoyes recibían un nombre en clave y un número mediante los que se indicaba su ruta a los que conocían el sistema, y a veces incluso su composición o velocidad. Los convoyes «rápidos» recibían una designación diferente a la de aquellos que no podían pasar de una velocidad media relativamente baja. Cada ruta tenía su propio par de letras en clave. Los convoyes árticos que se dirigían a Rusia se designaban como PQ y los que regresaban, como QP.

Los convoyes PQ comenzaron con el PQ-1, que se reunió en Islandia y se hizo a la mar el 29 de septiembre de 1941. Solo se perdió uno de los 103 barcos que zarparon antes de la primavera de 1941, pero el hundimiento de un destructor a cargo de un submarino en enero de 1942 fue un presagio de lo que se avecinaba. Las pérdidas eran cada vez mayores, merced a la presión asfixiante por parte de las unidades aéreas y submarinas.

EL CONVOY PQ-17

Cuando se reunió el PQ-17 ya había expectativas de una difícil travesía. Se trataba del convoy más grande hasta la fecha, integrado por 36 buques mercantes. La escolta inmediata constaba de cuatro destructores, un grupo de 10 embarcaciones ligeras y dos barcos antiaéreos. La cobertura a distancia corría a cargo de cuatro cruceros y cuatro destructores. Una fuerza pesada formada por dos acorazados, dos cruceros y un portaaviones estaba disponible para la primera parte del trayecto, pero no podía arriesgarse a pasar el cabo Norte.

El alto mando alemán otorgaba gran importancia a la ruptura de la ruta de convoyes por el Ártico, y había planeado intensos ataques aéreos y submarinos, además de una posible entrada en acción de unidades pesadas de superficie. Los aliados estaban al tanto de que dichos ataques eran posibles, aunque no podían saber seguro si se había planeado alguno.

El convoy zarpó el 27 de junio de 1942. Tomó una ruta muy septentrional, pasando cerca del archipiélago de Svalbard, con la intención de mantener la mayor distancia posible con respecto a las bases septentrionales del enemigo. Esto suponía una lucha constante a través de un mar helado, y algunos de los barcos sufrieron desperfectos.

A pesar de todo ello y de haber sido localizado primero por submarinos y más tarde por la aviación, el convoy no sufrió pérdida alguna hasta el 4 de julio. Tras tres días de ataque aéreo intermitente dos barcos resultaron hundidos. Sin embargo, aquel día sucedió algo mucho más serio. Los aliados recibieron la noticia de que el acorazado *Tirpitz* estaba en alta mar.

El *Tirpitz* era el barco más poderoso de toda la flota alemana. Moderno y bien diseñado, era más que probable que fuera capaz de derrotar a un acorazado aliado si se lo encontraba: las escoltas y los cruceros del convoy carecían de opciones frente a él. El *Tirpitz* era lo bastante rápido como para destruir los cruceros de la escolta y después dar aún alcance a los lentos buques mercantes; si lograba entrar dentro del alcance del convoy, todo terminaría en una masacre. La única opción de salvar algún efectivo del convoy era disgregarlo y esperar que las naves pesadas de asalto encontraran solo algunos de los barcos.

Tras ser descubierto por un submarino soviético y por un avión de reconocimiento británico, el alto mando de la *Kriegsmarine* temió que hubieran tendido una trampa al *Tirpitz* y retiró la unidad. Pero el daño ya estaba hecho. La orden de disgregarse había sido enviada, y la fuerza de cobertura se replegó. Buena parte de las tripulaciones de los buques de guerra recibieron por radio la retransmisión de un espectáculo nada alentador. Incapaces de ayudar, pudieron oír a los buques mercantes disgregados padeciendo los ataques aéreos y submarinos: una tras otra, las naves pedían ayuda y saltaban por los aires.

Ya de regreso, los integrantes de las tripulaciones de la escolta se encontraron con una recepción hostil en los bares portuarios. Los demás marineros les recriminaban haber «abandonado» al PQ-17, y, a su vez, dieron rienda suelta a sus amargas emociones. Se produjeron muchas peleas, con un saldo de varios muertos. El «estigma» del PQ-17 tardaría mucho tiempo en borrarse, incluso aunque nada de lo sucedido hubiera sido culpa de aquellos marineros.

Los supervivientes comenzaron a llegar a Rusia el 10 de julio. Once barcos fueron llegando a duras penas durante la semana siguiente. Más de la mitad del convoy había sido destruido.

LAS CONSECUENCIAS

El efecto del «abandono» sobre la moral de las tripulaciones de la escolta se resume en una declaración de uno de los capitanes implicados. Durante la operación Pedestal, un convoy a Malta que se encontró con una férrea oposición, el oficial dijo: «Me da igual las señales que lleguen y de quién lleguen: mientras haya un solo mercante a flote, llevaré mi barco pegado a él y seguiremos hacia Malta». Su barco fue uno de los tres destructores que rescataron al buque cisterna tocado *Ohio* y lograron llevarlo hasta el Gran Puerto de Malta, cambiando con toda probabilidad el curso de la guerra.

ARRIBA: UN OFICIAL DE LA REAL MARINA BRITÁNICA *vestido para prestar servicio en un convoy ártico. El frío era un enemigo mortal: los encargados de hacer la guardia o los que se aventuraban a subir a las cubiertas corrían el riesgo de sufrir una hipotermia, y caer por la borda era una sentencia de muerte.*

IZQUIERDA: EL CAPITÁN HEINZ BIELFELD, *del U-703, recibe la felicitación de un superior tras el exitoso ataque sobre el convoy PQ-17.*

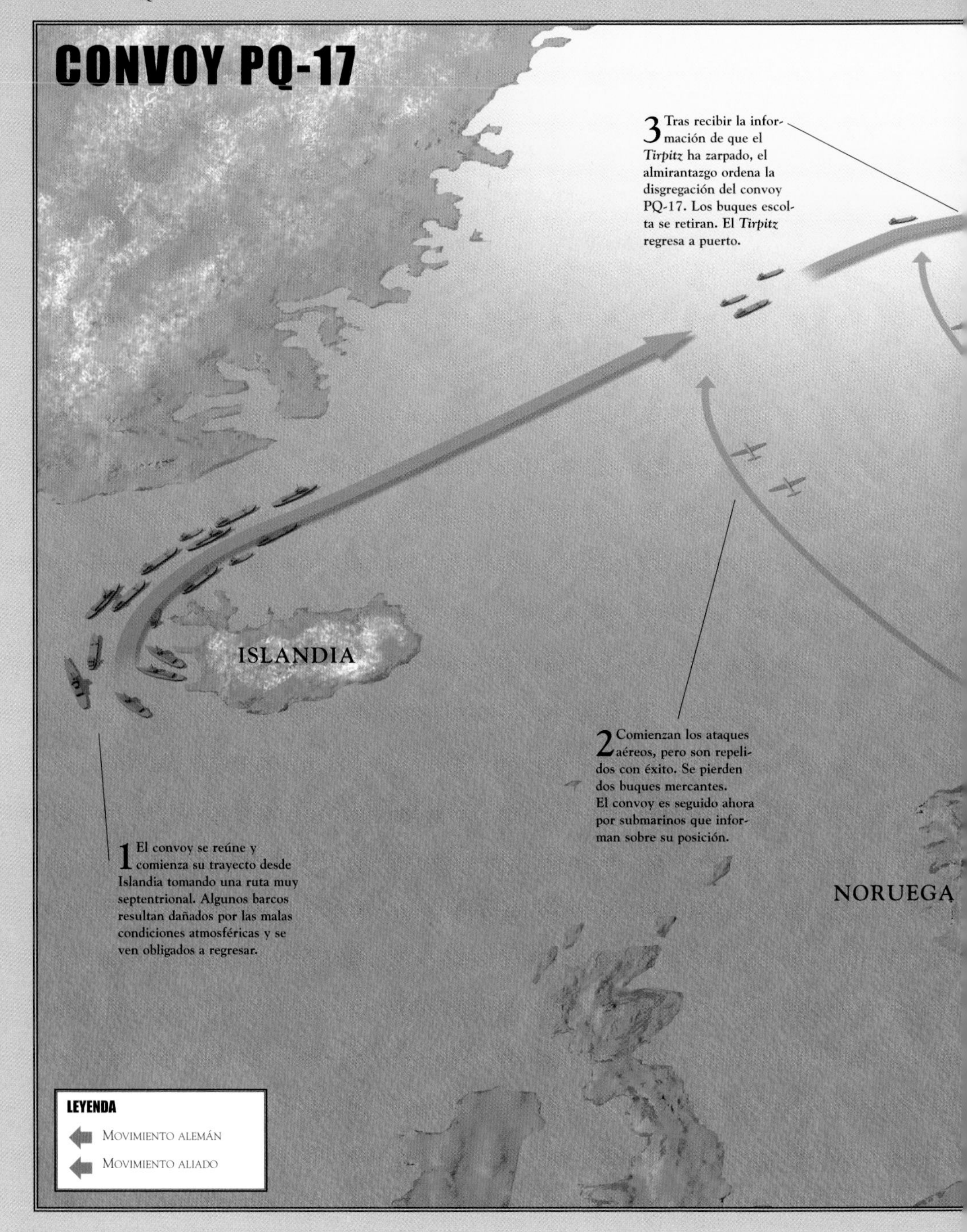
CONVOY PQ-17
3 Tras recibir la información de que el Tirpitz ha zarpado, el almirantazgo ordena la disgregación del convoy PQ-17. Los buques escolta se retiran. El Tirpitz regresa a puerto.
ISLANDIA
2 Comienzan los ataques aéreos, pero son repelidos con éxito. Se pierden dos buques mercantes.
El convoy es seguido ahora por submarinos que informan sobre su posición.
1 El convoy se reúne y comienza su trayecto desde Islandia tomando una ruta muy septentrional. Algunos barcos resultan dañados por las malas condiciones atmosféricas y se ven obligados a regresar.
NORUEGA
LEYENDA
Movimiento alemán
Movimiento aliado

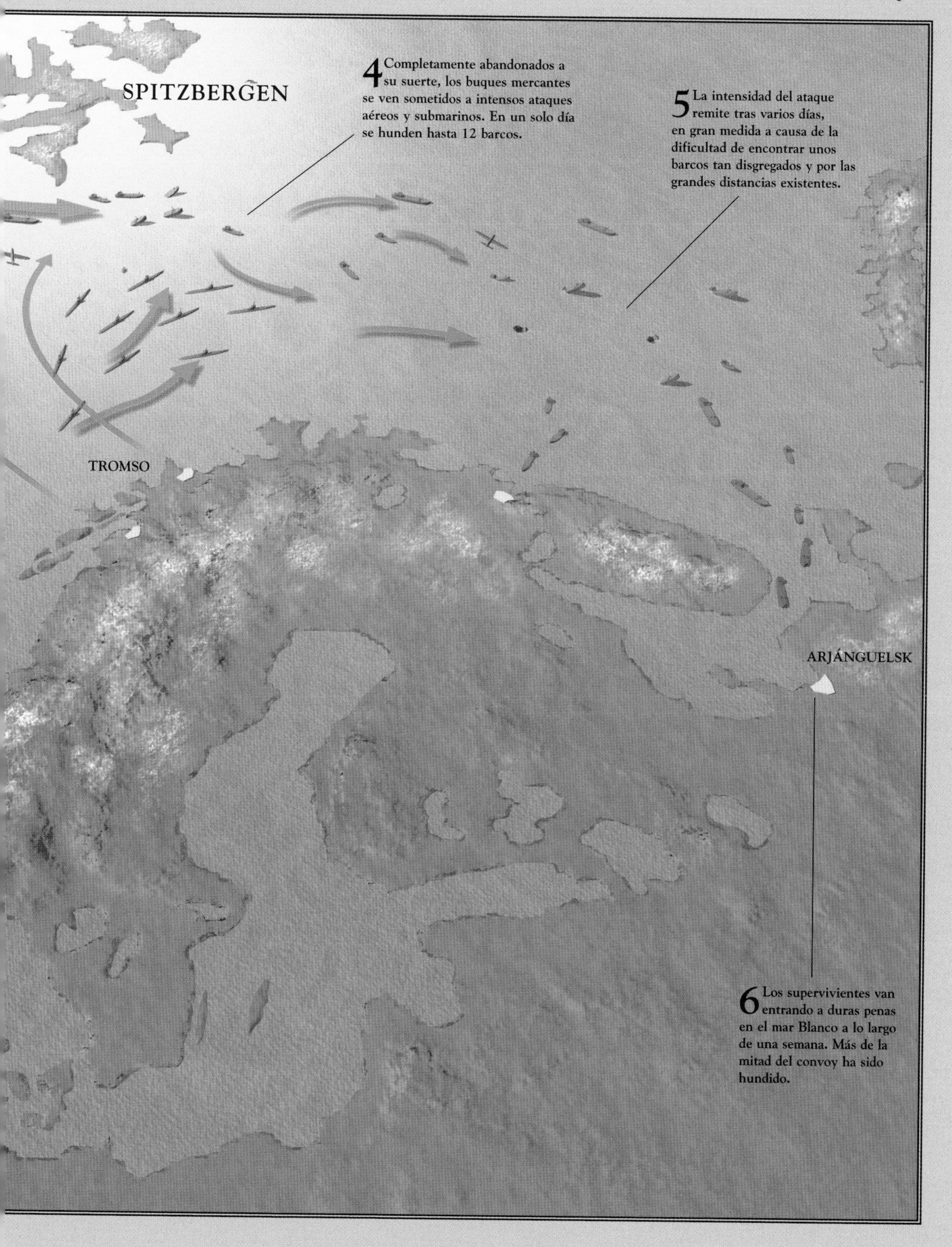
SPITZBERGEN
4 Completamente abandonados a su suerte, los buques mercantes se ven sometidos a intensos ataques aéreos y submarinos. En un solo día se hunden hasta 12 barcos.
5 La intensidad del ataque remite tras varios días, en gran medida a causa de la dificultad de encontrar unos barcos tan disgregados y por las grandes distancias existentes.
TROMSO
ARJÁNGUELSK
6 Los supervivientes van entrando a duras penas en el mar Blanco a lo largo de una semana. Más de la mitad del convoy ha sido hundido.

EL ALAMEIN 1942

La batalla de El Alamein (23 de octubre-4 de noviembre de 1942), que toma su nombre de una parada de ferrocarril egipcia, supuso un punto de inflexión para la guerra en el norte de África. Winston Churchill (1874-1965) proclamó: «Antes de El Alamein no habíamos logrado ni una victoria. Después de El Alamein, no volvimos a tener ni una derrota».

A pesar de que estas palabras de Churchill no dejan de ser una exageración, el ejército italo-alemán se vio obligado a una retirada completa, y su posición empeoró considerablemente tras los desembarcos aliados del 8 de noviembre en el África del Norte francesa. Además, para el ejército de la Commonwealth la batalla también tuvo el efecto psicológico de romper por fin el mito de la imbatibilidad de los alemanes. La guerra en el desierto occidental se había prolongado durante casi dos años, con diferentes avances y retrocesos. El ejército de *panzer* África italo-alemán al mando del mariscal de campo Erwin Rommel (1891-1944) había

DATOS DE EL ALAMEIN

Quiénes: El 8.º Ejército de la Commonwealth (tropas británicas, australianas, neozelandesas, indias y sudafricanas) liderados por el teniente general Bernard Montgomery (1887-1976) contra la División Panzer África del mariscal Erwin Rommel (1891-1944), rebautizada como División Panzer África italo-alemana el 25 de octubre de 1942.

Cómo: La operación Lightfoot fue una ofensiva planeada al detalle lanzada por Montgomery sobre las fuerzas del Eje, que habían pasado a la defensiva tras caer derrotados en septiembre en Alam Halfa.

Dónde: En el Alamein, una estación de ferrocarril egipcia a 95 km al oeste de Alejandría.

Cuándo: Del 23 de octubre al 4 de noviembre de 1942.

Por qué: La creciente superioridad material británica permitió a Montgomery dar un impulso decisivo a la ofensiva contra las fuerzas de Rommel y al final aseguró el control del canal de Suez y los campos petrolíferos de Oriente Medio.

Resultado: Pese a que Rommel escapó con gran parte de su ejército, El Alamein marcó un punto de inflexión en la campaña del desierto occidental, que pasaría a manos aliadas.

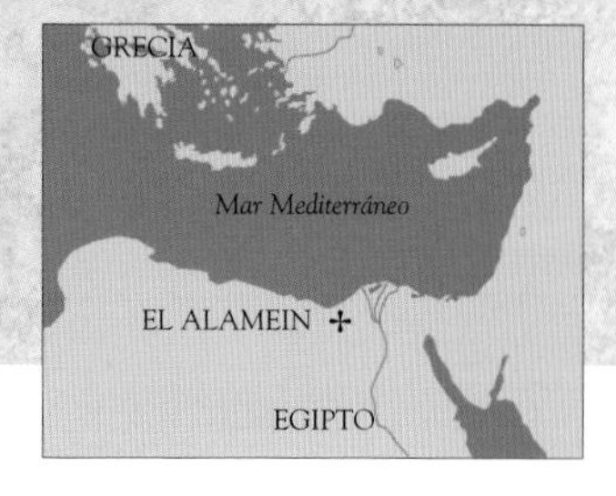

UNA FOTOGRAFÍA PROBABLEMENTE ESCENIFICADA *de tropas de la 51.ª División Highland pasando al lado de un panzer alemán Mark III abatido en El Alamein.*

ARRIBA: EL MARISCAL DE CAMPO ERWIN ROMMEL, *el carismático y enérgico comandante de las fuerzas alemanas e italianas en el desierto occidental.*

ABAJO: LA ARTILLERÍA BRITÁNICA BOMBARDEA *posiciones alemanas durante los preparativos de la ofensiva de El Alamein, la operación Lightfoot.*

empujado a los británicos más allá de la frontera egipcia, donde fue detenido por el 8.º Ejército comandado por el general Claude Auchinleck (1884-1981) entre el 1 y el 4 de julio de 1942, en la primera batalla de El Alamein. Cuando Rommel estuvo en disposición de volver a intentarlo, Auchinleck había sido sustituido como comandante del ejército por el teniente general Bernard Law Montgomery (1887-1976). Montgomery era un estratega meticuloso y un excelente adiestrador de tropas, y comenzó a reconstruir el 8.º Ejército tanto en términos de material como de confianza.

Cuando Rommel atacó en Alam Halfa en septiembre, los británicos estaban bien preparados, y el ataque acabó en una sonada derrota. En el extremo de una larga cadena logística, acuciado por la escasez de combustible y enfrentándose a un ejército de la Commonwealth cada vez más fortalecido, Rommel, debilitado por la mala salud, pasó a la defensiva. Los alemanes y los italianos comenzaron a establecer un sistema de puntos fuertes instalados entre profundos campos de minas. Las tropas móviles de Rommel se retiraron detrás de su infantería para contrarrestar cualquier posible avance, pero la desesperada falta de combustible hizo que se mantuvieran más cerca del frente de lo habitual.

UNA BATALLA PLANEADA AL DETALLE

Montgomery supo reprimir las ansias de Churchill, y no se lanzó al ataque hasta que no tuvo la plena convicción de estar preparado. No lanzaría su ofensiva hasta estar seguro de que sus hombres estaban entrenados a la perfección y que los tenía bajo control, dispuestos a hacer exactamente lo que él quería.

Derecha: Un soldado raso de la 9.ª División australiana con su rifle corto Magazine Lee Enfield. Va pertrechado con ropa de abrigo adecuada para resistir los rigores de la noche del desierto.

A diferencia de tantas otras batallas anteriores en el desierto, El Alamein sería una contienda planeada al detalle, con ambos flancos anclados en el Mediterráneo por el norte y en la infranqueable depresión de Qattara por el sur. Montgomery contaba con 195.000 hombres frente a los 105.000 de Rommel, de los que solo 53.000 eran alemanes. Disponía de 1.000 tanques frente a los 500 del enemigo, y aproximadamente del doble de efectivos aéreos.

Las fuerzas de la Commonwealth tenían una ventaja de dos contra uno en la mayoría de los sistemas de armamento. El plan de Montgomery era que cuatro divisiones de infantería del 30.º Cuerpo al mando del teniente general Oliver Leese (1884-1978) despejaran un camino a través de las posiciones alemanas en el norte, a fin de permitir a las dos divisiones acorazadas del 10.º Cuerpo del teniente general Herbert Lumsden (1897-1945) que las atravesaran y adoptaran posiciones defensivas en el oeste. A continuación, la infantería rompería las líneas alemanas por el norte y el sur «desmigajando» las tropas enemigas, en palabras del propio Montgomery. El 13.º Cuerpo al mando de Brian Horrocks (1895-1985) sería el encargado de las principales acciones por el sur.

SE ABRE LA OFENSIVA

La operación Lightfoot, un nombre en clave de dudoso gusto ('pie ligero') habida cuenta de las 445.000 minas alemanas, se abrió con un ataque masivo lanzado en la tarde del 23 de octubre. Cogió a los alemanes por sorpresa y obstaculizó seriamente las comunicaciones del Eje. El general George Stumme (1886-1942), que había asumido el mando durante la ausencia por enfermedad de Rommel, falleció de un ataque al corazón al adelantarse para averiguar lo que estaba ocurriendo. La batalla había comenzado con buen pie, pero la resistencia empezó a endurecerse con rapidez. La 9.ª División australiana, que era la que estaba situada más al norte, se hizo con todos sus objetivos, pero las fuerzas acorazadas tenían que avanzar a través de los Highlanders y la 2.ª División neozelandesa, donde se habían sufrido importantes bajas. Las fuerzas de la Commonwealth no habían logrado alcanzar los objetivos del primer día. La reñida lucha continuó durante los siguientes dos días y, a pesar de que el progreso era lento, se logró repeler un par de serios contraataques alemanes. Rommel regresó al servicio el 26 de octubre y concentró todas las fuerzas acorazadas que logró reunir tras la lucha de desgaste de los días anteriores para contraatacar sobre un saliente creado por la 1.ª División Acorazada británica en el pequeño cerro de Kidney Ridge. Tanto la 21.ª División Panzer como la 90.ª Ligera quedaron fuera de combate ante el excelente manejo de los cañones antitanque, la artillería y la fuerza aérea. Entretanto, las fuerzas de Montgomery fueron reduciendo poco a poco las posiciones del Eje, si bien el progreso fue mucho más lento de lo esperado.

Derecha: Un tanquista alemán luce una pesada condecoración mientras echa un trago de su cantimplora en lo alto de su Panzer Mark III.

EL TANQUE MEDIANO M3, de construcción estadounidense (conocido por los británicos como «Lee» o «Grant»), fue utilizado en servicio por primera vez en el desierto occidental a principios de 1942. A pesar de que tenía algunos puntos débiles, los británicos apreciaban la potencia de fuego de su cañón de 75 mm montado en el casco.

EL LANZAMIENTO DE SUPERCHARGE

Su fracaso en el intento de lograr un gran avance obligó a Montgomery a diseñar otro plan. La operación Supercharge desplazó el peso de la ofensiva del norte a la zona de Kidney Ridge la noche del 1 de noviembre. Conducida por los neozelandeses del teniente general Bernard Freyberg (1889-1963) y apuntalada por tres brigadas británicas, la Supercharge logró una profunda penetración en las posiciones del Eje y convenció a Rommel de que la batalla estaba perdida.

El 3 de noviembre comenzó a replegar sus fuerzas acorazadas y ordenó la retirada del resto de sus hombres. Rommel consiguió liberar gran parte de sus fuerzas, si bien 30.000 hombres, de los que aproximadamente un tercio eran alemanes, fueron hechos prisioneros. La batalla de El Alamein había concluido y había costado 13.560 bajas a los aliados.

PERSECUCIÓN Y DEFENSA

Montgomery se mostró indeciso en la persecución, y Rommel logró retirarse unos 1.000 km hacia el oeste antes de ser capaz de establecer una posición seria en enero de 1943. Para entonces, la situación estratégica del Eje había empeorado aún más, y el 8 de noviembre las fuerzas estadounidenses y británicas desembarcaron en el norte de África amenazando seriamente la retaguardia de Rommel. La lógica implacable de una

GENERAL BERNARD MONTGOMERY

Bernard Montgomery combinaba un innegable carisma y el talento para el espectáculo con una resuelta dedicación a la profesión militar. Demostró ser un magnífico adiestrador de hombres y un meticuloso estratega, y fue uno de los principales artífices de la destrucción del mito de la imbatibilidad de los alemanes. Resultó gravemente herido en la Primera Guerra Mundial, pero con el estallido de la Segunda Guerra Mundial se puso al frente de la 3.ª División, que dirigió con prestancia durante la campaña francesa de 1940.

A continuación asumiría el mando de Cuerpos y Áreas en Gran Bretaña. Más tarde, en agosto de 1942, la muerte del teniente general William Gott, que era la primera opción de Churchill como comandante del 8.º Ejército, brindó a Montgomery su oportunidad.

ARRIBA: UN TANQUISTA ALEMÁN se rinde a la infantería de la Commonwealth, en otra de las fotos probablemente escenificadas de la época.

campaña con dos frentes sentenció la presencia del Eje en África.

El Alamein fue el clímax de la campaña en el desierto occidental y el punto de inflexión de la guerra en el norte de África. Montgomery había afrontado la batalla con una obstinada voluntad de lograr el éxito. Además, había demostrado ser lo bastante flexible como para cambiar su plan en plena batalla y se había demostrado a sí mismo que era un general capaz de derrotar a los alemanes. Esto resultó vital para la moral del 8.º Ejército, para Churchill, que estaba sometido a una asfixiante presión política, y para la nación británica en su conjunto.

IZQUIERDA: EL MARK II MATILDA había sido el sustento de las fuerzas acorazadas británicas durante la fase inicial de la guerra del desierto, pero en la época de El Alamein ya se había quedado obsoleto.

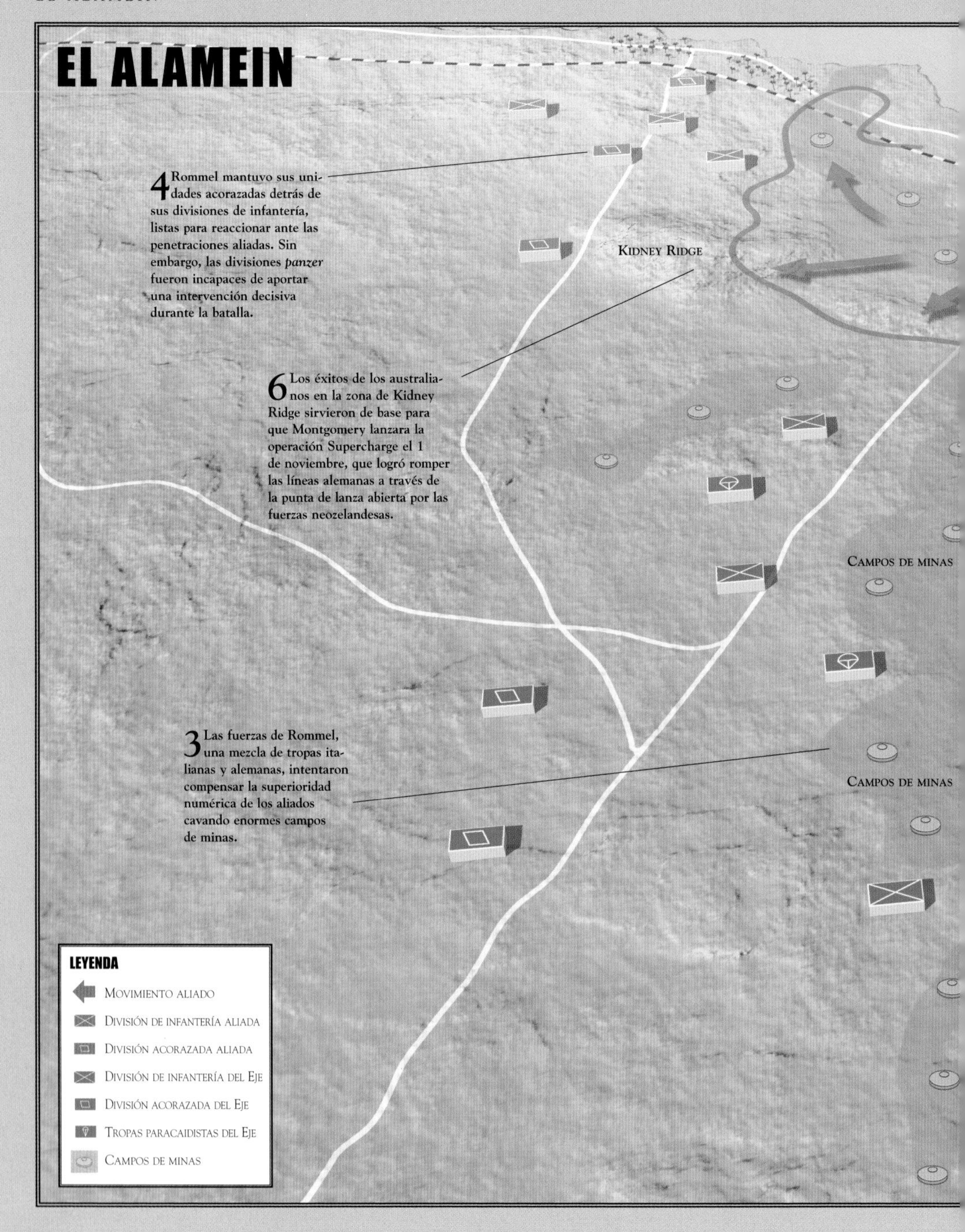
EL ALAMEIN
4 Rommel mantuvo sus unidades acorazadas detrás de sus divisiones de infantería, listas para reaccionar ante las penetraciones aliadas. Sin embargo, las divisiones *panzer* fueron incapaces de aportar una intervención decisiva durante la batalla.
KIDNEY RIDGE
6 Los éxitos de los australianos en la zona de Kidney Ridge sirvieron de base para que Montgomery lanzara la operación Supercharge el 1 de noviembre, que logró romper las líneas alemanas a través de la punta de lanza abierta por las fuerzas neozelandesas.
CAMPOS DE MINAS
3 Las fuerzas de Rommel, una mezcla de tropas italianas y alemanas, intentaron compensar la superioridad numérica de los aliados cavando enormes campos de minas.
CAMPOS DE MINAS
LEYENDA
MOVIMIENTO ALIADO
DIVISIÓN DE INFANTERÍA ALIADA
DIVISIÓN ACORAZADA ALIADA
DIVISIÓN DE INFANTERÍA DEL EJE
DIVISIÓN ACORAZADA DEL EJE
TROPAS PARACAIDISTAS DEL EJE
CAMPOS DE MINAS

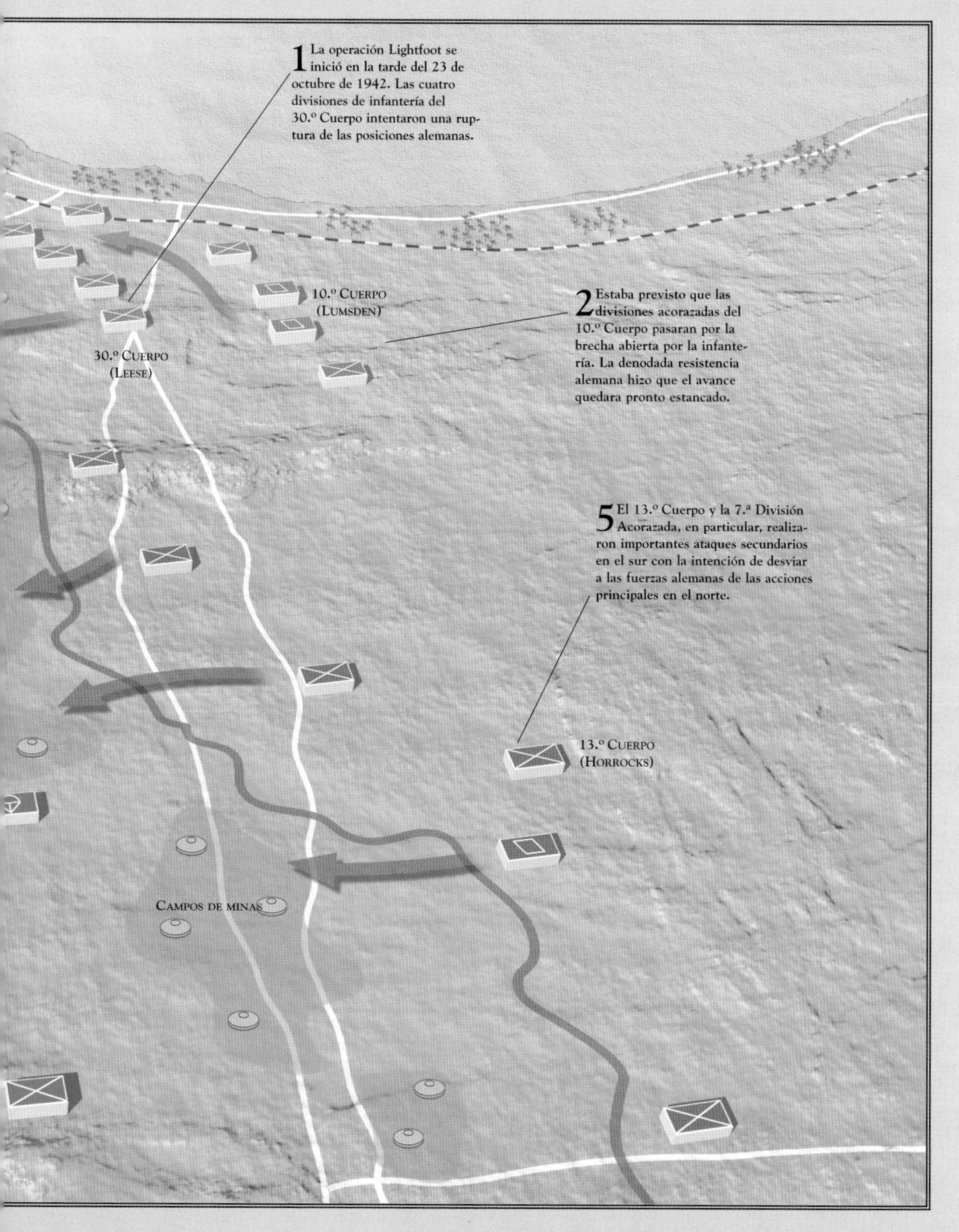
1 La operación Lightfoot se inició en la tarde del 23 de octubre de 1942. Las cuatro divisiones de infantería del 30.º Cuerpo intentaron una ruptura de las posiciones alemanas.
10.º Cuerpo
(Lumsden)
2 Estaba previsto que las divisiones acorazadas del 10.º Cuerpo pasaran por la brecha abierta por la infantería. La denodada resistencia alemana hizo que el avance quedara pronto estancado.
30.º Cuerpo
(Leese)
5 El 13.º Cuerpo y la 7.ª División Acorazada, en particular, realizaron importantes ataques secundarios en el sur con la intención de desviar a las fuerzas alemanas de las acciones principales en el norte.
13.º Cuerpo
(Horrocks)
Campos de minas

LA BATALLA DE GUADALCANAL

1942-1943

Tras derrotar a los japoneses en la batalla de Midway, los aliados se dispusieron a eliminar sus bases de las islas Salomón. Esto requería operaciones anfibias contra varias islas, entre ellas las de Tulagi y Guadalcanal.

Los aliados reunieron una fuerza de invasión en Fiji al mando del vicealmirante estadounidense Frank Fletcher (1885-1973), con fuerzas de tierra a las órdenes del mayor general Alexander Vandegrift (1887-1973), comandante de la 1.ª División de Marines, que aportó la mayor parte de los efectivos terrestres.

DATOS DE LA BATALLA DE GUADALCANAL

Quiénes: Las fuerzas aliadas de Estados Unidos, Australia y Nueva Zelanda contra las fuerzas terrestres, aéreas y navales de los japoneses.

Cómo: La batalla de Guadalcanal fue un intento de desocupar la isla que duró varios meses e implicó a efectivos terrestres, navales y aéreos. Las fuerzas aliadas se hicieron con el control de la isla y la defendieron ante el decidido ataque japonés.

Dónde: En Guadalcanal, en las islas Salomón, en el Pacífico Sur.

Cuándo: De agosto de 1942 a febrero de 1943.

Por qué: La isla era importante para ambos bandos como base para futuras operaciones.

Resultado: Con su éxito final, los aliados obtuvieron su primera victoria terrestre importante contra los japoneses. A pesar de las considerables pérdidas de ambos bandos, la isla quedó en poder de los aliados, que la utilizarían posteriormente como base avanzada.

MARINES ESTADOUNIDENSES desembarcan en agosto de 1942. Los desembarcos iniciales en Guadalcanal encontraron escasa oposición, si bien después la isla fue objeto de una fiera disputa.

IZQUIERDA: UN DESTRUCTOR ESTADOUNIDENSE frente a la costa de Guadalcanal. Pese a que el destino de la isla se decidió en tierra, el poder naval influenció mucho, al limitar los traslados japoneses de refuerzos y suministros.

Entretanto, los aliados se vieron atacados por efectivos aéreos lanzados desde Rabaul, en la isla de Nueva Bretaña (Nueva Guinea).

El ataque fue contrarrestado por cazas con base en portaaviones, con bajas en ambos bandos. Algunos ataques lograron su objetivo y provocaron daños en barcos de transporte que aún estaban sin descargar. Poco después, la fuerza de portaaviones se vio obligada a retirarse por falta de combustible.

Un ataque a cargo de la poderosa fuerza de cruceros japonesa a las órdenes del vicealmirante Gunichi Mikawa (1888-1981) produjo graves pérdidas en los cruceros aliados situados junto a la isla de Savo, y se tomó la decisión de retirar de la zona los buques supervivientes. Esto significaba que también había que evacuar los barcos de transporte a medio descargar, ya que eran demasiado vulnerables a los ataques aéreos.

En ese momento, las fuerzas en tierra en Guadalcanal incluían unos 11.000 marines, pero buena parte de su equipamiento pesado seguía a bordo de los barcos de transporte que navegaban en busca de puerto seguro. Aun así, siguieron adelante con el plan y terminaron la construcción del aeródromo que habían empezado los japoneses, el cual fue bautizado como Henderson Field.

Tras aproximarse aprovechando la cobertura del mal tiempo, la fuerza de asalto desembarcó el 7 de agosto de 1942. El objetivo principal era la captura del propio Guadalcanal y su base aérea. La captura de Tulagi y otras islas menores del archipiélago se encomendó a otras fuerzas.

En Guadalcanal las cosas marcharon muy bien. El terreno, mayoritariamente cubierto por la jungla, se reveló durante el primer día como un problema más grave que la propia resistencia enemiga, y al final de la segunda jornada el aeródromo ya estaba en manos aliadas, junto con los almacenes, suministros y equipo de construcción abandonado allí.

A pesar de ser muy inferiores en número, las tropas japonesas de las demás islas opusieron una fiera resistencia y tuvieron que ser eliminados casi hombre a hombre. Este tipo de resistencia fanática se fue utilizando cada vez más, y dio como resultado importantes bajas en las filas aliadas, incluso al enfrentarse a puestos avanzados relativamente menores.

LA TOMA DE LA ISLA

Algunas fuerzas japonesas se habían dispersado por la isla tras los desembarcos de los aliados, y recibieron el refuerzo de un pequeño contingente desembarcado de un destructor. Se enviaron patrullas y expediciones para localizar y dejar fuera de combate estos reductos de resistencia y, aunque estas

ARRIBA: EL MITSUBISHI A6 ZERO fue uno de los mejores aviones de combate de la guerra, si bien en 1942 ya había perdido buena parte de su fama de invencible.

ARRIBA: EL GENERAL VANDERGRIFT, *al mando de los marines estadounidenses, y el almirante Kelly, de la Armada estadounidense, estuvieron al mando de los componentes terrestre y naval de la operación, respectivamente. Las operaciones anfibias requerían una estrecha cooperación entre los distintos servicios.*

acciones obtuvieron resultados dispares, se logró mantener al enemigo alejado en gran medida del aeródromo, que pudo así recibir su primera partida de aviones.

La isla fue hostigada mediante ataques aéreos más o menos continuos, pero los comandantes japoneses no estaban satisfechos: querían ver a los aliados definitivamente expulsados de Guadalcanal y de las islas Salomón, así que también ellos decidieron planear un ataque anfibio. La tarea se encomendó al 17.º Ejército, que ya estaba muy sobrecargado combatiendo en las batallas por Nueva Guinea.

Algunos elementos del 17.º Ejército estaban disponibles para una operación contra Guadalcanal, pero llegaron de forma fragmentada. La primera fuerza de asalto fue un contingente de unos 1.000 hombres del 28.º Regimiento de Infantería a las órdenes del coronel Kiyonao Ichiki (1892-1942). Esta fuerza poco adecuada desembarcó de los destructores y se desplazó hacia el oeste para encarar a los defensores.

A pesar de que tenía una desventaja en número de más de diez a uno, la fuerza de Ichiki atacó en dirección a Henderson Field aprovechando la cobertura de la oscuridad. Las bajas japonesas fueron muy importantes, y el ataque no obtuvo resultado alguno. Un posterior contraataque por mar diseminó a los supervivientes tras la caída en combate del propio Ichiki.

Una segunda fuerza de unos 2.000 integrantes estaba también de camino, y su aproximación tuvo el apoyo de fuerzas navales japonesas, que contaban con tres portaaviones. Esto dio lugar a la batalla de las Salomón orientales cuando las fuerzas de portaaviones aliadas se enfrentaron a la flota japonesa. En esta acción, fuerzas aéreas que despegaron de Henderson Field atacaron a los barcos de transporte de tropas japoneses y lograron causar importantes bajas. Al final, los supervivientes consiguieron desembarcar de los destructores.

Durante este periodo, las fuerzas aliadas de Guadalcanal recibieron refuerzos adicionales de efectivos aéreos, de modo que la fuerza del contingente aéreo de la isla iba en constante aumento a pesar de las pérdidas en combate. Guadalcanal se convirtió en una gran amenaza para las intenciones japonesas en la zona, y ambos bandos sabían que se estaba preparando el lanzamiento de una operación a gran escala para eliminar Henderson Field y su grupo aéreo.

El general Vandergrift mandó a sus marines, que ahora contaban con refuerzos, a mejorar sus posiciones. Se cambiaron de frente las unidades para establecer una mejor defensa general, mientras se realizaban operaciones menores destinadas a atajar el incremento de las fuerzas japonesas en la isla. La disentería se convirtió en un serio problema para la guarnición y el terreno de la isla también dificultaba las operaciones ofensivas.

EL TOKIO EXPRESS

Tras perder muchos barcos de transporte a causa de los ataques aéreos, los comandantes japoneses decidieron que una operación anfibia tradicional no era factible, y en su lugar pusieron en práctica lo que se conoció con el nombre de «Tokio

DERECHA: LOS JAPONESES DESPLEGARON *numerosos efectivos de infantería naval para defender las islas del Pacífico. Parecidas a los marines, estas tropas lucharon no solo en Guadalcanal, sino en muchos otros puntos.*

EL M3 STUART era demasiado ligero para cualquier tarea que excediera un simple reconocimiento en el escenario europeo, pero en el terreno de las islas del Pacífico este ligero tanque se encontraba a sus anchas.

Express», una operación en la que destructores y cruceros ligeros lanzaban a tierra pequeños contingentes al amparo de la noche y los reabastecían.

El Tokio Express fue una astuta solución al problema de llevar las tropas hasta Guadalcanal, pero también tenía sus limitaciones. Los pequeños buques de guerra no podían transportar equipamiento pesado ni artillería, y los barcos implicados en esas operaciones no podían utilizarse para misiones de combate en otra parte. Aun así, el Tokio Express consiguió llevar a varios miles de soldados japoneses a Guadalcanal durante las siguientes semanas, hasta que se logró reunir a efectivos suficientes para lanzar un ataque.

El 31 de agosto, el general Kawaguchi llegó para hacerse cargo del mando de todas las fuerzas japonesas de Guadalcanal, y el 7 de septiembre dio orden de asaltar Henderson Field. Al día siguiente, una incursión de los marines estadounidenses chocó con la base de suministro de uno de estos grupos, lo que reveló que se había reunido una gran fuerza en la isla y que el ataque era inminente.

ATAQUES JAPONESES

El plan japonés era atacar por la noche, en tres grupos desde el este, el oeste y el sur, respectivamente. Sin embargo, los aliados fueron alertados y apostaron tropas en un promontorio al sur de Henderson Field. Dicha colina pasaría a conocerse con el nombre de Edson's Ridge, en honor al teniente coronel Merritt Edson (1897-1955), que dirigió la defensa. Sus tropas se encontraban justo en el camino de la principal fuerza japonesa cuando se lanzó al ataque el 12 de septiembre.

El combate en la colina fue muy duro, y los defensores, superados en número en una proporción de tres a uno, terminaron por quedar acorralados en un reducto central en la cumbre. Allí resistieron varios asaltos, pero fueron incapaces de evitar que otras tropas japonesas los superaran. Los que consiguieron superar Edson's Ridge se toparon con otros defensores, que lograron detener su avance y, en último extremo, repelerlos. Igualmente, los ataques en los demás sectores fueron contenidos. Finalmente, tras dos días de intenso combate, los japoneses retrocedieron para reagruparse.

Tras un periodo de mal tiempo, la batalla aérea se reanudó el 27 de septiembre, con mayor intensidad si cabe, ya que ambos bandos habían recibido refuerzos. En tierra, se produjo la llegada de más tropas japonesas, mientras que las fuerzas estadounidenses intentaban expulsar de sus defensas a los diseminados supervivientes de los ataques previos, para evitar así que los recién llegados pudieran tomar posiciones en las inmediaciones del aeródromo. El resultado fueron varios choques a finales de septiembre y principios de octubre que interrumpieron los preparativos de la ofensiva japonesa.

Sin embargo, los defensores de la isla estaban sometidos a una fuerte presión desde el aire, y la acumulación de fuerzas que estaban logrando los japoneses era motivo de preocupación. Los refuerzos eran más necesarios que nunca.

La sincronización fue fortuita. Las unidades navales estadounidenses que cubrían el convoy de refuerzo se encontraron con un importante envío de fuerzas japonesas que incluía buques con la misión de bombardear Henderson Field. En la batalla del cabo Esperanza a que dio lugar este encuentro, los barcos estadounidenses infligieron una severa derrota a la Armada japonesa, a pesar de que el convoy Tokio Express asociado logró salir adelante y descargar en Guadalcanal.

A PESAR DE SU GRAN DETERMINACIÓN, muchos de los ataques japoneses sobre posiciones estadounidenses fueron imprudentes habida cuenta de la situación táctica. Era inevitable sufrir graves bajas.

Hacia mediados de octubre, los japoneses habían desembarcado varios miles de efectivos en Guadalcanal, y bombardearon el aeródromo. El asalto fue contenido, pero en algunos puntos los japoneses lograron atravesar las defensas exteriores, a pesar de sufrir graves bajas. Se utilizaron varios tanques, pero los defensores los dejaron fuera de combate sin problemas.

A pesar de encontrarse bajo presión, los defensores mantuvieron su posición en tierra mientras las fuerzas aéreas repelían los ataques lanzados por mar y aire. Las repetidas cargas frontales fueron atajadas por armas de infantería y artillería disparando con miras abiertas. Finalmente, el 26 de octubre se dio el asalto por concluido y los japoneses se retiraron.

EL FINAL

La guerra terrestre en el Pacífico estaba muy influenciada por la situación en el mar. El bando que se hiciera con el control marítimo podría introducir suministros y refuerzos decantando a su favor la contienda terrestre. Por consiguiente, las acciones navales en torno a Guadalcanal eran de vital importancia para la campaña en tierra.

Los subsiguientes esfuerzos japoneses por reforzar su presencia en la isla fueron infructuosos, y las fuerzas estadounidenses comenzaron a pasar a la ofensiva, alejando al enemigo del aeródromo. Aisladas de los suministros y ya desgastadas por los diversos enfrentamientos, las fuerzas japonesas restantes fueron evacuadas a principios de febrero, lo que puso punto final a la campaña. Guadalcanal fue la primera victoria terrestre clara sobre los japoneses, y tuvo gran relevancia a la hora de restablecer la confianza de los aliados. Igualmente, privó a los japoneses de una importante base avanzada. No obstante, la batalla también tendría importancia a un nivel más amplio.

Tras el fracaso de su primer gran ataque, los comandantes japoneses se dieron cuenta de que la lucha por Guadalcanal tenía gran importancia estratégica. Consecuencia de esto fue que las fuerzas que avanzaban sobre Port Moresby en Nueva Guinea fueron retiradas y se les cortó el acceso a los refuerzos. De este modo, la batalla de Guadalcanal ayudaría indirectamente a la causa aliada en el resto del mundo.

LOS EFECTIVOS ACORAZADOS JAPONESES

Los tanques japoneses resultaban inadecuados con arreglo a los estándares europeos, y a menudo se desplegaban en números reducidos. En Guadalcanal, las únicas fuerzas de tanques japonesas fueron los 12 vehículos de la 1.ª Compañía Independiente de Tanques, con 10 tanques ligeros modelo 95 (a la izquierda) y dos efectivos medianos modelo 97. Dos de ellos se perdieron por daños accidentales y los otros fueron destruidos en la batalla del río Matanikau. Estados Unidos solo disponía de tanques ligeros, aunque eran tan válidos como los modelo 97 japoneses. Resultaban útiles para la ofensiva, pero el terreno de la jungla restringía su utilización.

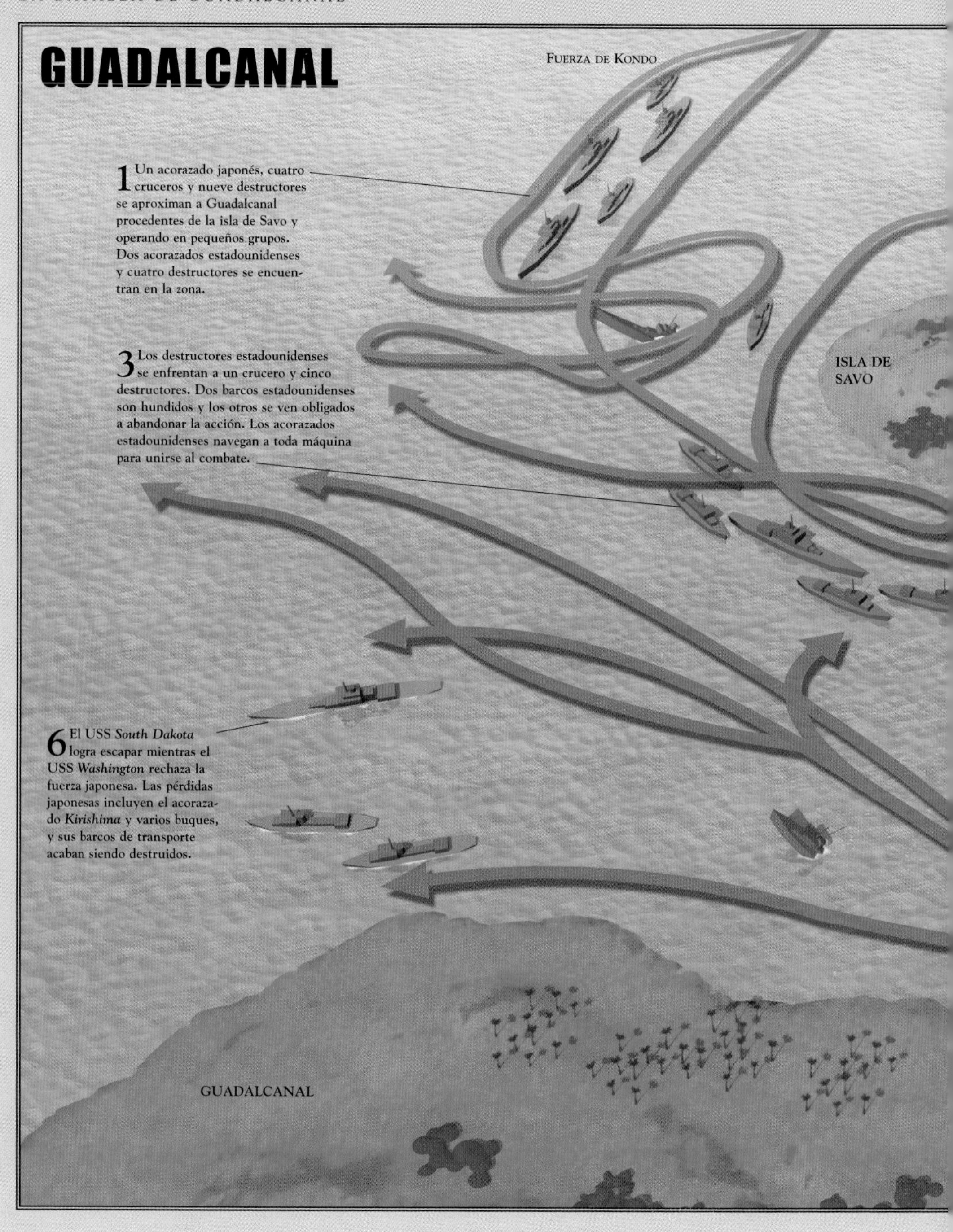
GUADALCANAL
FUERZA DE KONDO
1 Un acorazado japonés, cuatro cruceros y nueve destructores se aproximan a Guadalcanal procedentes de la isla de Savo y operando en pequeños grupos. Dos acorazados estadounidenses y cuatro destructores se encuentran en la zona.
3 Los destructores estadounidenses se enfrentan a un crucero y cinco destructores. Dos barcos estadounidenses son hundidos y los otros se ven obligados a abandonar la acción. Los acorazados estadounidenses navegan a toda máquina para unirse al combate.
ISLA DE SAVO
6 El USS *South Dakota* logra escapar mientras el USS *Washington* rechaza la fuerza japonesa. Las pérdidas japonesas incluyen el acorazado *Kirishima* y varios buques, y sus barcos de transporte acaban siendo destruidos.
GUADALCANAL

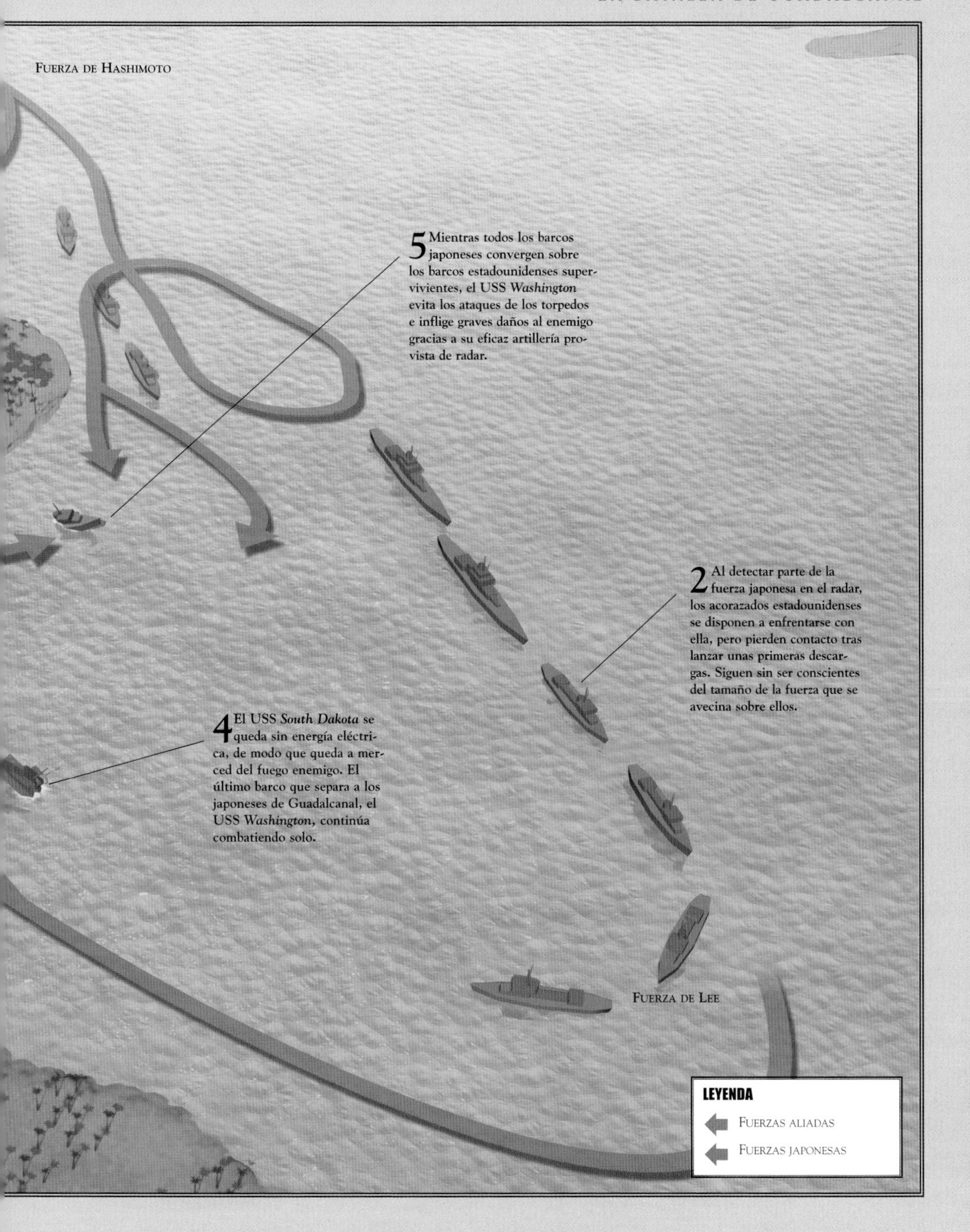
FUERZA DE HASHIMOTO
5 Mientras todos los barcos japoneses convergen sobre los barcos estadounidenses supervivientes, el USS *Washington* evita los ataques de los torpedos e inflige graves daños al enemigo gracias a su eficaz artillería provista de radar.
2 Al detectar parte de la fuerza japonesa en el radar, los acorazados estadounidenses se disponen a enfrentarse con ella, pero pierden contacto tras lanzar unas primeras descargas. Siguen sin ser conscientes del tamaño de la fuerza que se avecina sobre ellos.
4 El USS *South Dakota* se queda sin energía eléctrica, de modo que queda a merced del fuego enemigo. El último barco que separa a los japoneses de Guadalcanal, el USS *Washington*, continúa combatiendo solo.
FUERZA DE LEE
LEYENDA
FUERZAS ALIADAS
FUERZAS JAPONESAS

STALINGRADO

1942-1943

Stalingrado cambió el rostro de la Segunda Guerra Mundial. En una verdadera lucha cataclísmica, la Wehrmacht *sufrió su primera gran derrota y el avance estratégico del frente oriental pasó a manos del Ejército Rojo.*

A medida que avanzaba el duro invierno ruso de 1941-1942, Adolf Hitler se enfrentó a una decisión estratégica vital. La campaña Barbaroja para aplastar a la Unión Soviética, que comenzó en junio de 1941, se había estancado antes de Moscú y tuvo que replegarse por una contraofensiva soviética los días 5-6 de diciembre. Hasta finales de la primavera la *Wehrmacht* no recuperó su movilidad. En lugar de renovar la ofensiva de Moscú, como esperaban los rusos, Hitler ordenó la operación Azul, una ofensiva masiva de su Grupo de Ejército Sur, a través de Ucrania y Crimea hacia el Cáucaso. El objetivo final era capturar los pozos de petróleo soviéticos en el Cáucaso, de los que dependía la maquinaria bélica alemana.

DATOS DE STALINGRADO

Quiénes: El 6.º Ejército alemán, dirigido por el general Friedrich Paulus (1890-1957), con elementos del 4.º Ejército Panzer a las órdenes del general Hermann Hoth (1885-1971), contra el frente de Stalingrado del Ejército Rojo, sobre todo el Ejército 62.º del teniente general Vasily Chuikov (1900-1982).

Cómo: Las fuerzas alemanas casi lograron conquistar Stalingrado, pero con enormes pérdidas. La contraofensiva soviética atrapó a 250.000 alemanes en la ciudad. Alrededor de 100.000 de estos hombres murieron y 110.000 fueron capturados por los rusos en lo que supondría una muerte casi segura.

Dónde: En Stalingrado, junto al río Volga.

Cuándo: Del 14 de septiembre de 1942 al 2 de febrero de 1943.

Por qué: La batalla de Stalingrado era parte de una campaña alemana para ocupar los pozos petrolíferos del sur de la Unión Soviética, en el Cáucaso. Dominar la ciudad de Stalingrado era decisivo para proteger el flanco izquierdo alemán.

Resultado: Stalingrado marcó el inicio de la derrota alemana en el frente oriental; el Ejército Rojo mantendría su empuje ofensivo durante el resto de la guerra.

EN MEDIO DE LA DEVASTACIÓN DE STALINGRADO, *un pelotón alemán muy bien armado se dispone a intentar otro asalto sobre las posiciones soviéticas.*

Una ametralladora MG34 alemana manejada por dos hombres ocupa el agujero de un obús en los arrasados suburbios de Stalingrado, en septiembre de 1942.

La Operación Azul empezó el 28 de junio, con 1,3 millones de hombres (incluidos 300.000 aliados de Alemania, sobre todo rumanos e italianos) y 1.500 aviones. El Grupo de Ejército Sur se dividió en los Grupos A y B, con el plan de que ambos grupos convergieran en la ciudad de Stalingrado, donde el Grupo B se quedaría en los ríos Don y Volga para cubrir el asalto al Cáucaso del Grupo A. Como en las operaciones de la *Wehrmacht* de la primavera/verano anterior, los alemanes hicieron grandes progresos y, a mediados de julio, el 6.º Ejército, dirigido por el general Friedrich Paulus (1890-1957), el principal componente del Grupo B, se acercaba a Stalingrado.

El 23 de julio, Hitler dio la orden de tomar la ciudad. El 4.º Ejército Panzer del general Hermann Hoth (1885-1971) se desplegó al sur de Stalingrado para ayudar en el asalto. El mismo día, Stalin dio órdenes de proteger Stalingrado hasta el final. Las fuerzas soviéticas del recién designado frente de Stalingrado estaban formadas por los Ejércitos 62.º, 63.º y

DERECHA: EL GENERAL VASILY CHUIKOV, *comandante del 62.º Ejército soviético, aquí (centro) en su puesto de mando en Stalingrado.*

64.º. Aunque Stalingrado era un importante núcleo industrial, el hecho de llevar el nombre de Stalin dio al líder soviético un claro imperativo psicológico para no verla caer en manos alemanas.

BATALLA CALLEJERA

El preludio de las luchas dentro de la ciudad fue un intenso bombardeo aéreo de la *Luftlotte* 4, que redujo gran parte de la ciudad a escombros y mató a más de 30.000 personas. El 12 de septiembre, tropas alemanas se adentraban ya en los suburbios de la ciudad, donde se enfrentaron a una defensa de vigor casi psicótico por parte de las tropas del Ejército 62.º de Chuikov dentro de la ciudad. Chuikov, un comandante tosco en comparación con el cortés Paulus, se encontraba en desventaja numérica en la ciudad ante los alemanes (unos 54.000 rusos contra 100.000 alemanes).

Pero la batalla de Stalingrado iba a ser una auténtica lucha callejera, un tipo de combate que despojaría a los alemanes de la movilidad que solía conducirles hacia la victoria en la batalla. Además, Chuikov empujó deliberadamente a sus tropas a una batalla en espacios reducidos y les ordenó «abrazar» a las tropas alemanas para limitar el uso de bombardeos aéreos y fuego de artillería pesada del enemigo, que planteaban el riesgo de bajas por «fuego amigo». La consecuencia fue que cada edificio y cada habitación se convirtieron en un campo de batalla; los alemanes pagaron con sangre cada metro que avanzaron.

A finales de septiembre, Paulus y Hoth habían tomado dos terceras partes de Stalingrado. Una ofensiva lanzada el 14 de septiembre por el Cuerpo LI penetró profundamente en la ciudad, tomando los altos de Mamayev Kurgan (un rasgo prominente de la ciudad) y avanzando hacia la estación de ferrocarril n.º 1. El objetivo era llegar al Volga y destruir

ABAJO: SE USÓ TODO EL PERSONAL *soviético disponible para la defensa de Stalingrado: este grupo incluye a marineros y civiles.*

ARRIBA: SOLDADOS Y CARROS BLINDADOS *en el avance del 21.*er *Ejército soviético durante la operación Urano, la ofensiva en dos brazos diseñada para atrapar a las fuerzas alemanas en Stalingrado.*

los muelles soviéticos, que recibían suministros y refuerzos a través del río (una experiencia terrible para los pasajeros y la tripulación de los botes, bombardeados implacablemente por los cazas alemanes). No obstante, los refuerzos de última hora de la 13.ª División de Guardias del teniente general Aleksandr Rodimtsev (1905-1977) hicieron que la estación cambiara de manos 15 veces antes de caer finalmente en poder de los alemanes. El 4.º Ejército Panzer del general Hoth tuvo una experiencia similar, pero consiguió avanzar y llegar al río el 13 de octubre.

Entre mediados de octubre y noviembre, los alemanes hicieron retroceder lentamente a los soviéticos y se abrieron paso a través del distrito industrial con un coste atroz (las fábricas de Barrikady, Krasny Oktyabr y Tractor fueron los principales campos de batalla). Stalingrado estaba completamente destruida, pero los escombros producidos por la artillería alemana crearon un paisaje intrincado que resultaba más fácil de defender y difícil de atacar. El 18 de noviembre, los soviéticos mantenían una delgada franja de territorio en el Volga, poco más del 10 % de la ciudad. Pero caía el invierno y los alemanes estaban destrozados y exhaustos tras las últimas semanas de combate.

LA OFENSIVA SOVIÉTICA

El 19 de noviembre, las fuerzas soviéticas en torno a Stalingrado realizaron su golpe maestro, una contraofensiva planeada por el general Georgy Zhukov (1896-1974). Al norte de Stalingrado, el frente sudoriental soviético y el frente del Don lanzaron seis ejércitos hacia el sur a través del Don, aplastando la débil resistencia rumana. Al día siguiente, el frente de Stalingrado atacó el norte desde posiciones al sur de Stalingrado, superando de nuevo la débil protección del flanco alemán. El 23 de noviembre, las dos tenazas se unieron por detrás de Stalingrado, atrapando al 6.º Ejército y a buena parte del 4.º –más

ABAJO: EL 8.º EJÉRCITO ITALIANO *comienza una larga retirada desde sus posiciones en el flanco izquierdo del 6.º Ejército alemán en diciembre de 1942.*

Un Yak 1B del 37.º IAP de Guardia. Los rusos tenían un total de 1.400 aviones en Stalingrado, que realizaban unas 500 misiones al día.

de 250.000 hombres– en el interior de la ciudad. Se cernía un desastre para los alemanes.

Hubiera sido posible escapar en los primeros días de la ofensiva, pero Hitler se opuso y se decantó por uno de los optimistas planes de reabastecimiento aéreo de Hermann Göring, que nunca fue realista, y después por una ofensiva de socorro del 11.º Ejército de Manstein. Esta ofensiva (la operación Tormenta de invierno) se lanzó el 12 de diciembre y obtuvo algunos progresos antes de quedar finalmente detenida a 48 km de Stalingrado. Dos semanas después, las fuerzas de Manstein retrocedían ante nuevas ofensivas soviéticas y abandonaban a los soldados alemanes que quedaban en Stalingrado a un destino espantoso.

Los terribles combates continuaron en Stalingrado durante más de un mes mientras los rusos aplastaban a los ocupantes alemanes. Aunque 34.000 alemanes fueron evacuados por aire antes de que el último aeródromo cayera el 25 de enero, más de 100.000 soldados de la *Wehrmacht* murieron en este periodo. Finalmente, entre el 31 de enero y el 2 de febrero, Paulus y unos 110.000 supervivientes alemanes se rindieron y fueron destinados a campos de trabajo soviéticos, de los que solo saldrían con vida unos 5.000 hombres.

EL PRINCIPIO DEL FIN

La derrota alemana en Stalingrado inclinó la balanza de la guerra estratégica y psicológicamente. Por un lado, acabó con la Operación Azul e inició la retirada alemana que terminaría en Berlín en 1945. Por otro, elevó la confianza de los rusos y demostró que podían competir con los alemanes. Para los alemanes, fue un signo inequívoco de que podían ser derrotados: lejos quedaban ya los días de gloria de 1939-1940.

MARISCAL DE CAMPO FRIEDRICH PAULUS

Friedrich Paulus (1890-1957) labró su carrera militar como capitán del ejército en la 1.ª Guerra Mundial y mostró la habilidad y ambición que le permitieron ascender hasta el rango de general en 1939. Después sirvió como ayudante del general Franz Halder, el jefe del Estado Mayor alemán, antes de asumir el tristemente célebre mando del 6.º Ejército en 1941. Paulus era un distinguido oficial de la «vieja escuela» cuya lealtad militar le llevó, en un primer momento, a obedecer las absurdas órdenes de Hitler de defender Stalingrado «hasta el último hombre». El 31 de enero de 1942, Hitler nombró a Paulus mariscal de campo, pues sabía que ningún mariscal de campo en la historia de Alemania se había rendido ni había sido capturado con vida. (Hitler estaba exigiendo, de hecho, su suicidio). No obstante, Paulus decidió ignorar el precedente y rendirse, pasando a ser un prominente crítico del régimen nazi durante su cautiverio. El último cargo que desempeñó en su carrera fue el de asesor del ejército de Alemania Oriental, a mediados de la década de 1950.

El mariscal de campo Paulus (izquierda) y su jefe de Estado Mayor Arthur Schmidt (derecha) después de su rendición a principios de 1943.

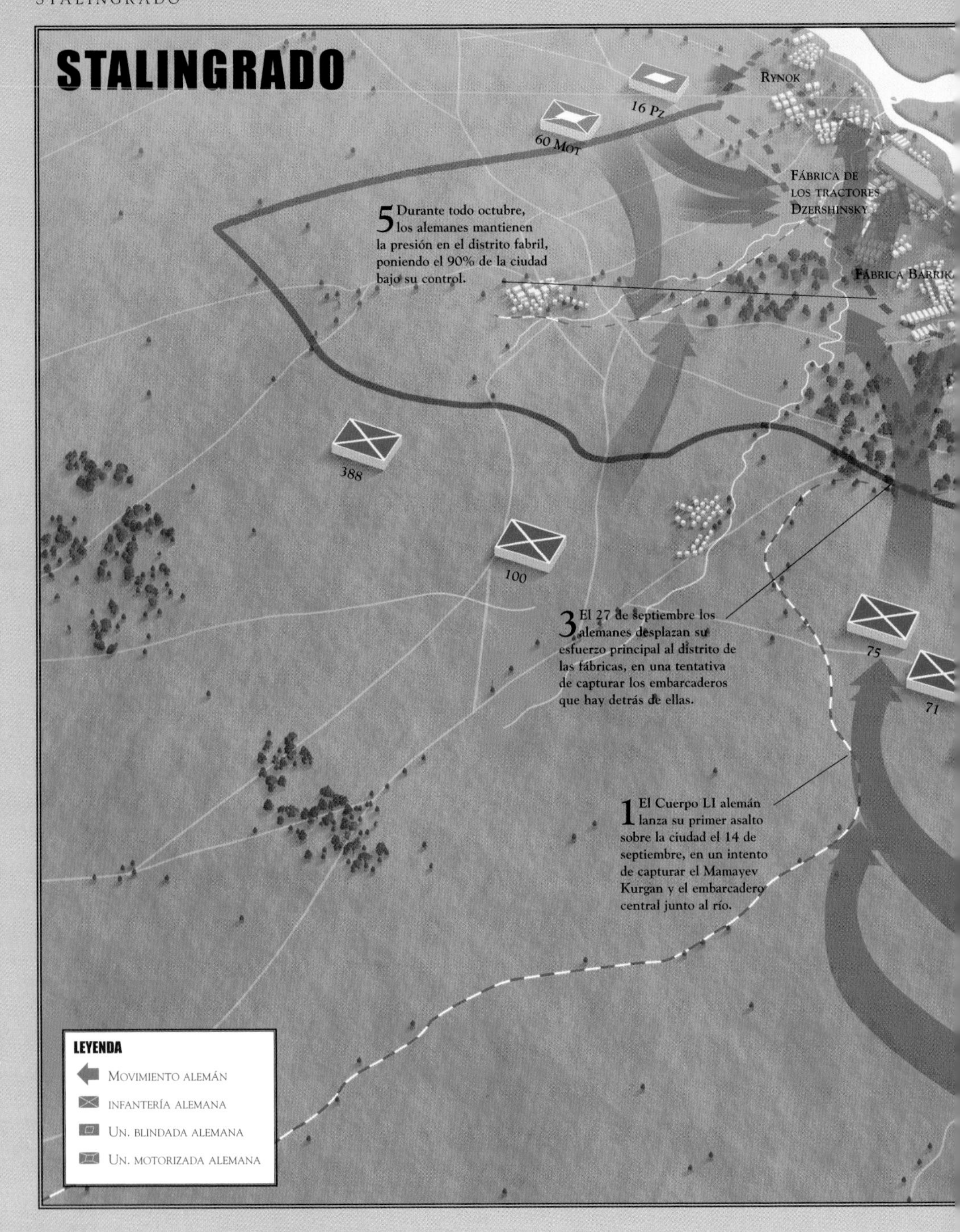
STALINGRADO
Rynok
16 Pz
60 Mot
Fábrica de los tractores Dzershinsky
Fábrica Barrik
5 Durante todo octubre, los alemanes mantienen la presión en el distrito fabril, poniendo el 90% de la ciudad bajo su control.
388
100
3 El 27 de septiembre los alemanes desplazan su esfuerzo principal al distrito de las fábricas, en una tentativa de capturar los embarcaderos que hay detrás de ellas.
75
71
1 El Cuerpo LI alemán lanza su primer asalto sobre la ciudad el 14 de septiembre, en un intento de capturar el Mamayev Kurgan y el embarcadero central junto al río.
LEYENDA
Movimiento alemán
infantería alemana
Un. blindada alemana
Un. motorizada alemana

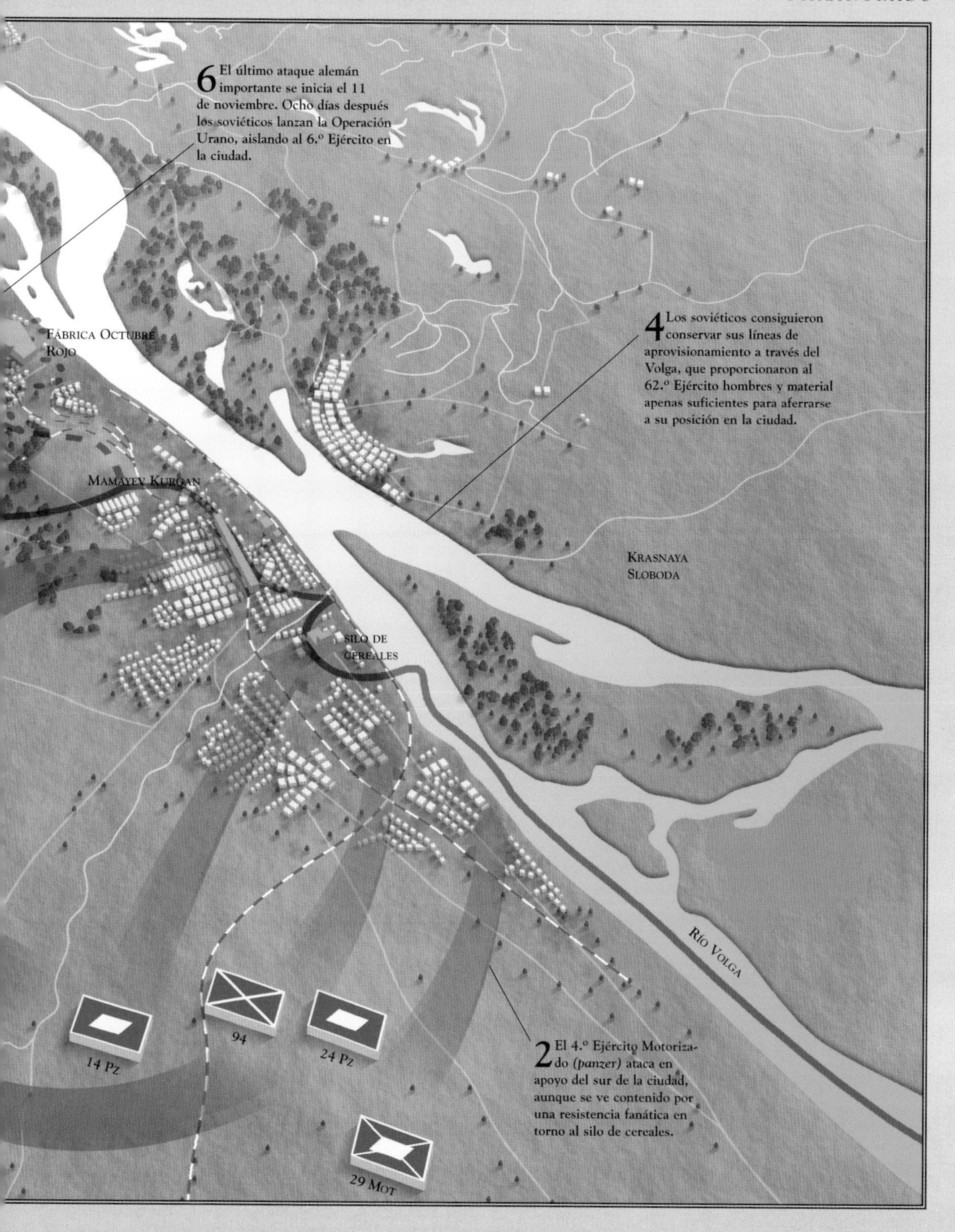
6 El último ataque alemán importante se inicia el 11 de noviembre. Ocho días después los soviéticos lanzan la Operación Urano, aislando al 6.º Ejército en la ciudad.
4 Los soviéticos consiguieron conservar sus líneas de aprovisionamiento a través del Volga, que proporcionaron al 62.º Ejército hombres y material apenas suficientes para aferrarse a su posición en la ciudad.
Fábrica Octubre Rojo
Mamayev Kurgan
Krasnaya Sloboda
Silo de cereales
Río Volga
14 Pz
94
24 Pz
29 Mot
2 El 4.º Ejército Motorizado (*panzer*) ataca en apoyo del sur de la ciudad, aunque se ve contenido por una resistencia fanática en torno al silo de cereales.

LA 3.ª BATALLA DE JARKOV 1943

La 3.ª batalla de Jarkov suele considerarse la última victoria alemana en el frente oriental. Sigue siendo un ejemplo clásico de tácticas de maniobra acorazada ejecutadas en condiciones difíciles frente a un ejército enemigo bien preparado y superior en número.

Cuando Hitler ordenó invadir la Unión Soviética en 1941, no preveía una guerra larga. En un primer momento pudo haber sido posible asestar un golpe definitivo, pero los rusos evitaron la derrota durante el tiempo suficiente como para que llegara el invierno, lo que les proporcionó tiempo para prepararse con el fin de detener las renovadas ofensivas alemanas.

El ejército alemán lo intentó de nuevo en 1942 y en 1943, pero la victoria decisiva siempre se escapaba y la fortaleza soviética aumentaba sin cesar. Las probabilidades

DATOS DE LA 3.ª BATALLA DE JARKOV

Quiénes: 160.000 soldados alemanes mandados por el mariscal de campo Erich von Manstein (1887-1973) contra alrededor de 300.000 soldados soviéticos de los frentes de Bryansk, Volkhov y Sudoccidental dirigidos por los generales Golikov y Vatutin (1901-1944).

Cómo: El Ejército Rojo encargó la operación a los frentes de Bryansk, Voronezh y Sudoccidental, que incluían los ejércitos 40.º, 69.º y 3.º de Tanques. La contraofensiva alemana estaba dirigida por el 4.º Ejército Panzer e incluía el Cuerpo II SS Panzer, con las divisiones *Leibstandarte Adolf Hitler* y *Das Reich*.

Dónde: En la ciudad de Jarkov, en Ucrania.

Cuándo: Febrero y marzo de 1943.

Por qué: La ciudad tenía gran importancia política y como núcleo de transporte.

Resultado: La ciudad fue capturada por los alemanes y perdida de nuevo en agosto ante una ofensiva soviética.

GRANADEROS PANZER DE LA DIVISIÓN SS DAS REICH viajan hacia Jarkov sobre la cubierta del motor de un Panzer III. Principios de 1943 fue el último periodo en el que fue factible la victoria alemana en el frente oriental.

TANQUES T-34 EN LA PLAZA Dzerzhinsky, en Jarkov. Tras la caída de Stalingrado, parecía posible expulsar rápidamente a los alemanes de la Rusia soviética, pero la toma de Jarkov contradijo dicha hipótesis.

se reducían año tras año, pero no había elección: Alemania debía atacar y derrotar al enemigo elegido por su líder.

A principios de 1943, la suerte daba la espalda a Alemania. Las derrotas en el norte de África habían asestado un duro golpe al prestigio alemán. Sus aliados estaban reconsiderando su posición y había pocas perspectivas de persuadir a otros países, como Turquía, de unirse al combate. Mientras, Alemania se veía ahogada por los problemas económicos y el malestar social.

ÉXITOS SOVIÉTICOS

La caída de Stalingrado, tras meses de arduos combates, fue un duro golpe para la moral y el prestigio alemanes, mientras sus oponentes lograban un éxito tras otro. El Ejército Rojo empezó a avanzar, a instancias de un exultante Stalin, que pensaba que podría expulsar de Rusia a los invasores mediante una ofensiva frontal. Leningrado fue liberada y la amenaza sobre Moscú se redujo en gran medida. En el sur, las tropas soviéticas avanzaban frente a unos alemanes diezmados.

Había peligro de que el Grupo de Ejército Sur alemán quedara aislado y se viera obligado a rendirse; la catastrófica derrota en Stalingrado no ayudaba. No obstante, el comandante alemán, el mariscal de campo Von Manstein (1887-1973), ignoró sus órdenes de morir luchando y organizó una retirada que no solo permitió a su ejército escapar de la trampa luchando, sino que además les dio tiempo para recibir refuerzos.

Los soviéticos estaban superando su capacidad logística y comenzaban a flaquear, pero los apremios de Stalin los obligaban a avanzar. El alto mando soviético no creía que el maltrecho ejército alemán pudiera hacer otra cosa que retirarse hacia el oeste oponiendo escasa resistencia. Era evidente que un contraataque se hacía impensable.

LLEGAN REFUERZOS

Sin embargo, el ejército alemán sí poseía capacidad para contraatacar. Los refuerzos habían empezado a llegar. En algunos casos, eran maltrechas unidades que habían sido forzadas a volver a las líneas después de recibir personal y equipos de reemplazo, y no estaban en mejor forma que las formaciones de las líneas. No obstante, se pusieron a disposición de Manstein algunas unidades muy potentes.

En particular, Manstein recibió el control del Cuerpo Panzer I SS, compuesto por las divisiones SS *Totenkopf*,

Estos soldados de las Waffen-SS muestran los beneficios de un periodo de descanso y reabastecimiento. Su buena moral y mejor abastecimiento les permitieron derrotar a un ejército soviético superior en número en la batalla de Jarkov.

Leibstandarte y *Das Reich*, reabastecidas y bien descansadas. Lo que era más importante, estaban equipadas con el nuevo tanque Panzer VI Tiger armado con un formidable cañón de 88 mm. Muchos de los tanques de estas divisiones eran vehículos inferiores, pero los Tiger eran un poderoso ariete.

Se formó un grupo de batalla con las primeras llegadas, que se lanzó contra las líneas para detener el avance soviético. A pesar de los intensos ataques soviéticos, el grupo de batalla pudo mantener sus posiciones. Después vendría un periodo de reposicionamiento, durante el cual el ejército alemán estableció defensas para evitar que Jarkov quedara rodeada.

Aunque los soviéticos estaban muy escasos de munición y mal organizados, avanzaron más rápido de lo esperado. Era evidente que no se evitaría el ataque a Jarkov con medidas defensivas. Las tropas de las SS recibieron la orden de atacar.

El avance soviético sobre Jarkov adoptó la forma de un movimiento envolvente, con un brazo sur mucho más potente. Mientras avanzaban, los soviéticos fueron golpeados desde el flanco con unidades acorazadas y bombarderos en picado que se ensañaron con las unidades de apoyo de sus grupos de retaguardia antes de abalanzarse sobre las desorganizadas formaciones de combate.

El ataque fue un éxito y detuvo el avance durante un tiempo. Pero los soviéticos todavía lograron avanzar y, a pesar de infligir un gran número de bajas, las tropas de las SS tuvieron que replegarse. De nuevo, las fuerzas alemanas se veían en peligro de ser rodeadas. El comandante de las SS Paul Hausser (1880-1972) solicitó permiso para retirarse.

Aunque el mismo Hitler denegó el permiso para retirarse y ordenó a las tropas de las SS mantener las posiciones a toda costa, Hausser decidió ignorar esta orden. Lanzó un contraataque local con tanques para descabezar la ofensiva

T-34/76: ¿EL MEJOR TANQUE DE LA 2.ª GUERRA MUNDIAL?

El T-34 se encontraba entre los sistemas de armamento más importantes del Ejército Rojo en la 2.ª Guerra Mundial. Cuando se utilizó por primera vez en 1940, era posiblemente el tanque mejor diseñado del mundo. Los T-34 eran vehículos eficientes, más que excelentes herramientas de combate. Tenían una buena protección, movilidad y un buen cañón capaz de destruir tanques enemigos a una distancia respetable. No obstante, solían sufrir problemas mecánicos, especialmente en la transmisión.

Frente a frente, los tanques alemanes solían ser mejores, pero la frase «a igualdad de condiciones» nunca es válida en la guerra. Los tanques no luchaban frente a frente, sino dentro de una estructura militar, técnica e industrial en la que la potencia de combate del vehículo era solo uno de los factores. La facilidad para reparar o sustituir cualquier pieza para volver a poner los tanques en combate también era vital, así como la posibilidad de fabricarlos en cantidad suficiente para que influyesen en el curso de la guerra.

En este contexto, el T-34 podía considerarse el mejor tanque del mundo.

soviética y replegó sus tropas el 15 de febrero. Haciendo caso omiso de nuevas órdenes de mantener su posición, Hausser logró retirar sus fuerzas en un orden bastante bueno a pesar de las grandes fuerzas soviéticas que entraban en la ciudad.

Hitler montó en cólera y ordenó a Manstein utilizar el comando de Hausser como ariete de un ataque para retomar la ciudad de Jarkov. Había aparecido un prominente saliente en el frente de batalla por donde los soviéticos habían avanzado. Esto creaba una oportunidad ideal para una doble envolvente contra los promontorios del saliente, aislando y rodeando a los soviéticos en su avance para destruirlos.

La operación se planeó mientras las tropas de las SS se reorganizaban, agrupando sus diezmados tanques y otros activos en batallones improvisados. Este método de crear grupos de batalla efectivos con los restos de unidades maltrechas fue característico de las fuerzas alemanas durante la Segunda Guerra Mundial y permitió a las formaciones reducidas retomar el combate mucho después de que las unidades de las que procedían hubieran dejado de ser útiles.

ARRIBA: *EL GENERAL PAUL HAUSSER desafió las órdenes de Hitler de luchar hasta el final, sacó a sus tropas de una mala posición y creó así la oportunidad de llevar a cabo una contraofensiva exitosa.*

ARRIBA: *UN EQUIPO DE AMETRALLADORA de la División SS* Liebstandarte. *En la lucha urbana en espacios confinados, la subametralladora y la granada del observador podían ser más útiles que el arma de apoyo.*

EL CONTRAATAQUE DE MANSTEIN

El contraataque de Manstein se inició el 19 de febrero de 1943. Las formaciones de las SS lideraron la mitad norte del ataque envolvente mientras las unidades *panzer* dirigían el brazo sur. A pesar de los campos de minas y del mal tiempo, con nieve y niebla, las tropas de las SS avanzaron hasta golpear el flanco enemigo. Entre sus primeros éxitos se encontró el de cortar el principal enlace viario con el río Dnieper, que obstaculizó los movimientos rusos.

Las fuerzas de las SS, renovando su avance, mantuvieron pequeñas pero denodadas batallas con unidades soviéticas que avanzaban hacia el frente y capturaron la ciudad de Pavlogrado el 24 de febrero.

En otras zonas, los movimientos de flanqueo habían sumido a los rusos en la confusión y su avance hacia el

Dnieper fue detenido y después repelido. La ruta hacia Jarkov estaba abierta y la División *Das Reich* dirigió la marcha hacia la ciudad. El alto mando soviético dio órdenes de «resistir a toda costa». Se enviaron refuerzos a Jarkov a toda prisa y se hicieron ataques en otros puntos para intentar desviar los recursos alemanes. Esta medida falló. Los estratégicos nudos ferroviarios de Lasovaya fueron tomados por las divisiones *Das Reich* y *Totenkopf*.

Los refuerzos soviéticos seguían llegando. El 3.er Ejército de Tanques (equivalente a un cuerpo *panzer*) consiguió introducirse entre las divisiones *Das Reich* y *Leibstandarte*. Era una situación peligrosa, o una espléndida oportunidad para aplastarla desde ambos lados, según el punto de vista.

Hausser adoptó este último y lanzó un fuerte ataque. A pesar del mal tiempo, de un paisaje que era un verdadero mar de lodo y de la falta de suministros, las tropas de las SS se alzaron con el triunfo. Cuando todo terminó, tres brigadas de tanques soviéticas, tres divisiones de infantería y todo un cuerpo de caballería habían sido destruidos o capturados.

Ante esta castigadora arremetida, las fuerzas soviéticas se retiraron de algunas zonas y, el 11 de marzo, un grupo de batalla de las SS se estableció dentro de los límites de la ciudad. El 12 de marzo comenzó la batalla por la ciudad. A pesar de una enconada resistencia, en especial en torno a la estación de ferrocarril y del distrito industrial, los soviéticos fueron expulsados poco a poco de la ciudad.

Para entonces, los soviéticos estaban en un estado de confusión y totalmente desmoralizados. Avanzando hacia el este, las divisiones SS, aunque fuertemente menguadas, aplastaron dos cuerpos de tanques y cuatro divisiones de infantería. La última resistencia organizada se centró en una fábrica de tractores fuera de la ciudad. Una vez tomada, Jarkov se encontró en poder alemán.

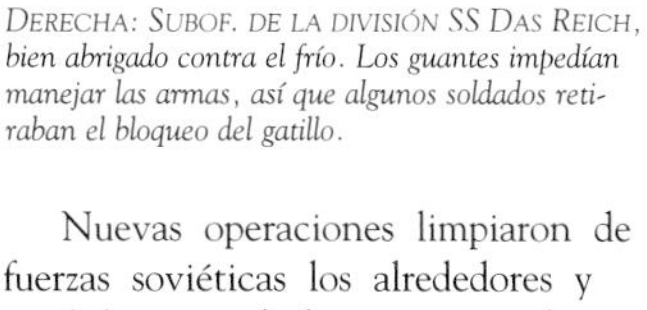

DERECHA: SUBOF. DE LA DIVISIÓN SS DAS REICH, *bien abrigado contra el frío. Los guantes impedían manejar las armas, así que algunos soldados retiraban el bloqueo del gatillo.*

Nuevas operaciones limpiaron de fuerzas soviéticas los alrededores y estabilizaron el frente antes de que el deshielo llenara todo de fango y detuviera las operaciones ofensivas de ambos bandos.

SECUELAS

Hitler seguía furioso con Hausser por ignorar sus órdenes y no lo condecoró a pesar de que sus tropas habían luchado con brillantez en la batalla por la ciudad. Su comando recibió grandes reemplazos y gran parte de su artillería fue sustituida por cañones autopropulsados. La formación fue bautizada como Cuerpo II SS Panzer.

Tras la victoria de Jarkov, se trazaron planes para lanzar una nueva ofensiva. La que con el nombre en código de operación Citadel, aplastaría las fuerzas soviéticas que se enfrentaban al Grupo de Ejército Sur y, si tenía éxito, volvería a inclinar la balanza en favor de Alemania. Se preparaba la batalla de Kursk.

ABAJO: LA CABALLERÍA COSACA SOLÍA *utilizarse para operaciones de exploración, pero si golpeaban por sorpresa y se introducían entre la infantería enemiga, sus sables y pistolas resultaban muy eficaces.*

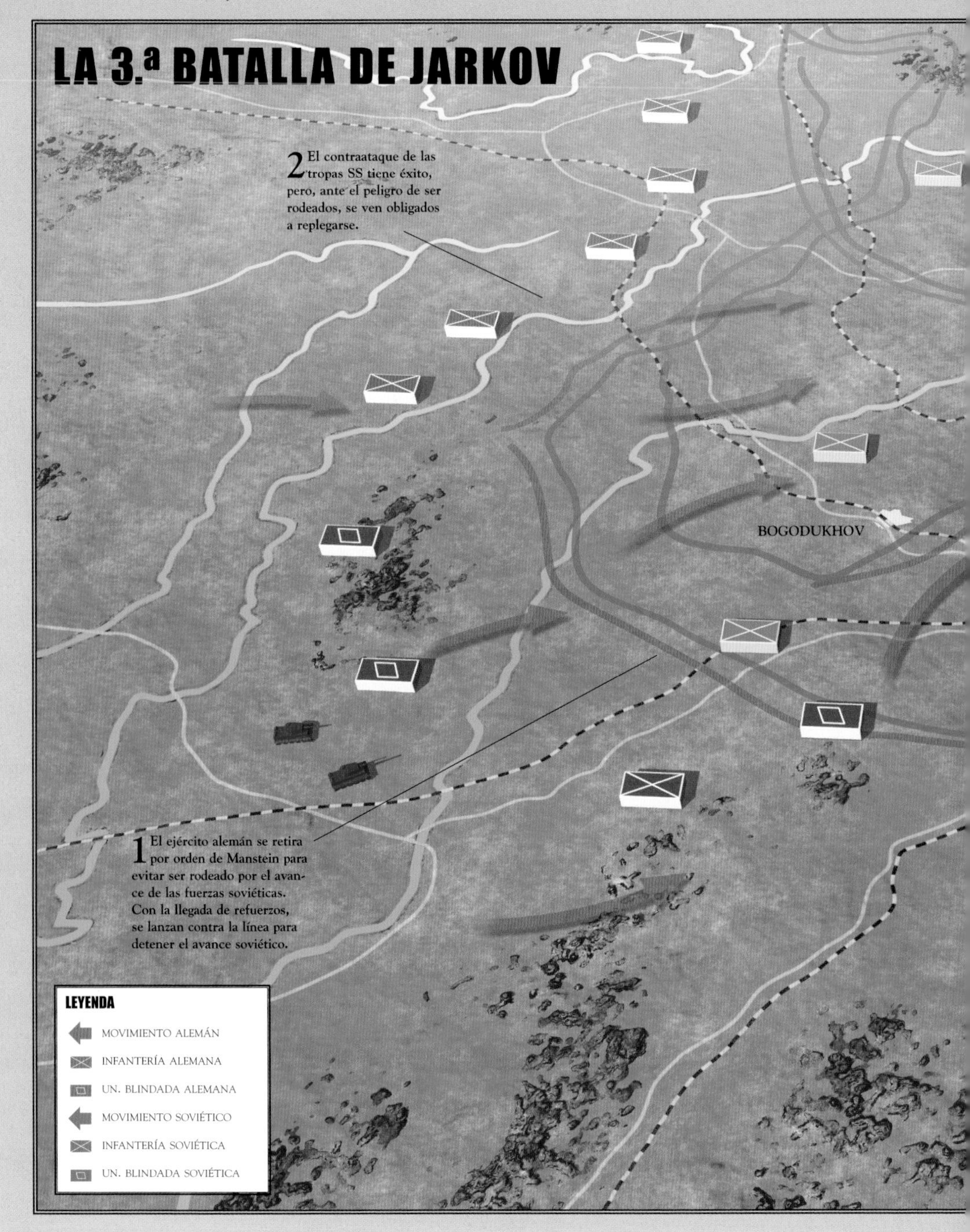
LA 3.ª BATALLA DE JARKOV
2 El contraataque de las tropas SS tiene éxito, pero, ante el peligro de ser rodeados, se ven obligados a replegarse.
BOGODUKHOV
1 El ejército alemán se retira por orden de Manstein para evitar ser rodeado por el avance de las fuerzas soviéticas. Con la llegada de refuerzos, se lanzan contra la línea para detener el avance soviético.
LEYENDA
MOVIMIENTO ALEMÁN
INFANTERÍA ALEMANA
UN. BLINDADA ALEMANA
MOVIMIENTO SOVIÉTICO
INFANTERÍA SOVIÉTICA
UN. BLINDADA SOVIÉTICA

5 Las fuerzas soviéticas se desintegran y son perseguidas hacia el este, sufriendo fuertes bajas. Por ahora, Jarkov permanece en poder alemán.
LÍNEA DE FRENTE, 23 DE MARZO
JARKOV
4 Tras intensos combates, las tropas SS consiguen establecerse en Jarkov y empiezan a despejar la ciudad.
LÍNEA DE FRENTE, 28 DE FEBRERO
3 Manstein lanza un doble ataque envolvente. El brazo norte es liderado por tropas SS Panzer, el sur, por soldados regulares.

KURSK 1943

La batalla de Kursk, en julio de 1943, fue el mayor choque de fuerzas blindadas jamás visto. Los orígenes de esta ofensiva alemana, la operación Citadel, residen en el desastroso inicio de 1943, cuando contraataques soviéticos destruyeron el 6.º Ejército en Stalingrado e hicieron peligrar el Grupo de Ejército del Don del mariscal de campo Von Manstein.

Sin embargo, entre el 18 de febrero y el 18 de marzo, el efectivo contraataque de Von Manstein destruyó las avanzadillas soviéticas y provocó una pausa en el frente oriental mientras los exhaustos combatientes recomponían sus maltrechas fuerzas ante la inminente campaña estival. Estas batallas dejaron un gran saliente bajo control soviético que penetraba hacia el oeste en las líneas alemanas en torno a Kursk. Hitler ordenó a sus fuerzas lanzar un ataque en pinza doble contra la base de este saliente para rodear y destruir las numerosas fuerzas soviéticas atrapadas en su interior. Esta ofensiva lograría su objetivo en una zona geográfica limitada, un plan razonable que reflejaba la reducida movilidad

DATOS DE KURSK

Quiénes: Elementos del Grupo Central de Ejército del mariscal de campo Günther von Kluge (1882-1944) y el Grupo de Ejército Sur del mariscal de campo Erich von Manstein (1887-1973) se enfrentaron al Frente Central del mariscal Konstantin Rokossovsky (1896-1968) y al Frente de Voronezh del mariscal Nikolai Vatutin (1901-1944) bajo las órdenes del comandante en jefe supremo, el mariscal Georgi Zhukov (1896-1974).

Cómo: La ofensiva estratégica alemana de 1943, con el objetivo de eliminar el saliente soviético centrado alrededor de Kursk.

Dónde: En torno a la ciudad de Kursk, en Ucrania, un importante nudo ferroviario situado 800 km al sur de Moscú.

Cuándo: Entre el 4 y el 13 de julio de 1943.

Por qué: Con apenas recursos para una ofensiva limitada en el este y ante la necesidad de una victoria para convencer a los aliados, el saliente de Kursk ofrecía a los alemanes un objetivo estratégico aparentemente viable.

Resultado: La ofensiva alemana fracasó y el contraataque soviético supuso el punto de partida de nuevas operaciones soviéticas en 1943. El equilibrio estratégico en el frente oriental se había decantado definitivamente a favor de los soviéticos.

INSÓLITA FOTOGRAFÍA de un tanque Churchill del 5.º Ejército de Guardia, unidad equipada con un número de vehículos procedentes del acuerdo de préstamo y arriendo de los aliados occidentales, al lado de un Sd Kfz 232 alemán destruido.

ARRIBA: UN BATALLÓN DE PANZER PESADOS, *equipado con Tiger Mark I, se despliega antes de la batalla de Kursk. Los alemanes habían puesto grandes esperanzas en su nueva generación de carros blindados.*

operativa de la *Wehrmacht*. Así, para Citadel los alemanes concentraron masivamente sus fuerzas y reunieron 17 divisiones *panzer* y granaderos *panzer* a lo largo de un frente de ataque de apenas 164 km de longitud.

ABAJO: EL MARISCAL DE CAMPO MODEL *(en el centro, con las gafas sobre la gorra) se dirige a sus soldados en los preparativos para la batalla de Kursk.*

RETRASOS Y APLAZAMIENTOS

Los alemanes planearon el inicio de la operación Citadel para principios de mayo, pero Hitler aplazó varias veces la ofensiva para que un pequeño número de las últimas armas alemanas llegaran al frente. Hitler confiaba que con estas 340 nuevas armas definitivas –250 tanques Panther de tamaño medio y 90 Tiger pesados– las ingentes fuerzas alemanas dedicadas a Citadel lograrían derribar cualquier resistencia soviética. Pero los alemanes no fueron capaces de aprovechar esta

EL TANQUE PANZER V PANTHER

El Panther fue desarrollado en respuesta directa al encuentro del T-34 soviético en 1941. El T-34 superaba a la generación de tanques alemanes de entonces, por lo que era necesario contrarrestarlo. El Panther, producido por MAN, debía su blindaje inclinado al diseño soviético, pero mantuvo la tradición alemana de una ingeniería compleja, costosa y de soberbio diseño. Su cañón de 75 mm de alta velocidad era capaz de atravesar gruesos blindajes y demostró estar muy bien protegido.

El primer prototipo estuvo listo en septiembre de 1942 y los primeros modelos de producción aparecieron en diciembre. Se desplegó por primera vez en Kursk, aunque los primeros modelos estaban plagados de problemas mecánicos.

concentración de fuerzas. Los evidentes preparativos de la ofensiva descartaron cualquier elemento de sorpresa y los continuos aplazamientos de Hitler dieron a los rusos tiempo suficiente para construir el sistema defensivo más potente jamás visto. Los alemanes ignoraban hasta cierto punto la fortaleza de las defensas soviéticas, gracias a las habilidades de estos para ocultarlas y engañar a los observadores, o tal vez no les dieron importancia; ello supondría un mayor «premio» cuando la ofensiva alemana rodeara con éxito el saliente. Así, cuando Citadel se inició el 4-5 de julio, los alemanes estaban en inferioridad numérica, algo sorprendente, pues ellos habían decidido el momento, el lugar y el método de la ofensiva.

MOVIMIENTO EN PINZA

Los alemanes desplegaron dos agrupaciones principales para Citadel: al norte, elementos del Grupo de Ejército Central del mariscal de campo Günther von Kluge (1882-1944) y al sur,

SOLDADOS SOVIÉTICOS despliegan su rifle Simov PTRS de 14,5 mm. En 1943, el rifle antitanque había quedado obsoleto y le costaba penetrar un blindaje alemán desde la mayoría de los ángulos, pero siguió en uso a falta de otra cosa.

Izquierda: Subof. Grossdeutschland con el atuendo negro de la Panzerwaffe. *La* Grossdeutschland *era una de las formaciones de élite alemanas mejor equipadas y adquirió el estado de división a tiempo para la batalla de Kursk.*

fuerzas del Grupo de Ejército Sur de Von Manstein. Al norte, el 9.º Ejército del general Walter Model (1891-1945) tenía a su disposición seis divisiones de *panzer* y granaderos *panzer*, y 14 de infantería. En el sur, el 4.º Ejército Panzer del coronel general Hermann Hoth (1885-1971) y el Destacamento Militar del general Franz Kempf (1886-1964) pusieron en juego 11 divisiones de *panzer* y granaderos *panzer*, y 10 divisiones de infantería. La ofensiva comenzó el 4 de julio, cuando las fuerzas de Von Manstein iniciaron ataques preliminares desde el promontorio sur del saliente. Al amanecer del siguiente día, 10 de las divisiones de Model asaltaron la primera línea defensiva soviética. Por la tarde, las fuerzas de Model habían conseguido avanzar, lenta y penosamente, 10 km como mucho en un frente de 40 km de longitud.

Mientras, el mismo día, las fuerzas de Hoth y Kempf iniciaron el asalto principal a lo largo del promontorio sur. Al atardecer, las fuerzas de Hoth solo habían avanzado 10 km hacia el sur a través de la primera línea defensiva soviética. Más al este, las fuerzas de Kempf ni siquiera consiguieron atravesar la primera línea defensiva soviética. Durante el siguiente día, las fuerzas de Model, en el norte, atacaron la segunda línea defensiva soviética, con el objetivo de tomar la cresta de Olkhovtka, desde donde invadirían la llanura que se abría hacia el sur. Aunque los repetidos ataques alemanes lograron algunos avances, los intensos contraataques soviéticos evitaron la captura de Ponyri.

Entre el 7 y el 9 de julio, ambos bandos echaron mano de sus reservas, mientras Model intentaba capturar este pueblo ante una resistencia fanática que incluía potentes contraataques. Al fin, entre el 10 y el 11 de julio, los contraataques soviéticos detuvieron el avance de Model. La ofensiva alemana en el norte había fracasado estrepitosamente: a pesar de una

Arriba: El mariscal Konstantin Rokossovsky formó parte de la nueva hornada de exitosos comandantes soviéticos destacados después de los desastres de 1941-1942. Dirigió el Frente central en Kursk.

semana de intensos y costosos ataques, solo había conseguido avanzar 15 km.

En el sur, el 6 de julio, el Cuerpo XXXXVIII Panzer de Hoth avanzaba hacia el norte a través de la segunda línea defensiva soviética cerca de Oboyan, a pesar de los contraataques de nuevas reservas soviéticas blindadas. Más al este, el Cuerpo II SS Panzer empujaba a los defensores hacia la aldea de Prokhorovka. Durante los siguientes cuatro días, estos dos cuerpos *panzer* avanzaron lentamente hacia Oboyan y Prokhorovka ante la intensa resistencia soviética apoyada por reservas recién llegadas. Entre el 10 y el 11 de julio, las fuerzas alemanas cruzaron la tercera línea defensiva en un intento de flanquear las unidades soviéticas situadas hacia el oeste en torno a Oboyan. Viendo el peligro de este éxito, los soviéticos reposicionaron el 5.º Ejército de Tanques Guardia en la zona al norte de Prokhorovka.

LA MAYOR BATALLA DE TANQUES

El 12 de julio se alcanzó el clímax de Citadel: un titánico choque de carros blindados en Prokhorovka, al que los rusos enviaron el 5.º Ejército de Tanques Guardia. Con 800 tanques soviéticos contra 600 *panzers*, esta acción fue la mayor batalla de carros blindados de la guerra. Durante ocho horas, la batalla avanzó y retrocedió con los tanques levantando grandes nubes de polvo que reducían la visibilidad a unos pocos metros.

Los soviéticos aprovecharon estas condiciones y se acercaron para que los alemanes no pudieran beneficiarse de sus letales cañones de largo alcance. Tácticamente la batalla estuvo equilibrada, pero estratégicamente fue un desastre para los alemanes: agotaron sus fuerzas blindadas mientras que los soviéticos aún contaban con amplias reservas y perdieron la iniciativa ante el Ejército Rojo, una oportunidad que estos aprovecharon inexorablemente.

Prokhorovka convenció a Hitler de que Citadel no tendría éxito y canceló la ofensiva el 13 de julio. Entre el 15 y el 25 de julio, las fuerzas de asalto alemanas llevaron a cabo una lenta retirada hacia sus posiciones iniciales ante feroces ataques soviéticos. Además, el 12 de julio los soviéticos lanzaron una ofensiva contra las unidades alemanas que protegían el flanco norte de las fuerzas de Model. Los soviéticos sorprendieron a los alemanes y los hicieron retroceder 120 km.

Después, el 3 de agosto, los rusos atacaron las fuerzas alemanas concentradas a lo largo del promontorio sur del otrora saliente de Kursk. Este nuevo ataque soviético eliminó con rapidez la posición avanzada controlada por los alemanes al sur del anterior saliente. Después de obtener rápidos éxitos con estos dos contraataques, los soviéticos convirtieron sus operaciones en una contraofensiva estratégica general en todo el centro y sur del frente oriental. Durante el resto de 1943, esta contraofensiva general empujó a los alemanes hacia el oeste, hasta el río Dnieper y más allá.

SECUELAS

En suma, Citadel supuso una fuerte derrota estratégica para los alemanes. A pesar de su enorme concentración de fuerzas, no consiguieron avanzar más que 40 km por terreno irrelevante y al precio de 52.000 bajas y 850 vehículos blindados. Sin duda, lo único que consiguió Citadel fue hacer añicos las estratégicas reservas alemanas de blindados, lo que facilitó a los soviéticos obtener rápidos éxitos operativos con sus contraofensivas. De hecho, probablemente fue Kursk y no Stalingrado el punto decisivo de la guerra, que llevó a la derrota alemana en 1945.

La tripulación de un tanque T-34 soviético se rinde ante un soldado de las SS, probablemente durante la lucha en el lado sur del saliente de Kursk.

KURSK
1 El clímax de la batalla de Kursk se desencadenó el 12 de julio, cuando los rusos enviaron el 5.º Ejército de Tanques Guardia contra el Cuerpo II SS Panzer cerca del pueblo de Prokhorovka, en el sur del saliente de Kursk.
LÍNEA DE FRENTE, 5 DE JULIO
LÍNEA DE FRENTE, 13 DE JULIO
DIVISIÓN 3 SS PZ TOTENKOPF
DIVISIÓN 2 SS PZ DAS REICH
2 El Cuerpo II SS Panzer había hecho razonables progresos en los primeros días de la batalla. Su avance en Prokhorovka amenazaba las posiciones soviéticas en el sur del saliente.
6 Las derrotas de Prokhorovka convencieron a Hitler de que la operación Citadel fracasaría y canceló la ofensiva el 13 de julio. Fue una importante victoria estratégica para los soviéticos.

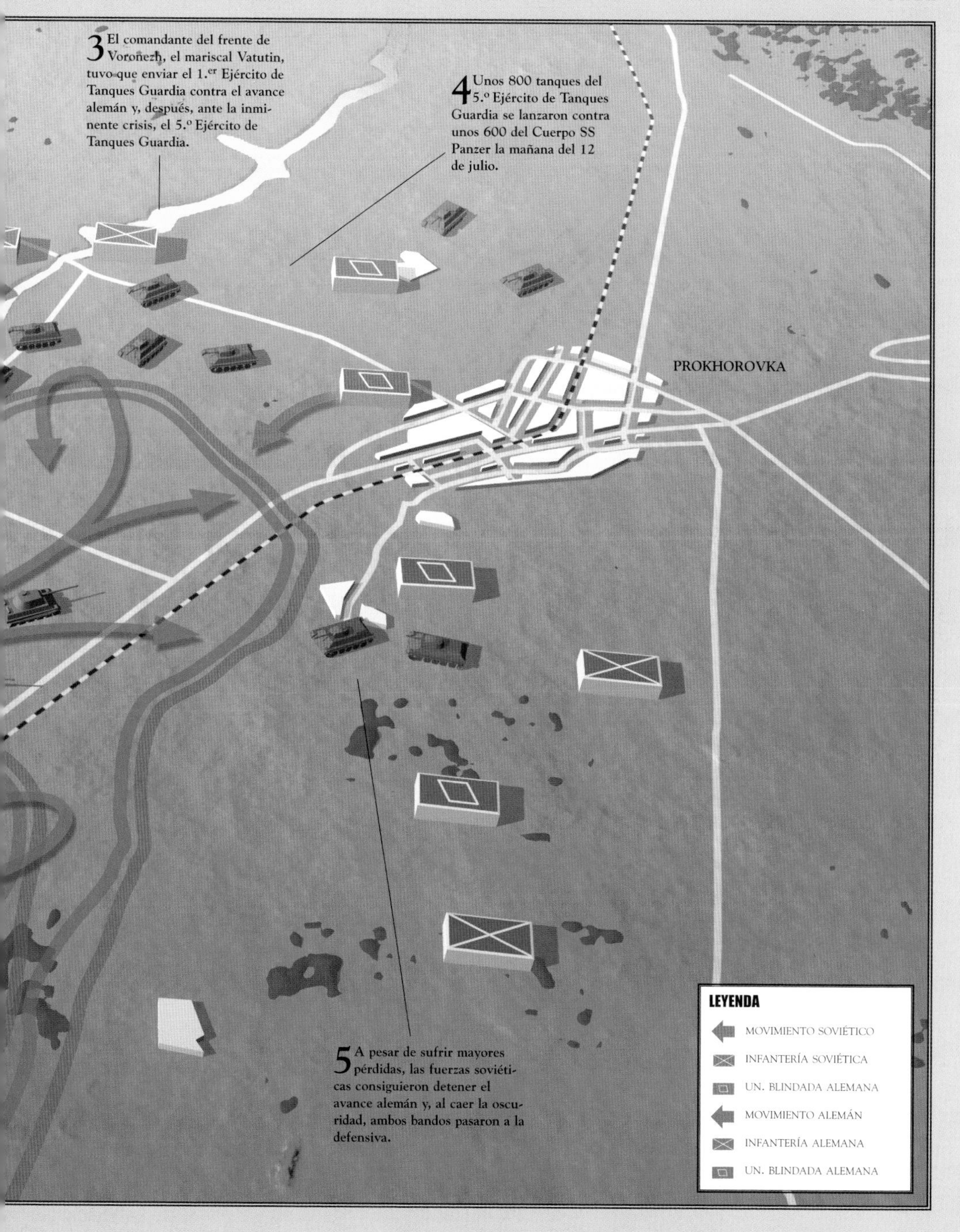
3 El comandante del frente de Voronezh, el mariscal Vatutin, tuvo que enviar el 1.er Ejército de Tanques Guardia contra el avance alemán y, después, ante la inminente crisis, el 5.º Ejército de Tanques Guardia.
4 Unos 800 tanques del 5.º Ejército de Tanques Guardia se lanzaron contra unos 600 del Cuerpo SS Panzer la mañana del 12 de julio.
PROKHOROVKA
5 A pesar de sufrir mayores pérdidas, las fuerzas soviéticas consiguieron detener el avance alemán y, al caer la oscuridad, ambos bandos pasaron a la defensiva.
LEYENDA
MOVIMIENTO SOVIÉTICO
INFANTERÍA SOVIÉTICA
UN. BLINDADA ALEMANA
MOVIMIENTO ALEMÁN
INFANTERÍA ALEMANA
UN. BLINDADA ALEMANA

BATALLAS DE IMPHAL Y KOHIMA 1944

La batalla de Imphal y la acción de Kohima representaron el máximo nivel de las aspiraciones japonesas en Birmania y la India. Tras algunos primeros éxitos, los derrotados japoneses se replegaron en Birmania y tuvieron que regresar por donde habían venido.

El avance japonés en los primeros meses de la Segunda Guerra Mundial parecía imparable. Las fuerzas aliadas fueron empujadas por la península de Malasia hasta la «isla fortaleza» de Singapur y obligadas a rendirse allí. Otras formaciones fueron repelidas a través de Birmania hacia la India. Una acción firme en la retaguardia frenó el avance japonés, que se detuvo finalmente ante el monzón, lo que dio a los aliados la posibilidad de reagruparse y organizar una defensa, favorecidos por el terreno. La selva y las colinas de la región fronteriza

DATOS DE LA BATALLA DE IMPHAL

Quiénes: Tropas británicas e indias frente a fuerzas japonesas y elementos del Ejército Nacional indio antibritánico.

Cómo: Fuerzas japonesas rodearon la ciudad de Imphal pero fueron rechazadas y contraatacadas.

Dónde: En la ciudad de Imphal, capital del estado de Manipur, al nordeste de la India.

Cuándo: Del 8 de marzo al 3 de julio de 1944.

Por qué: Los japoneses deseaban invadir la India y «liberarla» de los británicos. Fue su última oportunidad de lanzar una gran invasión terrestre contra la India británica, ya que sus recursos militares se agotaban rápidamente luchando contra Estados Unidos.

Resultado: Los japoneses fueron derrotados de forma decisiva y no volvieron a amenazar a la India británica con una invasión.

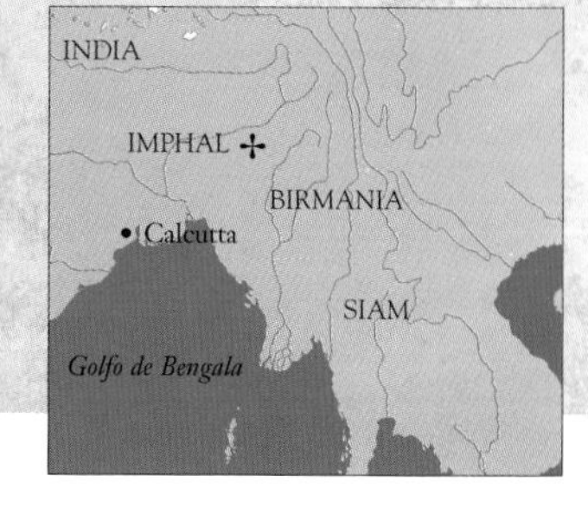

EL CAUDALOSO RÍO IRRAWADDY *suponía un serio obstáculo para los servicios logísticos de los ejércitos que operaban en la región. Esta improvisada barcaza convierte en ventaja esta desventaja y utiliza el río para transportar un camión.*

LOS VEHÍCULOS LIGEROS *como estos vehículos de transporte universal británicos (Transportadores Bren), eran muy valiosos para mantener abiertas las líneas de suministro. Como su nombre indica, transportaban cualquier cosa sobre carreteras o por terrenos abruptos.*

entre Birmania y la India obligaban a avanzar a través de corredores que podían defenderse con relativa facilidad. La ciudad de Imphal proporcionó a los aliados una base y centro logístico, en tanto que los japoneses debían operar en el extremo de una larga cadena de suministro que debía salvar un terreno difícil.

Derribar las posiciones aliadas en Imphal sería una empresa complicada que exigiría recursos que podían usarse mejor en otros puntos. Así, la presión disminuyó considerablemente, lo que permitió a los aliados reunir sus fuerzas para realizar una ofensiva hacia Birmania. Se lanzaron ataques en territorio japonés, incluidas las famosas proezas de los Chindits.

Esto exigía algún tipo de contramedida, y los comandantes japoneses decidieron que, como instalar una defensa apropiada en Birmania requeriría tantos recursos como expulsar a los aliados de Imphal, la opción ofensiva era la más apropiada.

EL ATAQUE JAPONÉS A IMPHAL

Las fuerzas japonesas de la región recibieron un nuevo y agresivo comandante, el teniente general Masakazu Kawabe (1886-1965), que creía viable un ataque a Imphal. Una victoria aquí acarrearía varias ventajas: además de contrarrestar los ataques de los Chindits, eliminar la base logística de Imphal impediría la llegada de suministros aliados a las fuerzas nacionalistas chinas, que seguían combatiendo a los japoneses en el norte. Además, lo que era más importante, abriría el camino para el ataque a la India.

La India era muy importante para el Imperio británico, pues suministraba un gran número de efectivos a las fuerzas imperiales. No obstante, había un movimiento por la independencia y los japoneses confiaban en poder convencer a la India para escindirse y privar a los aliados de unos ingentes recursos humanos. Por este motivo, la inminente ofensiva incluiría elementos del Ejército Nacional indio, una fuerza creada por prisioneros indios capturados por los japoneses durante la campaña de Malasia y que estaban dispuestos a luchar contra los británicos en nombre de la independencia de la India.

Los aliados habían ocupado varias posiciones avanzadas en preparación de su ofensiva hacia Birmania. El plan japonés consistía en rodearlas y eliminarlas con rapidez antes de avanzar sobre Imphal y expulsar a los defensores.

Pero esto no era tan fácil como parecía: el ataque debía hacerse en terreno difícil al final de una larga cadena de suministro. Algunos oficiales tenían dudas sobre el plan, en especial sobre su faceta logística.

A pesar de todo, la campaña se inició el 8 de marzo de 1944 y los aliados comenzaron a retirar sus unidades avanzadas. Algunas lo consiguieron sin muchas dificultades, pero otras tuvieron que abrirse paso con ayuda de los pocos recursos disponibles. A comienzos de abril, los aliados se habían replegado hasta la llanura de Imphal y estaban recibiendo refuerzos por vía aérea.

Las tropas japonesas convergieron en Imphal por varios caminos. Viajaban ligeros, pues se habían desprendido de buena parte de su artillería y equipamiento pesado. Una de las razones de este proceder era la convicción de que el terreno no era apropiado para los tanques, por lo que las armas antitanque no serían necesarias. Irónicamente, fue el mismo error que permitió a los tanques japoneses infligir serios daños a los aliados en Malasia al principio de la guerra.

ESPERANDO ENFRENTARSE SOLO A INFANTERÍA, *las fuerzas japonesas se equiparon con armas de apoyo antipersona, como esta ametralladora ligera, pero dejaron la mayor parte de su armamento antitanque al avanzar hacia Imphal.*

Los aliados tenían tanques ligeros M3 Lee, capaces de moverse en terreno difícil. Aunque apenas servían para realizar operaciones de reconocimiento en el resto del mundo por ser demasiado ligeros, tenían capacidad más que suficiente para luchar contra infantería con escaso equipamiento antitanque.

Había más problemas graves. Los japoneses necesitaban capturar provisiones de los aliados o al menos aeródromos mediante los que abastecerse antes de que estas se agotaran. Habían fallado soluciones ingeniosas, como llevar búfalos detrás de las formaciones de combate como raciones frescas, y la situación era cada vez más grave. Algunas incursiones lograron obtener suministros, a costa de atenuar la capacidad de combate de las unidades implicadas.

Se lanzaron repetidos ataques contra Imphal, pero se debilitaron progresivamente sin llegar a tener ninguna posibilidad real de éxito. Por contra, aunque los aliados también empezaban a andar escasos de víveres y municiones, su

LOS MERODEADORES DE MERILL

Tomando el nombre de su comandante, el general de brigada Frank Merrill (1903-1955), la 5307.ª Unidad Compuesta (provisional) era más conocida como los Merodeadores de Merrill durante sus ataques de largo alcance en el escenario de China y Birmania.

Después de entrenarse con los exitosos Chindits, este grupo de voluntarios se embarcó en una campaña de hostigamiento en territorio japonés. A pesar de las fuertes bajas y enfermedades debidas a las extremas condiciones de la selva, lograron cortar las líneas de suministro japonesas e infligir grandes pérdidas a sus oponentes en docenas de acciones.

Al final de la guerra, todos los miembros de los Merodeadores fueron condecorados con la estrella de bronce y la unidad recibió una distinción especial por su contribución a la campaña birmana.

ARRIBA: EL ESCARPADO TERRENO *de la región de Imphal únicamente podía cruzarse a pie en muchos lugares, y aun así despacio, lo que limitaba considerablemente la capacidad ofensiva de ambos bandos.*

ABAJO: CUANDO EL TERRENO *era más abierto, podían operar vehículos ligeros y tanques como estos Lee-Grants. Sin armas antitanques, los japoneses tenían pocas opciones contra ellos.*

defensa se hizo cada vez más agresiva y lanzaron contraataques locales para hostigar las posiciones japonesas.

Los aliados lograron abastecerse por vía aérea hasta Imphal, como habían hecho pocos meses antes durante la batalla de Admin Box. Donde habían fallado intentos similares, como el «puente aéreo» alemán en Stalingrado, la posición en Imphal fue tal que las fuerzas japonesas quedaron desabastecidas antes que las aliadas.

OPERACIONES CONTRA KOHIMA

Entre tanto, los japoneses habían intentado capturar durante dos semanas a principios de abril la cresta de Kohima, que les permitiría controlar la principal ruta de abastecimiento de Imphal. La cresta iba a capturarse al inicio de la campaña, pero la obstinada defensa que opusieron las fuerzas aliadas al avance japonés retrasó su llegada al objetivo y dio tiempo suficiente para establecer la defensa.

La presión se incrementaba para los defensores de Kohima debido a los intensos bombardeos intercalados con asaltos de infantería. Mantuvieron la posición con un perímetro cada vez menor y el 17 de abril la situación era desesperada. Sin embargo, la posición fue liberada al día siguiente por tropas procedentes de la India. Los ataques prosiguieron sin descanso, pero las posibilidades de éxito eran cada vez menores.

A principios de mayo, nuevas tropas aliadas se unieron a la lucha en Kohima y los japoneses, muy faltos de suministros, sufrieron ataques aéreos e intensos bombardeos. La cresta se despejó parcialmente de defensores japoneses después de un obstinado combate, pero a mediados de mayo algunos puntos elevados resistían aún con obstinación.

Sin embargo, con tropas aliadas en su línea de suministro y casi sin munición, los hambrientos japoneses tuvieron que

ARRIBA: LA COOPERACIÓN ENTRE LAS *formaciones británicas e indias permitió a los aliados pasar a la ofensiva una vez reabierta la carretera entre Imphal y Kohima. Las conferencias de campo eran esenciales para la coordinación.*

retirarse y rendir la cresta a los aliados. No quedaba rastro de los pueblos: Kohima sería llamada el Stalingrado del este.

A finales de mayo, los japoneses se retiraron completamente de Kohima. Muchas unidades se dispersaron hacia el norte y el sur en busca de comida. Mientras, con el camino libre, los británicos avanzaban hacia Imphal.

EL CONTRAATAQUE ALIADO EN IMPHAL

Los ataques japoneses a Imphal se redujeron paulatinamente hacia el 1 de mayo. Se mantenía el sitio, pero ya no había ninguna posibilidad real de un asalto con éxito. A medida que se agravaba el desabastecimiento japonés, los aliados recibían suministros por paracaídas en Imphal y Kohima. Era una tarea difícil y peligrosa, sobre todo en Kohima, pero permitió a los aliados establecer su superioridad ante unos oponentes cada vez más debilitados.

Algo que llevó tiempo, debido al mal tiempo y a la obstinación de las tropas japonesas. Incluso casi sin comida ni munición, era difícil expulsarlos de sus posiciones. Aunque los comandantes japoneses del lugar sabían que no podían ganar la batalla, se ordenó un esfuerzo final. Habían llegado algunos refuerzos, que permitieron al asalto obtener un éxito limitado. No obstante, el 22 de junio el camino a Kohima quedó abierto y se puso fin al asedio.

Las divisiones japonesas en torno a Imphal estaban al límite de su resistencia e ignoraron las órdenes del mando superior de realizar un nuevo asalto. Conscientes de la inevitable derrota, se dio la orden de retirada y el 3 de julio las divisiones comenzaron a replegarse. Muchas de estas formaciones estaban debilitadas por las enfermedades y el hambre, y apenas pudieron hacer más que arrastrarse hacia el este, dejando tras ellos los restos de su artillería y equipo pesado.

SECUELAS

El imprudente avance sobre Imphal fue el punto de inflexión de la campaña. Después, los japoneses estuvieron a la defensiva y fueron repelidos. Para los aliados habían terminado los días de retiradas caóticas y volvieron a Birmania con la confianza de poder enfrentarse y vencer al Ejército Imperial japonés.

ARRIBA: TROPAS INDIAS ESPERAN EN UN CLARO. *La densa vegetación suponía un serio obstáculo para el movimiento de las tropas y obligaba a las unidades a avanzar en líneas previsibles.*

BATALLAS DE IMPHAL Y KOHIMA

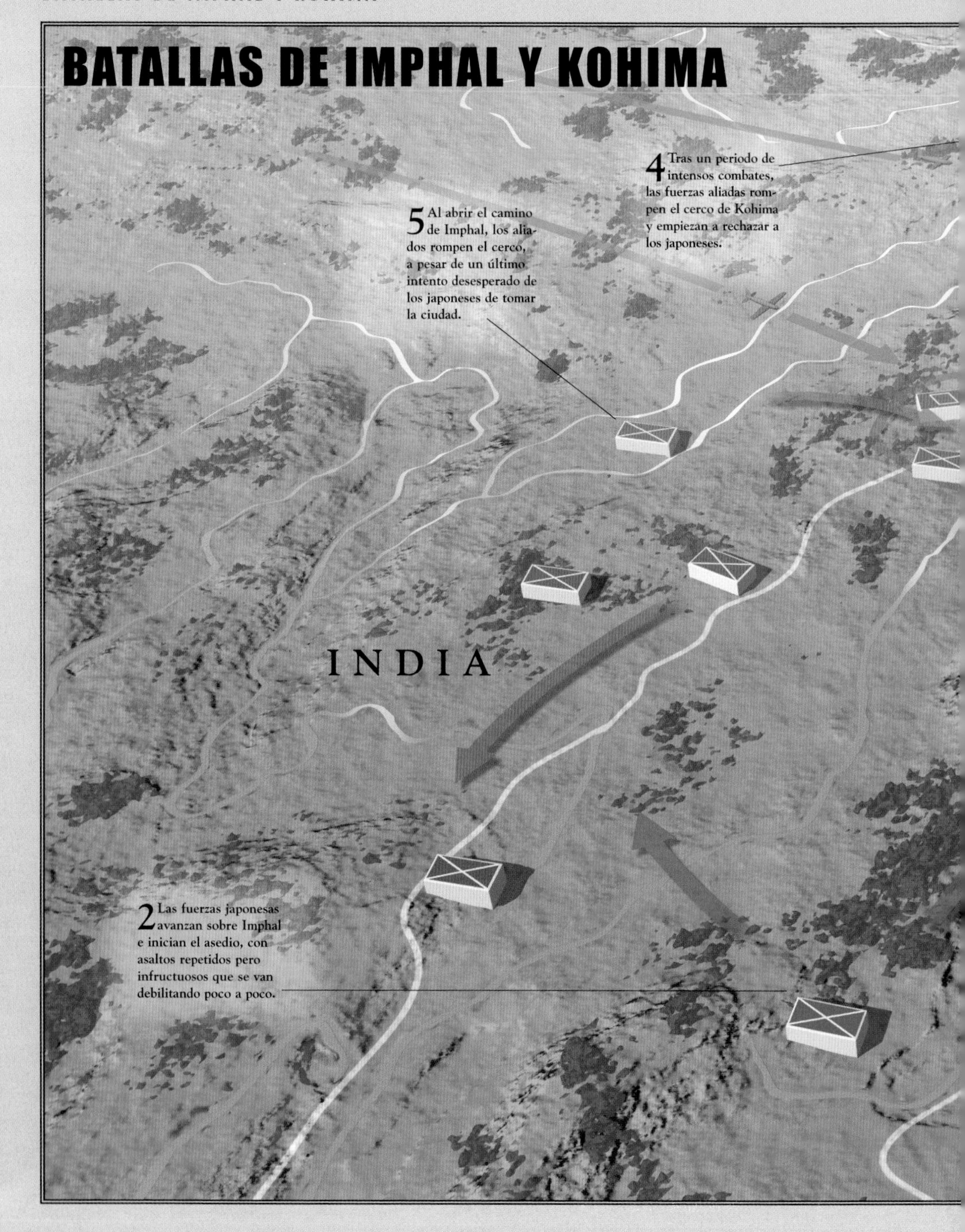

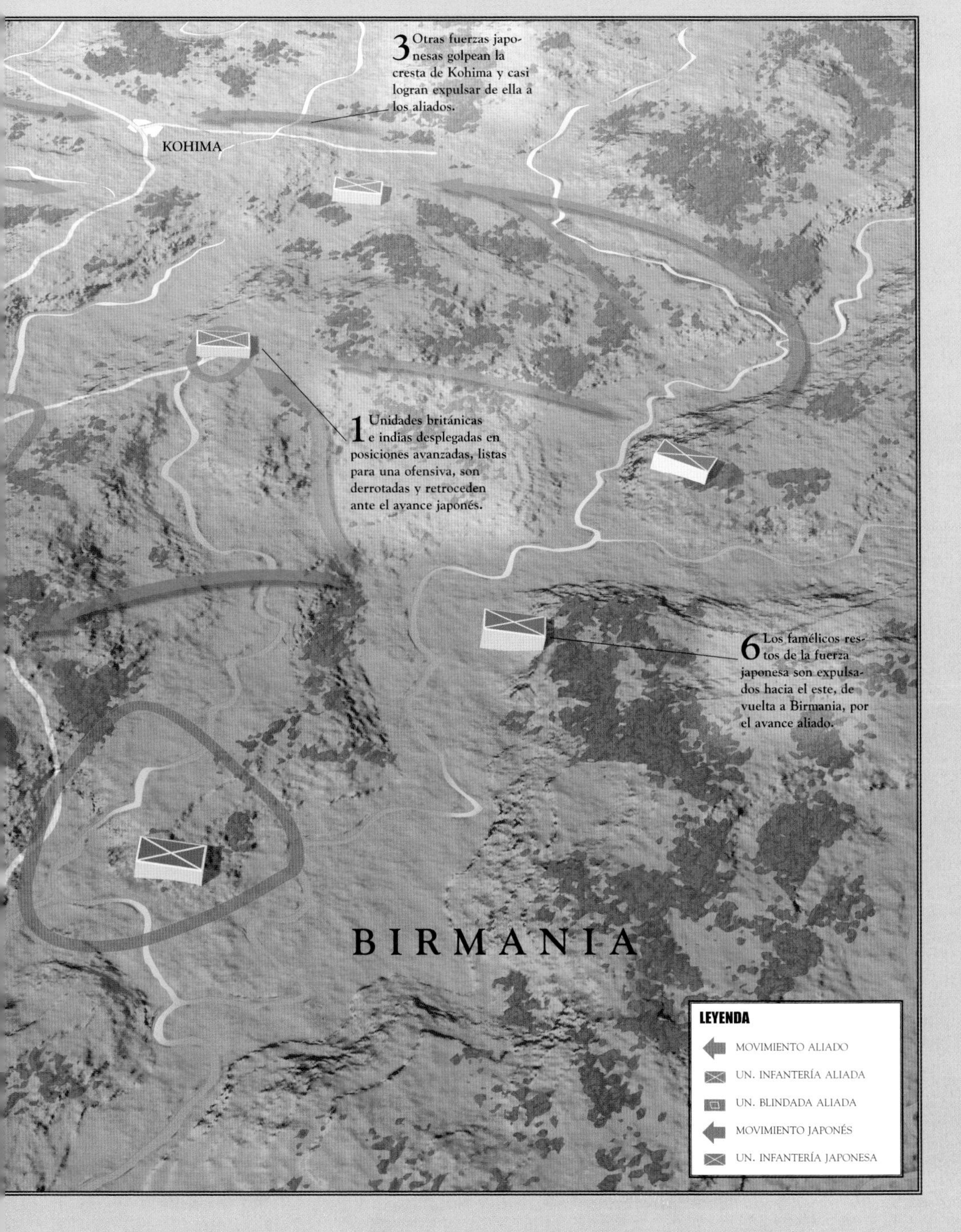
3 Otras fuerzas japonesas golpean la cresta de Kohima y casi logran expulsar de ella a los aliados.
KOHIMA
1 Unidades británicas e indias desplegadas en posiciones avanzadas, listas para una ofensiva, son derrotadas y retroceden ante el avance japonés.
6 Los famélicos restos de la fuerza japonesa son expulsados hacia el este, de vuelta a Birmania, por el avance aliado.
BIRMANIA
LEYENDA
MOVIMIENTO ALIADO
UN. INFANTERÍA ALIADA
UN. BLINDADA ALIADA
MOVIMIENTO JAPONÉS
UN. INFANTERÍA JAPONESA

MONTECASSINO

1944

Las batallas de Montecassino de 1944 supusieron una anomalía en el transcurso de la guerra en Europa. Los aliados necesitaron cinco meses y cuatro batallas para cruzar la línea Gustav alemana.

Costó 105.000 bajas a los aliados (incluidos los combates en Anzio), y a los alemanes al menos 80.000. A pesar de la penetración, se perdió la oportunidad de destruir a los alemanes en Italia, que continuaría luchando a duras penas un año más.

Italia se rindió a los aliados el 8 de septiembre de 1943. El ejército británico ya había cruzado el estrecho de Mesina cinco días antes y, el 9 de septiembre, el 5.º Ejército, una fuerza angloamericana mixta, desembarcó en Salerno. El hecho de que los contraataques alemanes contra la cabeza de playa de Salerno estuvieran a

DATOS DE MONTECASSINO

Quiénes: El II Cuerpo estadounidense y el II Cuerpo neozelandés del 5.º Ejército del general Mark Clark (1896-1984) y posteriormente el 8.º Ejército británico del general Oliver Leese (1884-1978) bajo el mando del general Harold Alexander (1891-1969) contra el XIV Cuerpo Panzer del teniente general Fridolin von Senger und Etterlin (1891-1963).

Cómo: Se realizó una serie de ofensivas contra la línea Gustav, una línea defensiva alemana establecida en torno de la imponente posición de Montecassino.

Dónde: En la zona en torno a Montecassino y la ciudad cercana, a tan solo 100 km al sur de Roma.

Cuándo: Del 24 de enero al 18 de mayo de 1944.

Por qué: Cassino controlaba la entrada al valle de Liri y, por lo tanto, la ruta más directa hacia Roma.

Resultado: A pesar de los esfuerzos de las fuerzas aliadas, los alemanes mantuvieron la posición durante tres costosas batallas de desgaste, antes de que se cruzara por fin la línea a lo largo del frente en mayo de 1944.

Paracaidistas alemanes de la 1.ª *División de Paracaidistas manejan un MG 42 en las ruinas del monasterio. Los bombardeos aliados apenas sirvieron para crear posiciones más fáciles de defender y para legitimar la ocupación alemana del edificio.*

punto de tener éxito convenció a Hitler de seguir el consejo del mariscal de campo Albert Kesselring (1885-1960) y resistir el avance aliado lo más al sur que fuera posible. También dio orden de construir la línea Gustav, de 160 km, al sur de Roma, desde el Adriático hasta el mar Tirreno.

La clave de la posición era la entrada al valle de Liri, que ofrecía la ruta más obvia hacia Roma. Montecassino dominaba el acercamiento sobre los ríos que cruzaban la entrada del valle. Los alemanes construyeron fortines y trincheras por todo el Liri, establecieron posiciones en las montañas circundantes, fortificaron la ciudad de Cassino e inundaron los ríos. Probablemente fuera la posición defensiva más formidable de toda Europa.

LOS DESEMBARCOS DE ANZIO

La operación Shingle, un desembarco en Anzio por detrás de la línea Gustav, obligó a avanzar al 5.º Ejército para atraer a las reservas alemanas de la zona de Anzio. El general Mark Clark (1896-1984), comandante del 5.º Ejército, lanzó el Cuerpo Expedicionario Francés (FEC) contra las posiciones alemanas al norte de Cassino, mientras el X Cuerpo británico intentaba cruzar el río Garigliano al oeste a mediados de enero. Ninguna de las dos operaciones tuvo un éxito comple to, aunque atrajeron a los alemanes hacia el sur.

Entonces, Clark envió al II Cuerpo estadounidense con tra la posición de Cassino. La 36.ª División perdió do regimientos al intentar cruzar el río Gari entre el 20 y el 2 de enero. Los desembarcos de Anzio tuvieron lugar prác ticamente sin encontrar resistencia el 22 de enero. Clar sabía que los alemanes lanzarían todos sus recursos contra l cabeza de playa, por lo que envió su última división, la 34. Red Bull, al norte de Cassino para mantener la presión. L 34.ª atacó la noche del 24 de enero. Tardó tres días en esta blecerse con firmeza a través del río Rapido.

El 29 de enero, la división avanzó sobre los altos d detrás del monasterio y consiguió establecer su posición e las afueras de la ciudad. Después cruzó lentamente el maciz de Cassino antes de que se desencadenara el ataque el 12 d febrero.

A pesar de los extraordinarios esfuerzos de la infanterí estadounidense, la ciudad y el monasterio permanecieron e

LA POSICIÓN DOMINANTE del monasterio en Montecassino queda clara en esta foto tomada antes del bombardeo el 15 de febrero de 1944. La colina del Castillo está delante del monasterio y la ciudad de Cassino se extiende a sus faldas.

poder alemán. Conscientes de que los alemanes todavía se proponían contraatacar en Anzio, los aliados atacaron de nuevo con el II Cuerpo neozelandés, formado por la 2.ª División neozelandesa y la 4.ª india dirigidas por el teniente general Bernard Freyberg (1889-1963). La 4.ª división india asumió las posiciones de la 34.ª División estadounidense y descubrió que los alemanes habían retomado la posición clave, el punto 593. Para gran disgusto del comandante de la división, Francis Tuker (1894-1967), Freyberg ordenó un asalto directo al monasterio.

A pesar de los recelos, el comandante aliado en Italia, el general Harold Alexander (1891-1969), autorizó el bombardeo del monasterio. La mañana del 15 de febrero, más de 250 bombas destruyeron la abadía. Sin embargo, debido a una atroz falta de coordinación, la formación de cabeza de la 4.ª División india no pudo atacar hasta la noche del 16-17 de febrero, 36 horas después, cuando paracaidistas alemanes ya habían ocupado las ruinas. A pesar de sus extenuantes esfuerzos, la 4.ª División india no logró capturar ni el punto 593 ni el monasterio durante los tres días siguientes. El 17 de febrero, los neozelandeses atacaron la ciudad desde el este y consiguieron tomar la estación de ferrocarril, pero no lograron avanzar más allá.

CONTRAATAQUE ALEMÁN

A pesar de los esfuerzos contra Cassino, los alemanes lanzaron un ataque masivo contra la cabeza de playa de Anzio. Alexander, desesperado por mantener la presión sobre la línea Gustav,

ARRIBA: EL ASPECTO CASI LUNAR *del monasterio después de soportar el impacto de 309 toneladas de obuses y bombas incendiarias de 227 kg y 126 toneladas de bombas de 454 kg. Constituyó la mayor demostración de fuerza aérea táctica en la guerra hasta ese momento.*

DERECHA: PIEZA DE ARTILLERÍA S-FH *18 de 150 mm alemana. La mayor parte de la artillería alemana en Cassino estaba en el valle de Liri. Como controlaban el terreno elevado, podían dirigir fuego directo sobre todo el campo de batalla.*

SOLDADO INDIO

Los soldados de la Commonwealth británica prestaron grandes servicios durante la campaña italiana.

Aquí, un cabo de la 6.ª Unidad de rifles de Rajputana aparece con su característico uniforme de marcha. Parte de la 4.ª División de Infantería (india), la unidad participó en la batalla de Montecassino y soportó fuertes pérdidas. La 6.ª Unidad de rifles de Rajputana habría servido anteriormente con el 8.º Ejército en Siria y durante toda la campaña del norte de África. Condecorada con varios honores y medallas, la unidad aún forma parte del ejército de la India.

ordenó a Freyberg atacar de nuevo. Esta vez la 4.ª División india atacaría el monasterio en un eje ligeramente distinto sobre la ciudad a través de la colina del Castillo, mientras los neozelandeses atacaban la ciudad desde el norte. Después de incursiones aéreas e intensos bombardeos, las dos divisiones atacaron la mañana del 15 de marzo y consiguieron tomar la estación de ferrocarril, pero no lograron avanzar más.

De nuevo, paracaidistas alemanes opusieron una férrea resistencia y, aunque los neozelandeses consiguieron despejar la mayor parte de la ciudad y la 4.ª División india tomó las colinas del Castillo y del Verdugo, los aliados no lograron controlar Cassino por completo ni capturar el monasterio. Tras obtener escasos progresos, Freyberg suspendió la ofensiva.

EL 8.º EJÉRCITO ASUME EL MANDO

Cuando mejoró el tiempo, los aliados reorganizaron sus fuerzas y Cassino pasó a ser responsabilidad del 8.º Ejército. El jefe del Estado Mayor de Alexander, el general John Harding (1896-1989), fue el impulsor de la operación Diadem, la cuarta batalla de Cassino. Organizó una ofensiva coordinada en todo el frente. Al oeste, el II Cuerpo estadounidense ascendería la llanura costera hacia Anzio, donde el VI Cuerpo estadounidense estaba reforzado y listo para salir desde la cabeza de playa.

El FEC atacaría a través de las montañas Aurunci y penetraría en el valle de Liri detrás de la línea Gustav. El XIII Cuerpo británico atacaría la entrada del Liri con el I Cuerpo

ARTILLEROS ESTADOUNIDENSES hacen una demostración de un M-1 Howitzer de 240 mm a las tropas británicas. El M-1, la pieza de artillería más grande del arsenal americano, fue utilizada por el 8.º Ejército británico en Cassino.

DERECHA: GOUMIER NORTEAFRICANO de la 2.ª División marroquí del Cuerpo Expedicionario francés. Los logros de estas tropas formidables en las montañas Aurunci resultaron vitales para el éxito aliado en la cuarta batalla.

canadiense preparado para controlar el valle. El II Cuerpo polaco atacaría Cassino, mientras que el X Cuerpo británico realizaría operaciones secundarias al norte de la ciudad.

LA CAPTURA DEL MONASTERIO

Diadema se inició a las 23.00 del 11 de mayo. El XIII Cuerpo progresó lentamente, al igual que el II Cuerpo estadounidense en la costa. No obstante, los franceses consiguieron excelentes resultados y amenazaron el flanco alemán.

Los polacos sufrieron terribles pérdidas en el macizo de Cassino, pero consiguieron tomar el punto 593 y los altos en torno al monasterio el 17 de mayo. Al día siguiente, los polacos entraron en la abadía y la encontraron desierta.

Ante la amenaza del éxito aliado en el valle, los alemanes se retiraron hacia el norte. Alexander ordenó al VI Cuerpo salir de Anzio y cortar la retirada a los alemanes. El 10.º Ejército alemán corría el riesgo de ser atrapado y destruido. Sin embargo, en un acto de flagrante insubordinación y negligencia militar, Clark revocó las órdenes de Alexander y dirigió al VI Cuerpo estadounidense hacia Roma, que tomó el 4 de junio. Para su asombro, Kesselring consiguió liberar a sus fuerzas y reagruparlas en una línea defensiva al norte de Roma.

Las ofensivas aliadas en Cassino fueron costosas. La oportunidad de salvar la campaña se perdió por la decisión de Clark de tomar Roma en lugar de derrotar al enemigo.

ABAJO: EL TRÁFICO ALIADO CRUZA la ciudad de Cassino después de la cuarta batalla. Se ven claramente los destrozos de cuatro meses de intensos combates.

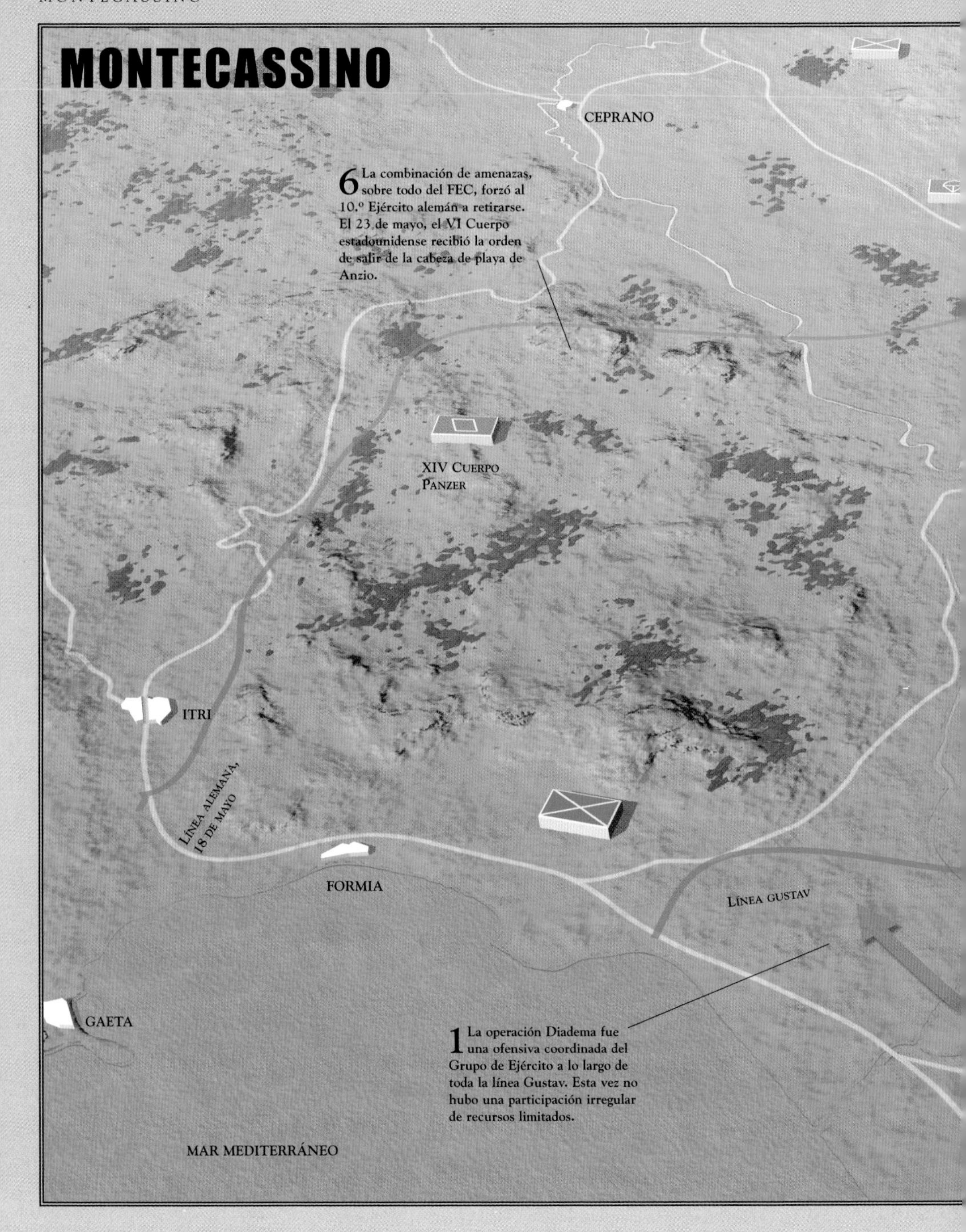
MONTECASSINO
CEPRANO
6 La combinación de amenazas, sobre todo del FEC, forzó al 10.º Ejército alemán a retirarse. El 23 de mayo, el VI Cuerpo estadounidense recibió la orden de salir de la cabeza de playa de Anzio.
XIV Cuerpo Panzer
ITRI
Línea alemana, 18 de mayo
FORMIA
Línea Gustav
GAETA
1 La operación Diadema fue una ofensiva coordinada del Grupo de Ejército a lo largo de toda la línea Gustav. Esta vez no hubo una participación irregular de recursos limitados.
MAR MEDITERRÁNEO

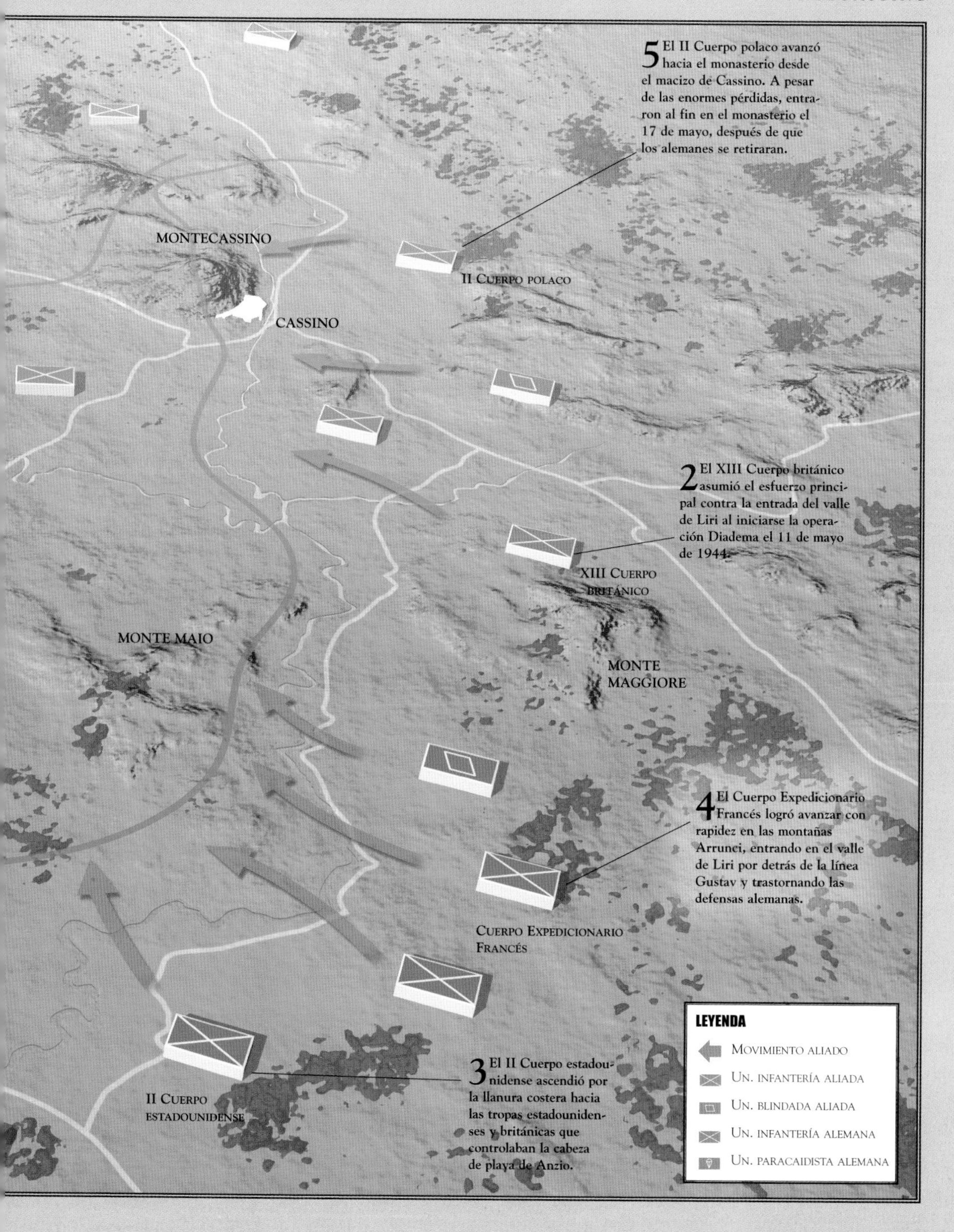
5 El II Cuerpo polaco avanzó hacia el monasterio desde el macizo de Cassino. A pesar de las enormes pérdidas, entraron al fin en el monasterio el 17 de mayo, después de que los alemanes se retiraran.
MONTECASSINO
II Cuerpo polaco
CASSINO
2 El XIII Cuerpo británico asumió el esfuerzo principal contra la entrada del valle de Liri al iniciarse la operación Diadema el 11 de mayo de 1944.
XIII Cuerpo británico
MONTE MAIO
MONTE MAGGIORE
4 El Cuerpo Expedicionario Francés logró avanzar con rapidez en las montañas Arrunci, entrando en el valle de Liri por detrás de la línea Gustav y trastornando las defensas alemanas.
Cuerpo Expedicionario Francés
II Cuerpo estadounidense
3 El II Cuerpo estadounidense ascendió por la llanura costera hacia las tropas estadounidenses y británicas que controlaban la cabeza de playa de Anzio.
LEYENDA
Movimiento aliado
Un. infantería aliada
Un. blindada aliada
Un. infantería alemana
Un. paracaidista alemana

VICTORIA ALIADA

A pesar de inclinar la balanza contra los países del Eje, la naturaleza de los regímenes suponía que seguirían luchando hasta el final. De este modo, los aliados hubieron de abrirse camino a través de Europa y el océano Pacífico hasta el mismo corazón de Alemania y Japón.

Aunque los aliados obtuvieron impresionantes logros militares, como los desembarcos en Normandía en junio de 1944 y la ofensiva estival soviética del mismo año, la determinación y excepcional resistencia de las fuerzas alemanas y japonesas indicaban que las campañas finales se librarían con gran dureza. En Montecassino e Iwo Jima tuvieron lugar cruentas batallas defensivas, y los aliados sufrieron derrotas, como la operación aérea de Arnhem en otoño de 1944 y la ofensiva alemana por sorpresa de las Árdenas en diciembre del mismo año. Las batallas definitivas, cuyo fin era la toma de la isla de Okinawa y la ciudad de Berlín, constituyeron las lúgubres postrimerías de la guerra más sangrienta de la historia mundial.

EL FIN DEL REICH: *mientras tanques IS-2 soviéticos recorren una calle de Berlín, los refugiados emergen de los sótanos de los edificios derrumbados llevando sus pertenencias consigo. Esta fotografía fue tomada a finales de abril de 1945, pocos días antes de la rendición de Alemania.*

DESEMBARCO DE NORMANDÍA 1944

El 6 de junio de 1944 tuvo lugar el desembarco aliado en la costa de Normandía, controlada por los alemanes; fue uno de los días clave de la Segunda Guerra Mundial. Los aliados llevaban preparando esta operación, con el nombre en código Neptuno/Overlord, *desde 1943. Enviaron 160.000 soldados estadounidenses, británicos y canadienses (y un contingente francés) para establecer cabezas de playa en Normandía.*

Con el Segundo Frente establecido con éxito, el *Reich* alemán se encontraría atrapado en una guerra de desgaste con tres frentes que finalmente acabaría por aplastarlo. Como comandante aliado supremo, el general estadounidense Dwight *Ike* Eisenhower (1890-1969) asumió el control general de la invasión; tenía

DATOS DEL DESEMBARCO DE NORMANDÍA

Quiénes: El comandante supremo aliado, el general Dwight Eisenhower (1890-1969), mandó las fuerzas estadounidenses, británicas y canadienses del 21.º Grupo de Ejército del general Bernard Montgomery (1887-1976), que se enfrentó al Grupo de Ejército B del mariscal de campo Erwin Rommel (1891-1944).

Cómo: La operación anfibia más grande de la historia, que marcó el regreso de los aliados occidentales al noroeste de Europa.

Dónde: En la Bahía del Sena, en Normandía (Francia).

Cuándo: El 6 de junio de 1944.

Por qué: Los británicos y estadounidenses pretendían regresar al norte de Europa desde hacía tiempo, y Normandía ofrecía playas apropiadas al alcance de la cobertura aérea basada en tierra.

Resultado: Los aliados se establecieron con éxito en la costa, abriendo el Segundo Frente y marcando un importante punto de inflexión en el curso de la guerra.

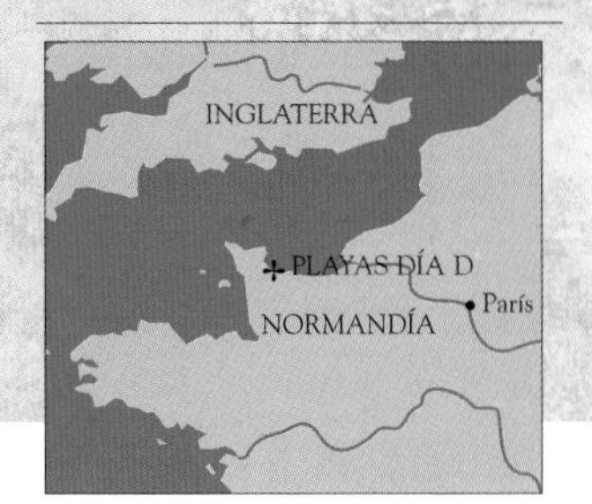

LA INFANTERÍA BRITÁNICA se agrupa en la playa de Sword en preparación para el avance hacia el interior. Las tropas británicas debían avanzar sobre la ciudad de Caen, de gran importancia estratégica, el primer día. Consiguieron importantes avances.

Un sacerdote da su bendición a soldados y marineros estadounidenses el 4 de junio de 1944. Estaba previsto que la operación Overlord *empezara el 5 de junio, pero se retrasó debido al mal tiempo.*

bajo sus órdenes a tres jefes británicos: el almirante Bertram Ramsay (1883-1945), el mariscal del aire Trafford Leigh-Mallory (1892-1944) y el general Bernard Montgomery (1887-1976). El Grupo de Ejército B del mariscal de campo Erwin Rommel (1891-1944) controlaba las fuerzas alemanas que trataron de repeler el desembarco.

ARMADA NAVAL

El plan del día D se inició con la travesía nocturna del canal de la Mancha de una flota cargada con tropas aliadas, que fondeó frente a las cinco playas elegidas para la invasión: al este, los tres sectores anglocanadienses, Sword, Juno y Gold; al oeste, los dos estadounidenses, Omaha y Utah. Poco antes, tres divisiones aliadas tomarían tierra para proteger los flancos este y oeste de la fuerza invasora. Por último, tras intensos bombardeos navales y aéreos, las tropas de asalto desembarcarían en estas cinco playas. Después de que estos asaltos iniciales hubieran establecido pequeñas cabezas de playa, fuerzas de seguimiento avanzarían tierra adentro de modo que, al final del día D, las fuerzas aliadas habrían capturado Bayeux y consolidado las cuatro cabezas de playa orientales y la zona aérea británica en un mismo saliente.

AL TIEMPO

Estaba previsto que el día D empezara el 5 de junio, pero el mal tiempo obligó a Eisenhower a aplazar la invasión. Se dio la luz verde el día 6, a pesar de la mar picada. No obstante, lanzar la invasión con mal tiempo permitió a los aliados sorprender a los alemanes, cuya lenta reacción dejó escapar su mejor oportunidad de derrotar a los invasores. El 5 de junio, 6.939 buques se agruparon frente a la costa sur de Inglaterra y, esa misma noche, partieron hacia Normandía. A partir de las 23.30 h, 1.100 aviones de transporte aliados transportaron 17.000 soldados a Normandía. Al amanecer del 6 de junio, fuerzas británicas aterrizaron al nordeste de Caen y capturaron puntos clave para proteger el flanco este de la invasión. Al mismo tiempo, dos divisiones estadounidenses aterrizaron en los pantanos de detrás de Utah para retrasar las réplicas alemanas contra el flanco oeste de la invasión.

Aunque las fuerzas alemanas de la zona concluyeron que estos desembarcos aéreos eran el inicio de la invasión, el alto mando alemán siguió convencido de que eran una distracción antes del principal ataque aliado en el paso de Calais. Mientras se desplegaban estas operaciones aéreas, la flota levó anclas frente a la costa normanda. Al acercarse el amanecer, los aliados iniciaron los bombardeos navales y aéreos de las defensas costeras alemanas.

ASALTOS A LA PLAYA

A continuación, entre las 06.30 y las 07.45 h, se iniciaron los asaltos anfibios aliados en las cinco playas elegidas. En la playa oriental, Sword, la 3.ª División británica comenzó el asalto a las 07.15 h; la fuerza de asalto, como en las otras playas, se componía de una combinación de infantería,

TANQUE ANTIMINAS SHERMAN

El Sherman Crab formó parte de una serie de vehículos blindados especializados utilizados en los desembarcos del día D. El Crab llevaba delante un tambor giratorio del que colgaban pesadas cadenas, que se utilizaba para abrir un paso a través de un campo de minas. El método se utilizó por primera vez en un tanque Matilda en El Alamein. El Crab, instalado en el tanque aliado de tamaño medio, el M4 Sherman, era capaz de despejar una vía de 3,3 m de anchura a una velocidad de 2 km/h. Era necesario sustituir las cadenas después de varias detonaciones.

comandos y unidades blindadas especiales. Durante las dos horas siguientes, las fuerzas británicas se abrieron paso desde la playa y capturaron el puesto de La Brèche, ferozmente defendido por los alemanes. Mientras, otras unidades aliadas se abrieron paso hacia el este, hasta la periferia de Ouistreham, y penetraron 3,2 km tierra adentro para capturar Hermanville. Fuerzas de apoyo desembarcaron durante toda la mañana en la playa de Sword, que se estrechaba progresivamente al subir la marea. El atasco resultante impidió a los blindados moverse hacia el interior, pero

CUATRO OFICIALES EXPLORADORES de la 6.ª División Aerotransportada sincronizan sus relojes ante un Dakota C-47 antes de despegar del aeródromo Harwell.

Izquierda: Tropas estadounidenses de la 1.ª División de infantería, la «Big Red One», embarcan en una lancha de desembarco durante los preparativos de los desembarcos en Normandía.

finalmente la vanguardia británica renovó su avance a pesar de esta falta de apoyo blindado.

Mientras, a las 07.45 h, la 3.ª División de Infantería canadiense inició su asalto sobre Juno. Ante la fiera resistencia enemiga, tardó más de dos horas en alcanzar las primeras salidas de la playa. Durante el resto de la mañana, unidades británicas y canadienses avanzaron por St-Aubin y Courseulles para crear una línea defensiva 6,4 km tierra adentro. Más al oeste, la 50.ª División de Infantería británica (Northumbria) comenzó su asalto contra Gold a las 07.30 h. Los bombardeos preliminares suprimieron la resistencia alemana y la vanguardia estableció una cabeza de playa inicial a pesar de la falta de apoyo blindado, retrasado por la mar picada.

En el flanco oeste, sin embargo, el puesto alemán de Le Hamel había escapado casi intacto al reciente bombardeo. Las fuerzas británicas lucharon muchas horas contra una intensa resistencia enemiga hasta capturar Le Hamel. Mientras, otras unidades británicas avanzaban hacia el interior y marchaban 6,4 km en dirección oeste hasta capturar Port-en-Bessin, reduciendo la franja de 14,5 km entre Gold y Omaha.

BAÑO DE SANGRE EN LA PLAYA DE OMAHA

El asalto de las 1.ª y 29.ª Divisiones de Infantería estadounidenses a Omaha comenzó a las 06.30 h. Ya antes las cosas no iban bien: el fuego de apoyo fue menos eficaz de lo previsto. La infantería, con un pesado equipo, consiguió avanzar con el agua al cuello hasta la playa, donde se

Abajo: La escala de la operación Overlord queda clara en esta imagen de lanchas de desembarco y buques de apoyo en la playa de Omaha después de los combates.

ARRIBA: HERIDOS DEL 3.er *Batallón estadounidense, 16.º Regimiento de Infantería, hacen un alto para fumar y comer después de capturar la playa de Omaha el 6 de junio de 1944.*

encontró con un implacable fuego enemigo que causó terribles bajas; la inteligencia aliada no había logrado detectar el reciente refuerzo de las defensas alemanas en el lugar. Las tropas estadounidenses intentaron salir de la playa y adentrarse entre los riscos, pero a mediodía la posición americana sobre terreno enemigo era precaria.

LAS DEMÁS PLAYAS

Esto contrastaba intensamente con el asalto menos costoso organizado en Utah, situada en el ángulo sureste de la península de Cotentin, donde, a las 06.30 h, la 4.ª División de Infantería estadounidense lanzó su ataque después del preciso fuego naval que destruyó las defensas alemanas, relativamente débiles; el enemigo pensaba que los pantanos de detrás de Utah impedirían a los aliados desembarcar allí. Frente a una resistencia moderada, los americanos avanzaron rápidamente hasta cerrar el perímetro con las otras fuerzas.

Durante el resto del día D, los aliados avanzaron tierra adentro desde estos siete asaltos anfibios o aéreos para crear cuatro cabezas de playa mayores. Al oeste, unidades británicas enlazaron con las fuerzas aerotransportadas al este del Orne. No obstante, un contraataque de blindados alemanes al norte evitó que las fuerzas desembarcadas en Sword enlazaran con las que tomaron tierra en Juno. Mientras, en este último sector, las fuerzas canadienses enlazaron con las británicas desembarcadas en Gold. Al oeste, en Omaha, las fuerzas americanas consiguieron controlar 1,6 km en terreno francés mientras en Utah las fuerzas americanas enlazaban con sus colegas.

A medianoche del 6 de junio de 1944, los 159.000 soldados aliados habían definido cuatro cabezas de playa. Aunque el frente de invasión aliado seguía siendo vulnerable a un contraataque alemán, el éxito del día D hacía que fuera casi imposible para el enemigo repeler a los invasores hasta el mar.

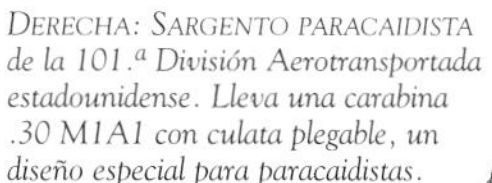

DERECHA: SARGENTO PARACAIDISTA *de la 101.ª División Aerotransportada estadounidense. Lleva una carabina .30 M1A1 con culata plegable, un diseño especial para paracaidistas.*

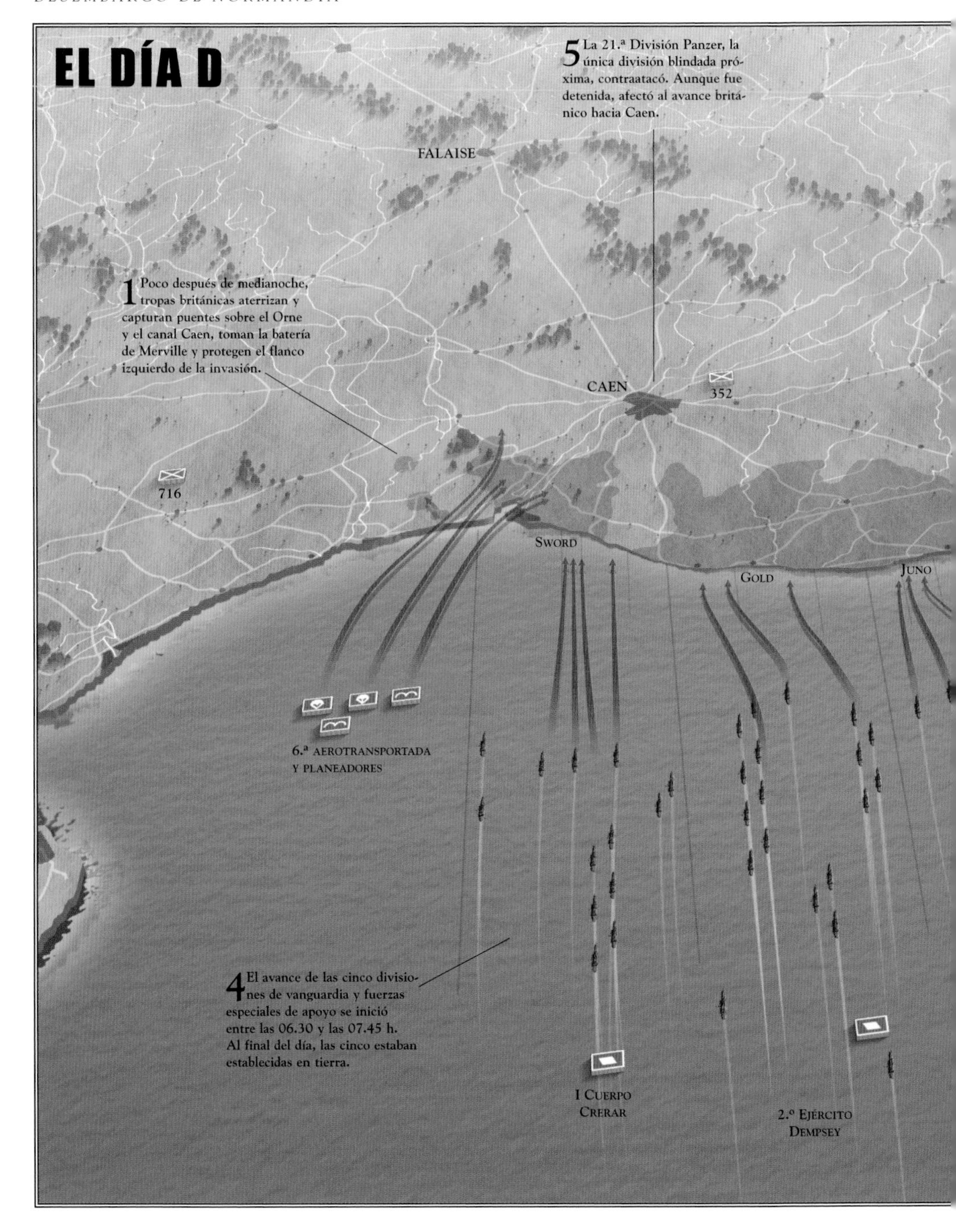
EL DÍA D
5 La 21.ª División Panzer, la única división blindada próxima, contraatacó. Aunque fue detenida, afectó al avance británico hacia Caen.
FALAISE
1 Poco después de medianoche, tropas británicas aterrizan y capturan puentes sobre el Orne y el canal Caen, toman la batería de Merville y protegen el flanco izquierdo de la invasión.
CAEN
352
716
SWORD
GOLD
JUNO
6.ª AEROTRANSPORTADA
Y PLANEADORES
4 El avance de las cinco divisiones de vanguardia y fuerzas especiales de apoyo se inició entre las 06.30 y las 07.45 h. Al final del día, las cinco estaban establecidas en tierra.
I CUERPO
CRERAR
2.º EJÉRCITO
DEMPSEY

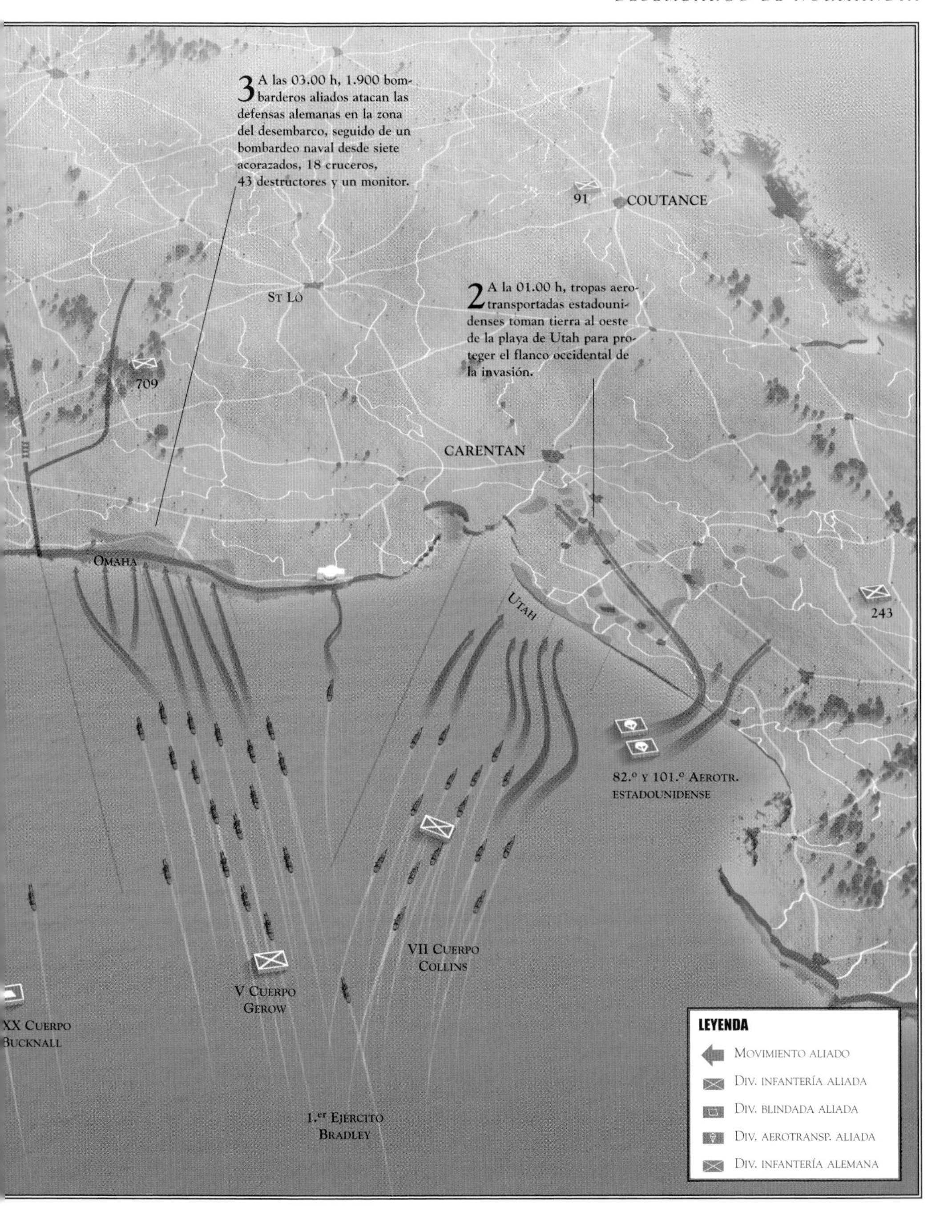
3 A las 03.00 h, 1.900 bombarderos aliados atacan las defensas alemanas en la zona del desembarco, seguido de un bombardeo naval desde siete acorazados, 18 cruceros, 43 destructores y un monitor.
91
COUTANCE
St Lô
2 A la 01.00 h, tropas aerotransportadas estadounidenses toman tierra al oeste de la playa de Utah para proteger el flanco occidental de la invasión.
709
CARENTAN
Omaha
Utah
243
82.º y 101.º Aerotr. estadounidense
VII Cuerpo Collins
V Cuerpo Gerow
XX Cuerpo Bucknall
1.er Ejército Bradley
LEYENDA
Movimiento aliado
Div. infantería aliada
Div. blindada aliada
Div. aerotransp. aliada
Div. infantería alemana

AVANCE DESDE NORMANDÍA 1944

Durante julio y agosto de 1944, los aliados occidentales lograron romper el punto muerto que se había producido en la batalla de Normandía y, a continuación, lo convirtieron en una victoria estratégica decisiva que expulsó a las fuerzas alemanas de la región.

El desarrollo de tal punto muerto estaba muy lejos de los planes aliados. Sus expectativas eran que, una vez los desembarcos del día D hubieran conseguido establecer una cabeza de playa, las operaciones subsiguientes obligarían a los alemanes a retirarse con rapidez más allá del río Sena, donde se libraría la batalla decisiva. No obstante, Hitler ordenó a sus fuerzas evitar a toda costa que los aliados avanzaran hacia el interior, lo que obligó a estos a lanzar continuos ataques contra una fiera resistencia que convirtió la campaña en un agrio combate de desgaste de seis semanas de duración.

DATOS DEL AVANCE DESDE NORMANDÍA

Quiénes: El 21.er Grupo de Ejército y, a partir del 1 de agosto de 1944, el 12.º Grupo de Ejército dirigidos por el teniente general Omar Bradley (1893-1981) bajo el mando del comandante en tierra, el general Bernard Montgomery, contra el mariscal de campo Günther von Kluge (1882-1944) hasta el 18 de agosto y después contra el Grupo de Ejército B del mariscal de campo Marshal Walther Model (1891-1945).

Cómo: Una serie de ofensivas aliadas que finalmente rompieron la línea alemana en Normandía y permitieron a las fuerzas aliadas avanzar desde la cabeza de puente.

Dónde: En Normandía (Francia).

Cuándo: Del 25 de julio al 30 de agosto de 1944.

Por qué: En vez de retirarse tras el río Sena cuando los aliados establecieron su cabeza de puente, Hitler ordenó a sus fuerzas mantener la posición, lo que motivó una batalla de desgaste de seis semanas de duración.

Resultado: Los aliados rompieron la posición alemana en Normandía, cruzaron el Sena y liberaron París el 25 de agosto, iniciando un rápido avance por Francia hacia Alemania. Fue una victoria estratégica decisiva.

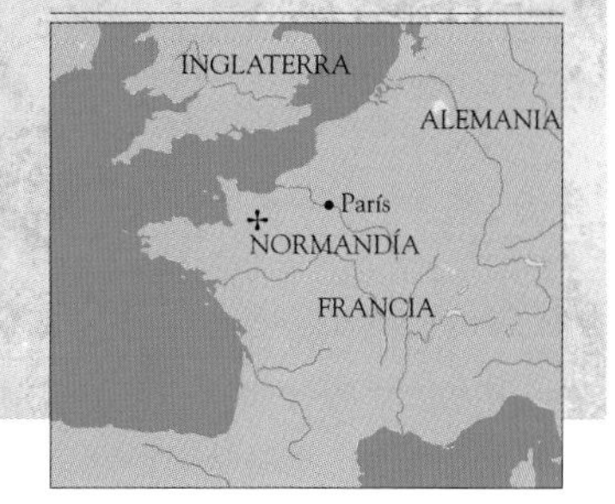

MÉDICOS BRITÁNICOS recogen a un compañero herido y lo transportan hasta un jeep, en algún lugar de Normandía, en julio de 1944.

UN DESTACAMENTO BRITÁNICO AVANZA por un sendero hundido en Normandía. Queda bien patente la espesa naturaleza del bocage normando.

Estas agotadoras batallas comenzaron a dar sus frutos a mediados de julio, cuando la superioridad numérica aliada logró desgastar a los alemanes. A mediados de julio, el general Bernard Montgomery (1887-1976) lanzó la operación Goodwood, un asalto blindado para flanquear Caen desde el este. Aunque la operación no consiguió alcanzar sus objetivos, facilitó el éxito de la siguiente ofensiva estadounidense, la operación Cobra, que se inició el 25 de julio. Para respaldar su fiera defensa ante Goodwood, los alemanes tuvieron que dirigir la mayor parte de sus suministros logísticos al sector oriental del frente. Por consiguiente, las fuerzas alemanas que defendían el frente de Saint-Lô quedaron desprovistas de sus vitales suministros logísticos justo antes de Cobra, y su carencia de combustible y munición facilitó a los norteamericanos el camino hacia el éxito.

GUERRA DE DESGASTE

El 25 de julio, el 1.er Ejército estadounidense del general Omar Bradley (1893-1981) inició Cobra, una masiva operación de penetración precedida por intensos bombardeos aéreos y de artillería. Una vez estas fuerzas de infantería hubieron abierto una brecha en la línea alemana, los estadounidenses trataron de introducir tres divisiones móviles que avanzarían por la retaguardia enemiga hacia la costa cercana a Coutances para aislar a unas considerables fuerzas enemigas. El intenso bombardeo debilitó tanto a las fuerzas defensoras alemanas que el VII Cuerpo estadounidense avanzó 3,2 km el primer día. Durante las siguientes 48 horas la audacia estadounidense convirtió esta penetración en un avance decisivo de 27,4 km. El 29 de julio, los americanos habían roto el frente alemán y Bradley amplió el alcance de Cobra. Entre el 29 y el 31 de julio, fuerzas estadounidenses cruzaron el río Sélune en Pontaubault, rodeando la base de la península de Cotentin y abriendo la vía para nuevos avances al oeste hacia Bretaña, al sur hacia el Loira y al este hacia el Sena.

El 30 de julio, para ampliar la brecha, Montgomery lanzó una improvisada ofensiva británica desde Caumont hacia Vire, con el nombre en código Bluecoat. El 1 de agosto Cobra había convertido la batalla de desgaste de Normandía en una rápida campaña de guerra móvil. La influencia norteamericana sobre la campaña creció cuando el 12.º Grupo de Ejército de Bradley estuvo operativo y asumió el mando del 1.er Ejército y el 3.er Ejército del general George Patton (1885-1945).

CONTRAATAQUE ALEMÁN

El 2 de agosto, Hitler reaccionó ante el avance estadounidense intentando volver a meter al genio en la botella: ordenó al Grupo de Ejército B organizar un precipitado contraataque contra el débil flanco occidental del avance. Al retomar Avranches, las fuerzas estadounidenses situadas al sur de la penetración quedarían aisladas. Durante la noche del 6 al 7 de agosto, una fuerza móvil reunida a toda prisa atacó por el estrecho corredor entre los ríos Sée y Sélune hacia Mortain. Como era de esperar, tras algún éxito inicial, esta réplica alemana fue detenida. Este fracaso ofrecía a los aliados la oportunidad estratégica de rodear y destruir a las fuerzas alemanas de Normandía, bien en la zona de Argentan-Falaise, bien mediante una envolvente mayor a lo largo del Sena.

A primeros de agosto, una oleada de fuerzas americanas avanzaba hacia el oeste contra una débil resistencia enemiga, flanqueando así la todavía cohesionada línea alemana contra los británicos en torno a Caen. Con este profundo avance en su retaguardia, la única estrategia factible para los alemanes era retirarse tras el río Sena, pero Hitler ordenó mantenerse y luchar.

IZQUIERDA: UN TANQUE TIGER de las SS Schwere Panzerabteilung *101 circula por un pueblo normando el 10 de junio de 1944.*

ABAJO: UN DESTACAMENTO DE INFANTERÍA estadounidense cuerpo a tierra en el límite de un campo. La estación del año hacía que el maíz llegara hasta el pecho de los hombres.

ARRIBA: *Un grupo de alegres soldados estadounidenses y civiles franceses a bordo de lo que parece ser un vehículo blindado oruga alemán.*

AVANCE HACIA FALAISE

A primeros de agosto, dada la envergadura del reciente éxito estadounidense, era crucial que las fuerzas británicas y canadienses atascadas cerca de Caen avanzaran hacia el sur sobre Falaise. Este avance ayudaría a desplazar los ataques británicos más al oeste para ampliar la brecha abierta por Cobra en las líneas enemigas. Así, entre el 7 y el 8 de agosto, el II Cuerpo canadiense del general Guy Simonds (1903-1974) inició la operación Totalize de avance sobre Falaise que, utilizando un novedoso ataque de infiltración nocturna con el respaldo de bombardeos estratégicos, consiguió un notable éxito inicial. Sin embargo, la obstinada resistencia alemana ralentizó los blindados de Simonds, y el 11 de agosto detuvo el ataque.

Entre tanto, entre el 8 y el 13 de agosto, fuerzas estadounidenses se habían adentrado hacia el noroeste en la retaguardia alemana hasta Alençon, a solo 32 km de la vanguardia de Simonds. Si ambas fuerzas conseguían enlazar en la zona de Falaise-Argentan, el 7.º Ejército alemán quedaría atrapado en un gran cerco. Así, el 14 de agosto Simonds organizó una improvisada ofensiva hacia Falaise, con el nombre en código Tractable. Sin embargo, el 15 de agosto, la enconada resistencia alemana frustró el avance de Simonds antes de poder tomar los decisivos altos del norte de Falaise.

LA CABEZA DE PUENTE DEL SENA

Pero para entonces los americanos habían detenido su avance hacia el norte desde Alençon, en parte debido a la escasez de suministros y en parte por el miedo al fuego amigo de las fuerzas de Simonds. Bradley dividió sus fuerzas y ordenó al V Cuerpo estadounidense desplazarse al este, hacia el Sena. Increíblemente, el 19 de agosto, este cuerpo había establecido una cabeza de puente a través del Sena en Mantes-Gassicourt. A pesar del alto estadounidense en Alençon, el cerco de Falaise ya estaba formado el 16 de agosto y los alemanes mantenían una precaria franja de 16 km de ancho en torno a Trun.

AVANCE DE FALAISE

Entre el 16 y el 19 de agosto, los blindados de Simonds se lanzaron al sudeste hacia Trun y enlazaron con los americanos para completar el cerco. Esta posición de bloqueo aliada no resistió el posterior avance. Con la pérdida de la unión del 7.º Ejército y con los americanos avanzando hacia el interior de Francia, los alemanes no tenían otra opción que retirarse de nuevo hacia el Sena.

El 21 de agosto, cuatro cuerpos habían atacado el nordeste, hacia el curso alto del Sena, tratando de alcanzar

ARRIBA: *Un miembro de la resistencia francesa con un subfusil Sten y un oficial americano se protegen tras un coche durante un tiroteo en un pueblo francés.*

EL 20 DE JUNIO DE 1944, soldados estadounidenses hacen un alto para descansar ante un pequeño café francés durante su avance tierra adentro.

el avance americano. No obstante, entre el 21 y el 30 de agosto, los restos del Grupo de Ejército B organizaron una retirada hacia la orilla norte del Sena. El 26 de agosto se estableció la primera cabeza de puente británica a través del río en Vernon. Cuatro días después, toda la resistencia alemana había cesado y se dio por finalizada la campaña de Normandía. París había caído y los americanos habían progresado hacia el norte más allá del Sena y al oeste hacia el interior de Francia. Los aliados habían ganado la Batalla de Normandía. Ahora, sus pensamientos se dirigen hacia el avance sobre el propio *Reich* alemán.

EL TIGER EN NORMANDÍA

El tanque pesado PzKpfw VI Tiger Mark I entró en servicio a finales de 1942. La aparición del T-34 soviético espoleó la producción del Tiger, equipado con el formidable cañón de 88 mm y un blindaje ultragrueso. Su faceta automotriz era menos impresionante.

No obstante, el Tiger, desplegado en batallones de tanques pesados a nivel de cuerpos y ejércitos, fue el azote de las tripulaciones de los tanques aliados en Normandía. Era capaz de vérselas con cualquiera de los tanques británicos y estadounidenses desplegados y era prácticamente invulnerable al cañón de 75 mm del Sherman desde delante. Consiguió enormes éxitos tácticos, pero nunca los suficientes como para causar un impacto decisivo.

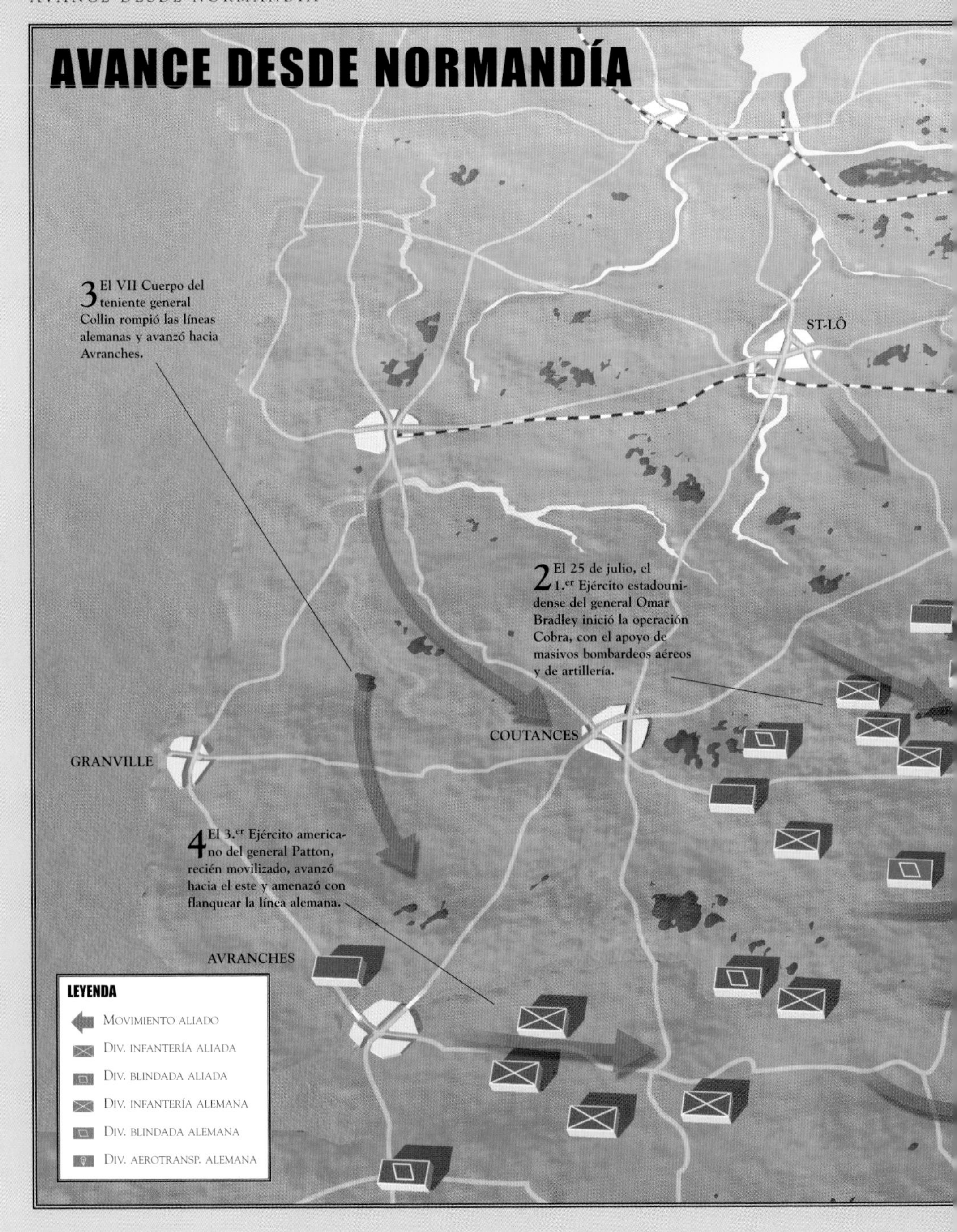
AVANCE DESDE NORMANDÍA
3 El VII Cuerpo del teniente general Collin rompió las líneas alemanas y avanzó hacia Avranches.
ST-LÔ
2 El 25 de julio, el 1.er Ejército estadounidense del general Omar Bradley inició la operación Cobra, con el apoyo de masivos bombardeos aéreos y de artillería.
COUTANCES
GRANVILLE
4 El 3.er Ejército americano del general Patton, recién movilizado, avanzó hacia el este y amenazó con flanquear la línea alemana.
AVRANCHES
LEYENDA
Movimiento aliado
Div. infantería aliada
Div. blindada aliada
Div. infantería alemana
Div. blindada alemana
Div. aerotransp. alemana

1 El 18 de julio se inició la operación Goodwood, que agotó las reservas alemanas. Fue seguida de Totalize el 7 de agosto, que retuvo a los alemanes en la zona.
BAYEUX
CAEN
FALAISE
5 Hitler ordenó un contraataque sobre Mortain, que comenzó el 7 de agosto. Logró poco más que meter a los restantes blindados alemanes en el cerco que empezaba a formarse.
6 Las fuerzas estadounidenses progresaron con rapidez hacia el sur y enlazaron con las fuerzas británicas y canadienses el 19 de agosto, cerrando al fin el cerco de Falaise.

73

MAR DE FILIPINAS

1944

Surgiendo cual mítica ave Fénix de la devastación de Pearl Harbor, la Marina de Estados Unidos se había convertido en un verdadero gigante en la primavera de 1944. La flota del Pacífico estaba lista para cumplir otra misión vital: la destrucción de la armada imperial japonesa.

En 30 meses de combates, la principal estrategia para la victoria en el Pacífico, la isla Hopping, había obligado a las fuerzas estadounidenses a cruzar enormes extensiones de océano. El 15 de junio de 1944, se realizaron desembarcos anfibios en la isla de Saipan, en las Marianas, un archipiélago situado en el camino del avance estadounidense hacia Filipinas. La captura de Saipan, junto con las islas de Guam y Tinian, desbarataría los esfuerzos japoneses para enviar suministros hasta los alejados confines del Imperio, además de aportar bases desde donde los bombarderos americanos podrían atacar regularmente las islas japonesas.

DATOS DEL MAR DE FILIPINAS

Quiénes: El almirante Soemu Toyoda (1885-1957), comandante de la flota combinada japonesa, y el almirante Jisaburo Ozawa (1886-1966), comandante de la 1.ª Flota móvil, contra el almirante Raymond Spruance (1886-1969), comandante de la 5.ª Flota estadounidense y el almirante Marc Mitscher (1887-1947), comandante del Destacamento 58.

Cómo: Los japoneses enviaron la mayor parte de su poder aéreo contra la flota estadounidense.

Dónde: En el mar de Filipinas, en el Pacífico central.

Cuándo: 19 y 20 de junio de 1944.

Por qué: Los japoneses esperaban poner freno al avance americano en el Pacífico.

Resultado: Una victoria decisiva para la Marina estadounidense y la práctica aniquilación del poderío aeronaval japonés.

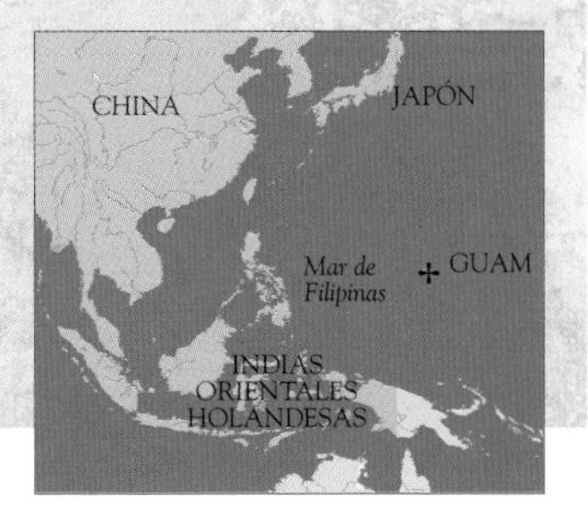

UN BOMBARDERO EN PICADO Curtiss SB2C Helldiver de la Marina estadounidense es inspeccionado por oficiales y tripulantes sobre la cubierta de vuelo de un portaaviones. El Helldiver sustituyó al anticuado Douglas SBD Dauntless.

Arriba: Un bombardero en picado biplaza-con base en un portaaviones, el Curtiss SB2C Helldiver, obtuvo grandes éxitos durante la guerra del Pacífico. El Helldiver estaba fuertemente armado con ametralladoras y un cañón de 20 mm.

Arriba: El almirante Chester W. Nimitz sirvió como comandante en jefe de la Marina estadounidense en el Pacífico. Nimitz asumió el mando días después de Pearl Harbor y llevó a la victoria a una revitalizada fuerza de combate.

Previendo las graves consecuencias que tendría el éxito americano, el almirante Soemu Toyoda (1885-1957), comandante en jefe de la flota combinada japonesa, puso en marcha la operación A-Go, una táctica desesperada. Toyoda envió al almirante Jisaburo Ozawa (1886-1966) y a la 1.ª Flota móvil a las aguas del mar de Filipinas para enfrentarse a la armada estadounidense, que protegía a la fuerza invasora de Saipan y esperaba una respuesta así de los japoneses.

Ozawa esperaba utilizar la única ventaja que tenían sus aviones, un mayor alcance que los americanos, y aprovechar la potencia aérea con base terrestre en las Filipinas e islas circundantes para golpear decisivamente a los americanos antes de que pudieran poner en juego su aplastante superioridad. Tenía a su cargo un grupo potencialmente letal de cinco flotas y cuatro portaaviones ligeros, cinco acorazados, 11 cruceros pesados, dos cruceros ligeros, 28 destructores y más de 500 aviones. La fuerza incluía los superacorazados *Yamato* y *Musashi*, con un desplazamiento de 71.400 toneladas, los mayores acorazados de su tipo jamás construidos.

El almirante Raymond Spruance (1886-1969), al mando de la 5.ª Flota estadounidense, dirigía una fuerza de asalto agrupada en torno al núcleo del Destacamento 58, dirigido por el almirante Marc Mitscher (1887-1947). El Destacamento 58, organizado en cuatro grupos de combate, incluía siete grandes portaaviones, ocho portaaviones ligeros, siete acorazados, 21 cruceros, 69 destructores y cerca de 1.000 aviones.

Aunque el contingente norteamericano podía desplegar una potente acción ofensiva, Spruance comprendió que esta misión tenía dos facetas. No solo se enfrentaría a los japoneses donde y cuando fuera viable, sino que además se le había encomendado proteger la invasión de Saipan y apoyar el transporte marítimo. Así, decidió realizar una operación defensiva en lugar de concentrarse en aniquilar totalmente a Ozawa.

En retrospectiva, los esfuerzos de Ozawa parecen condenados al fracaso desde el principio. Avisado por la inteligencia naval y por un cordón de submarinos de que los japoneses se movían, Spruance estaba bien preparado para el inminente combate. No tuvo que esperar demasiado.

TIRO AL BLANCO

En la mañana del 19 de junio de 1944, Ozawa lanzó 69 aviones contra los americanos, de los que 45 fueron pronto abatidos. Un ataque posterior de 127 aviones tuvo un destino similar, con 98 aparatos cayendo al agua bajo los cañones de los cazas Grumman F6F Hellcat. En cuatro asaltos contra el Destacamento 58, los japoneses solo lograron infligir daños menores en un portaaviones y dos acorazados estadounidenses. La pérdida de aviones y pilotos fue tan desigual que la acción se llamó «el gran tiro al blanco de las Marianas». Spruance dejó que lo que quedaba de las fuerzas aeronavales japonesas se estrellara contra las rocas de sus formidables defensas aéreas.

Para aumentar los problemas de Ozawa, el *Taiho*, el portaaviones más moderno de la flota japonesa y buque insignia de su almirante, fue alcanzado por un torpedo del submarino USS *Albacore* el 19 de junio. Los daños no fueron fatales, pero por la tarde un joven oficial ordenó encender el sistema de ventilación de la nave para despejar los vapores de los conductos de combustible dañados y el *Taiho* se convirtió en una bomba flotante. Una chispa prendió los vapores y causó una explosión catastrófica. El portaaviones se hundió bajo las olas en menos de una hora. Además, poco después del mediodía, el submarino USS *Cavalla* hizo blanco con tres torpedos en el portaaviones *Shokaku*. Horas después, el barco fue destruido por una gran explosión interna y se hundió.

LA HORA DE LA VENGANZA

Los aviones de rastreo buscaron los acorazados japoneses durante todo el día siguiente, pero ya era tarde cuando encontraron por fin la fuerza de Ozawa. Mitscher, sabiendo que los buques enemigos estaban en el máximo alcance de sus aviones y que los pilotos que regresaran tendrían que aterrizar en cubierta a oscuras, hizo girar con rapidez sus portaaviones a favor del viento y lanzó 240 aparatos.

El sol ya caía cuando los aviones americanos encontraron su objetivo. Lanzándose al ataque, dañaron seriamente al *Zuikaku*, el único veterano superviviente del ataque a Pearl Harbor de 30 meses antes. Los portaaviones ligeros *Ryuho* y *Junyo*

UNA VERSIÓN FUERTEMENTE ARMADA *del bombardero medio B-25 Mitchell americano, con ametralladoras de calibre .50 en el morro, bombardea una patrullera japonesa frente a las Filipinas en julio de 1944.*

Izquierda: En pie a bordo de un portaaviones japonés, un oficial naval controla los aviones a medida que despegan para atacar a los navíos de la Marina estadounidense durante la batalla del mar de Filipinas.

fueron alcanzados por bombas y el portaavión ligero *Hiyo* fue hundido. Al cesar el combate, el mayor peligro al que hubieron de enfrentarse los americanos durante la batalla del mar de Filipinas resultó ser la oscuridad. Se produjeron numerosos accidentes cuando los aviones con los depósitos de combustible casi vacíos intentaron aterrizar en sus portaaviones. Otros pilotos se vieron obligados a amerizar en alta mar y esperar a ser rescatados. Con valentía, Mitscher corrió el riesgo de ser atacado por submarinos enemigos y ordenó a sus barcos encender sus focos y lanzar bengalas para facilitar el regreso de los pilotos. Se perdieron 82 aviones, pero la mayoría de los pilotos fueron rescatados del agua al día siguiente.

EL DECLIVE DEL PODER AÉREO

La batalla del mar de Filipinas destruyó el poderío aeronaval japonés. Al término de la lucha, Ozawa solo conservaba

Abajo: Acorralado por bombas de aviones de la Marina estadounidense, un acorazado japonés realiza una acción evasiva durante la batalla del mar de Filipinas. El poderío aeronaval japonés quedó prácticamente aniquilado.

VARIOS AVIONES ARDEN MIENTRAS los equipos intentan contener las llamas a bordo de un portaaviones estadounidense que ha sido alcanzado por un kamikaze japonés. A lo lejos se divisa otro portaaviones tocado.

35 aparatos. Había perdido tres portaaviones y más de 400 aviones en dos jornadas desastrosas. Más de 200 aviones con base en tierra habían sido abatidos o destruidos en el suelo. La victoria había costado a los americanos 130 aviones y relativamente pocas bajas. Algunos historiadores han criticado a Spruance por no destruir por completo la flota de Ozawa y dar el golpe de gracia a la Armada japonesa. No obstante, dado su doble encargo, debe concluirse que Spruance logró ambos objetivos en la medida de sus posibilidades.

En octubre, la batalla del golfo de Leyte, el último gran combate naval de la guerra del Pacífico, zanjaría la cuestión de una vez por todas. No obstante, después de la batalla del mar de Filipinas, la derrota japonesa era un final anunciado.

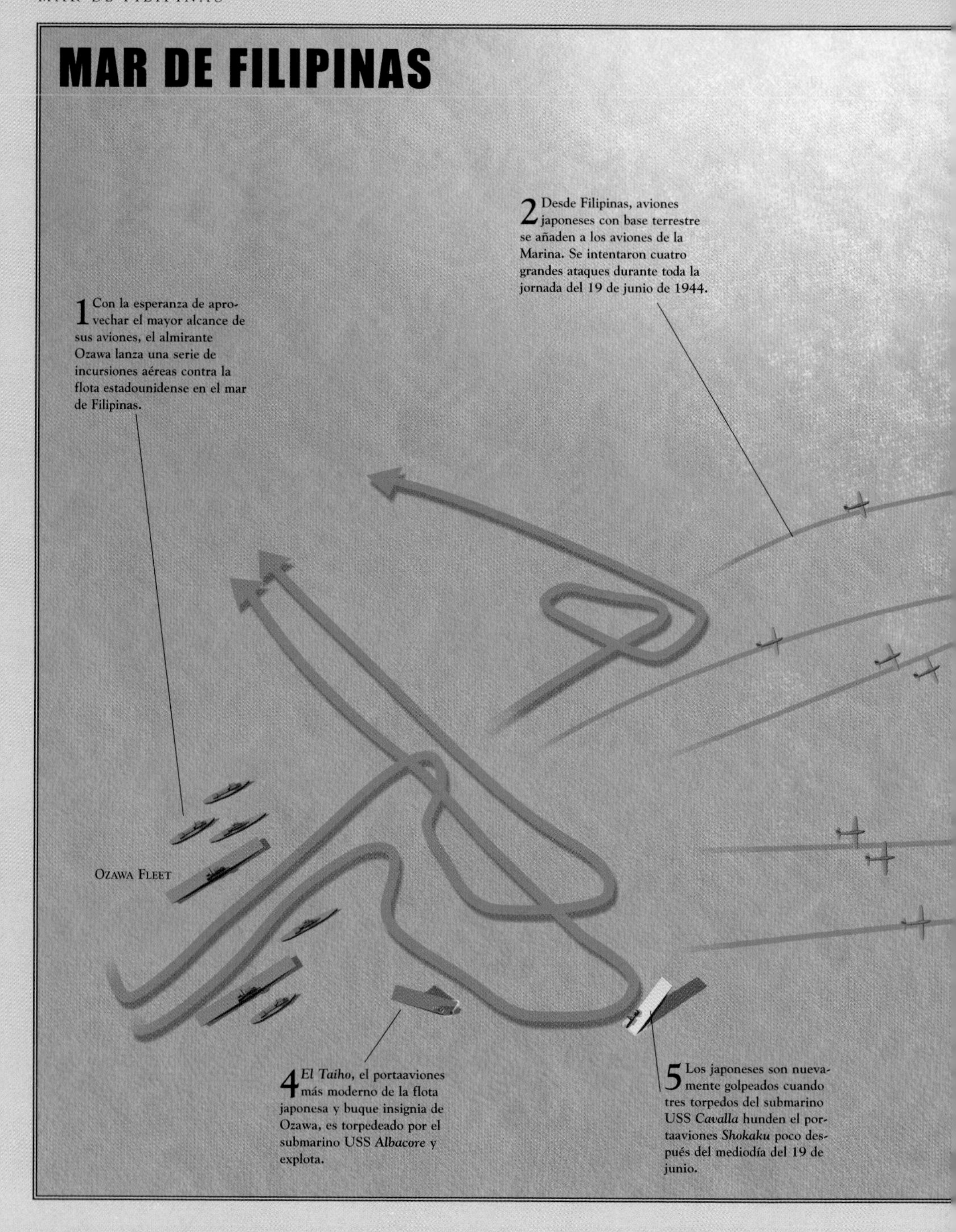
MAR DE FILIPINAS
1 Con la esperanza de aprovechar el mayor alcance de sus aviones, el almirante Ozawa lanza una serie de incursiones aéreas contra la flota estadounidense en el mar de Filipinas.
2 Desde Filipinas, aviones japoneses con base terrestre se añaden a los aviones de la Marina. Se intentaron cuatro grandes ataques durante toda la jornada del 19 de junio de 1944.
OZAWA FLEET
4 El *Taiho*, el portaaviones más moderno de la flota japonesa y buque insignia de Ozawa, es torpedeado por el submarino USS *Albacore* y explota.
5 Los japoneses son nuevamente golpeados cuando tres torpedos del submarino USS *Cavalla* hunden el portaaviones *Shokaku* poco después del mediodía del 19 de junio.

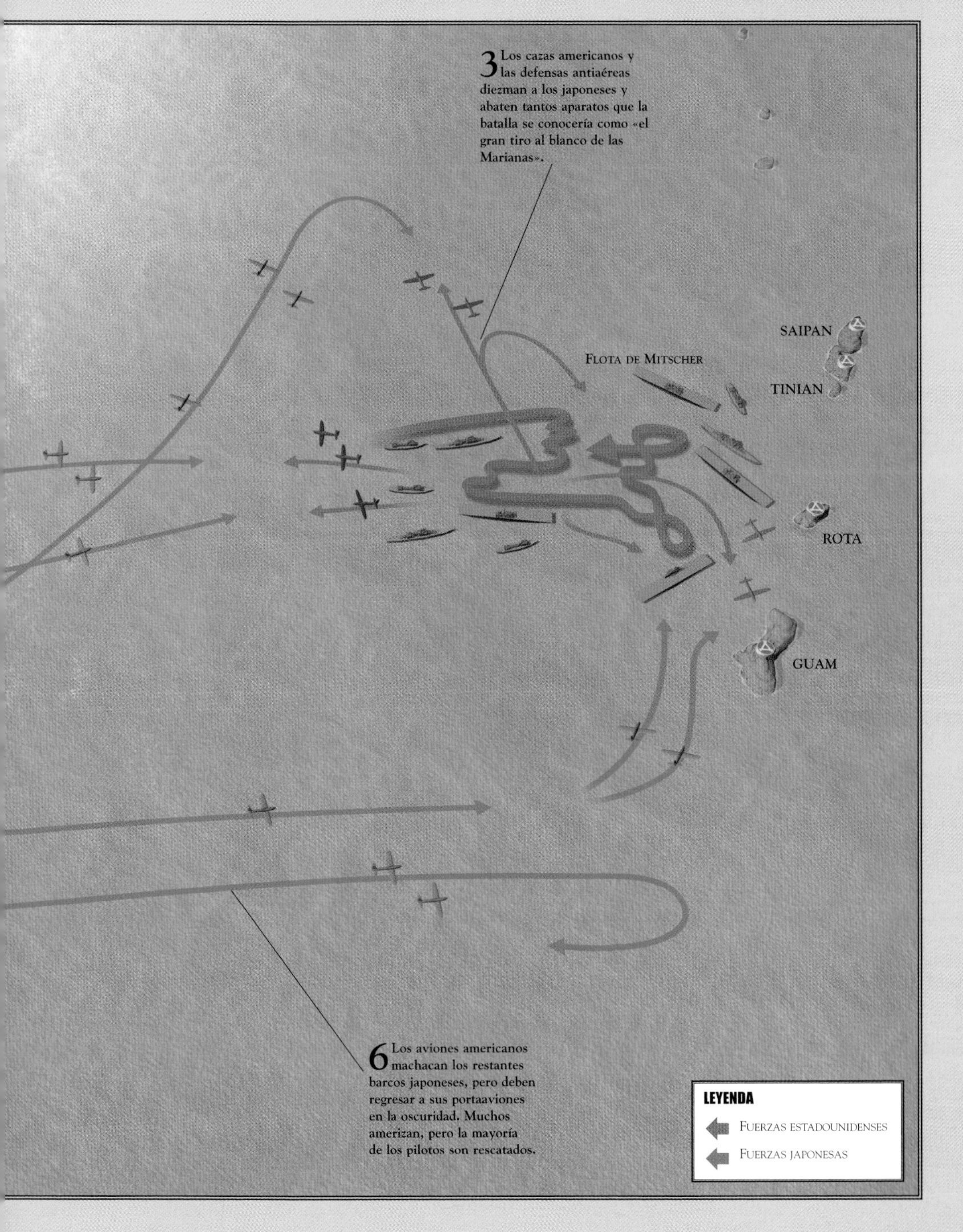
3 Los cazas americanos y las defensas antiaéreas diezman a los japoneses y abaten tantos aparatos que la batalla se conocería como «el gran tiro al blanco de las Marianas».
SAIPAN
FLOTA DE MITSCHER
TINIAN
ROTA
GUAM
6 Los aviones americanos machacan los restantes barcos japoneses, pero deben regresar a sus portaaviones en la oscuridad. Muchos amerizan, pero la mayoría de los pilotos son rescatados.
LEYENDA
FUERZAS ESTADOUNIDENSES
FUERZAS JAPONESAS

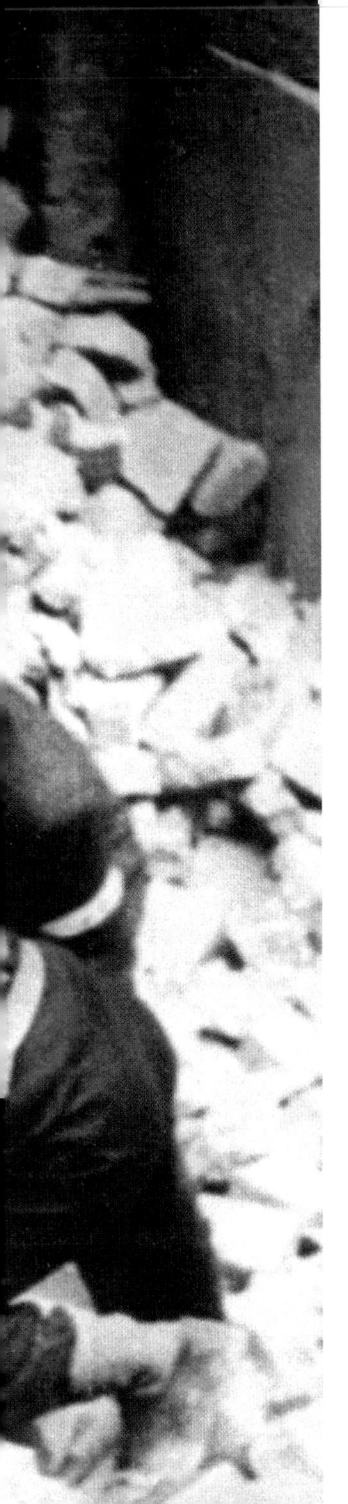

EL ALZAMIENTO DE VARSOVIA 1944

A medida que la guerra avanzaba hacia su conclusión, los aliados acordaron dividir Europa en esferas de influencia. Esto no era aceptable para el pueblo polaco, que quería volver a ser una nación libre y soberana. Para reclamar su independencia, los polacos planearon un alzamiento para liberar su capital antes de la llegada del Ejército Rojo.

Polonia, invadida en septiembre de 1939, fue una de las primeras víctimas de la agresión nazi. El ejército de la nación resistió como pudo, pero la derrota era inevitable aun antes de la invasión soviética desde la otra dirección. No obstante, ese no fue el final de la resistencia polaca. Las fuerzas polacas libres tuvieron un papel importante en la guerra mientras las redes de resistencia del país hacían todo lo que podían para secundar la causa aliada.

DATOS DEL ALZAMIENTO DE VARSOVIA

Quiénes: Más de 40.000 irregulares polacos frente a unos 25.000 efectivos de las fuerzas de ocupación alemanas.

Cómo: El levantamiento se inició el 1 de agosto de 1944 como parte de una rebelión nacional. Estaba previsto que durara solo unos días, hasta que el Ejército Rojo llegara a la ciudad, pero se convirtió en una larga campaña de guerrilla contra los ocupantes.

Dónde: En Varsovia (Polonia).

Cuándo: De agosto a octubre de 1944.

Por qué: Los polacos buscaban restablecer su soberanía nacional después de cuatro años de ocupación alemana.

Resultado: Finalmente el alzamiento fue aplastado con grandes pérdidas para ambos bandos. Se estima que más de 200.000 civiles murieron en los combates, mientras que 700.000 fueron expulsados de la ciudad.

EN AGOSTO DE 1944, voluntarios polacos equipados con cualquier arma que pudieron conseguir arrebataron gran parte de Varsovia a las fuerzas de ocupación alemanas, lo que inició una larga batalla por la ciudad.

HOMBRES DE LA *Brigada Dirlewanger, una formación supuestamente destinada a rehabilitar a los criminales mediante el servicio militar. La carrera de atrocidades de la brigada alcanzó su apogeo durante el alzamiento de Varsovia.*

Cuando la suerte de la guerra cambió y las fuerzas alemanas iniciaron la larga retirada de Rusia, parecía obvio que Polonia sería «liberada» por la Unión Soviética, lo que inevitablemente suponía caer en su esfera de influencia. De hecho, tan pronto como el Ejército Rojo expulsó a los alemanes, se preparó un gobierno prosoviético. A los polacos no les complacía esta perspectiva. Deseaban un Estado libre e independiente, y eso suponía hacer algo más que esperar a que un ejército extranjero se fuera y llegara otro. El plan, conocido como operación Tempest, convocó levantamientos orquestados en varias ciudades y una campaña de ataques en varias regiones del país.

Esperaban que esto expulsase a los ocupantes alemanes antes de la llegada del Ejército Rojo y además ayudara a la causa aliada al distraer la atención de los alemanes. Una vez liberada la capital, miembros del gobierno polaco saldrían de sus refugios y asumirían el control.

Nadie se hacía ilusiones de que no hubiera derramamiento de sangre cuando tuviera lugar el alzamiento, pero los polacos estaban dispuestos a ese sacrificio. Habían luchado durante toda la ocupación, dificultando los esfuerzos alemanes en Rusia hostigando la cadena logística que corría hacia el este.

La mayor organización de resistencia se llamaba *Armia Krajowa* ('ejército nacional'). Tenía más de 400.000 miembros, armados con armas arrojadas por los aliados u obtenidas de los alemanes mediante robos, capturas o en ocasiones compras en el mercado negro. Se encontraron arsenales ocultos durante los últimos días de libertad, ante la evidencia de que sería imposible detener el avance alemán.

Tampoco faltaban combatientes experimentados para la operación. Las fuerzas de resistencia llevaban años realizando este tipo de guerra de guerrillas, aunque a una escala menor. Ahora era su oportunidad de obtener una victoria decisiva.

EL ALZAMIENTO

En julio de 1944, el Ejército Rojo avanzaba sobre Varsovia y parecía obvio que la batalla por la ciudad comenzaría pronto si no se retiraba la guarnición alemana, algo poco probable ya que la ciudad era un importante centro logístico y de transporte, además de tener relevancia política.

Se hicieron planes para usar mano de obra polaca para construir fortificaciones en torno a la ciudad y se ordenó a los hombres que se presentaran para los trabajos. La población, que sospechaba de los motivos de esta orden, rechazó en su mayoría obedecerla, lo que aumentó aún más la tensión entre la población y los ocupantes y obligó a los líderes del ejército nacional a adelantar sus planes. Se dio la orden de iniciar el levantamiento el 1 de agosto de 1944.

El ejército nacional tenía unos 45.000 miembros en Varsovia en el momento del alzamiento, al mando del general Antoni Chrusciel (1895-1960). Aproximadamente la mitad de estos hombres estaban equipados para el combate, aunque fue necesario conseguir armas para muchos de ellos justo antes del inicio del levantamiento.

ARRIBA: LOS LANZALLAMAS FUERON MUY EFICACES *en los combates urbanos* *or Varsovia. Su uso era aceptable para un régimen al que no le importaba* *añar la ciudad. De hecho, gran parte fue deliberadamente destruida.*

Organizar una operación a tan gran escala era complicado, specialmente en una ciudad bajo control enemigo, y fue nposible ocultar a los ocupantes que algo se tramaba. La uarnición y las fuerzas de seguridad internas, que incluían a niembros de las SS y la policía secreta, fueron avisadas y udieron prepararse en cierta medida. El plan original tenía revisto dar los primeros golpes de noche y por sorpresa, pero l ejército nacional tuvo que atacar a tropas alertadas y a lena luz del día. El éxito fue diverso: en algunas zonas los bjetivos fueron arrollados con rapidez, mientras que en tras los atacantes fueron recibidos por un intenso fuego de metralladoras y armas cortas y repelidos.

Había unos 11.000 soldados alemanes en la ciudad, al nando del teniente general Reiner Stahel. Alrededor de a mitad eran regulares; el resto pertenecían en su mayoría la *Luftwaffe*. También había más de 5.000 miembros de las S en la zona, al mando del coronel Paul Giebel. La colaboración entre estas unidades fue en ocasiones dispar y no hubo na estrategia coherente para enfrentarse al alzamiento.

El resultado fue una situación confusa, con grupos de mbos bandos aislados de sus aliados por territorio bajo ontrol enemigo. Se levantaron barricadas, se consolidó el

DERECHA: HITLER SE INTERESÓ *personalmente por la batalla de Varsovia, asignó* *randes recursos y aprobó las duras medidas usadas para aplacar la insurgencia.*

ARRIBA: UN OFICIAL ALEMÁN dirige a sus hombres durante la lucha callejera en Varsovia. En este tipo de combate en espacios confinados, el liderazgo subalterno tenía gran importancia; el mando superior no podía reaccionar con presteza.

control de las zonas capturadas y gradualmente los insurgentes fueron tomando el control de la ciudad. El 4 de agosto, la mayor parte de Varsovia estaba bajo control polaco. Solo hacía falta esperar a que llegara el Ejército Rojo.

EL CONTRAATAQUE ALEMÁN

Mientras los polacos alcanzaban el apogeo del alzamiento, empezó a desplegarse una respuesta organizada. Llegaron refuerzos alemanes y todas las fuerzas se pusieron bajo el mando de un mismo comandante, el general Erich von dem Bach (1899-1972), un oficial de las SS que hizo planes para retomar la ciudad.

Una vanguardia de tropas de combate entró en la ciudad y estableció una línea detrás de la cual las calles estaban bajo firme control alemán. Aquí las SS y la Gestapo tenían libertad de acción, y no intentaron fingir justicia ni justificación: hacían redadas de civiles tras la línea alemana y los fusilaban.

La masacre buscaba socavar la voluntad de la población y poner fin a la insurgencia sin tener que perseguir a los polacos casa por casa. En esto fracasó. La resistencia ganó determinación, en parte por rabia y en parte por la sensación de que rendirse equivalía a una condena a muerte.

Cuando estuvo claro que la represión no era la solución, se usó un enfoque distinto. En vez de ejecutar a los miembros de la resistencia capturados, se les condeció el estatus de prisioneros de guerra y se les trató con equidad con la esperanza de que pareciera que la rendición valía la pena. Esto tampoco surtió efecto.

COMBATES A PIE DE CALLE

El levantamiento se había diseñado como una campaña breve que terminaría cuando el Ejército Rojo llegara a los límites de la ciudad. Sin embargo, el Ejército Rojo se mantuvo inactivo, súbitamente sin capacidad o tal vez sin voluntad de avanzar, de modo que los polacos tuvieron que seguir luchando.

La llegada de tanques el 7 de agosto no alteró demasiado el equilibrio. Los insurgentes habían preparado obstáculos y barricadas y, aunque se perdió algo de terreno, la situación se estabilizó de nuevo el 9 de agosto. La lucha alcanzó su clímax entre el 9 y el 18 de agosto, con combates urbanos a gran escala en extensas zonas de la ciudad.

El 2 de septiembre, las tornas habían cambiado. Bajo ataques aéreos y bombardeados por una artillería lejana a la que no podían responder, los polacos se vieron forzados a escapar del casco antiguo usando las cloacas para evitar ser descubiertos. La lucha continuó en otra parte y las fuerzas alemanas se abrieron paso por la ciudad de un modo no muy distinto del infierno urbano de Stalingrado.

SE ACERCAN LOS RUSOS

A mediados de septiembre, las avanzadillas del Ejército Rojo estaban casi en el Vístula y obligaban a los alemanes a retroceder de nuevo. Aunque las fuerzas soviéticas no parecían dispuestas a ayudar a los insurgentes, unidades del ejército polaco libre que luchaban con ellos entraron en la ciudad y se unieron a sus compatriotas. Sin embargo, sus compañeros de armas soviéticos no les prestaron ningún apoyo y sufrieron una deplorable derrota.

IZQUIERDA: EL EJÉRCITO ROJO tenía importantes fuerzas cerca y tal vez pudiera haber acudido en ayuda de los insurgentes, pero no lo hizo. En vez de ello, armas como este cañón Su-152 autopropulsado quedaron inmóviles durante la batalla.

El líder del ejército polaco libre, el general Zygmunt Berling (1896-1980), fue relevado del mando por sus aliados soviéticos y el resto del ejército ruso se detuvo cerca de Varsovia. Había razones tácticas: los soviéticos estaban ocupados enfrentándose a grupos de blindados, pero había más.

Aunque los rusos habían propiciado el levantamiento polaco, Stalin no deseaba que tuviera éxito. Quería que Polonia estuviera bajo control soviético y no que fuera independiente, y los insurgentes se habían alzado en nombre del gobierno prooccidental exiliado en Londres. Al esperar a que el levantamiento fuera aplastado y avanzar después, se aseguró de que Polonia cayera bajo el control de Moscú.

ESTOS INSURGENTES POLACOS heridos fueron capturados al final del alzamiento y es posible que fueran tratados como prisioneros de guerra. Al principio, simplemente se fusilaba a los prisioneros capturados.

UNA CIUDAD DESTRUIDA

Una cuarta parte de Varsovia fue destruida en el combate que siguió al levantamiento. Después de la rendición polaca, la población fue expulsada y se intentó quemar o demoler lo que quedaba de la ciudad. De hecho, el 85 % de Varsovia fue destruido de este modo, con énfasis en edificios culturales, como iglesias, escuelas y la universidad.

La ciudad fue reconstruida después de la guerra y se dedicaron notables esfuerzos a recrear el centro histórico, que es ahora Patrimonio de la Humanidad. En 2004, se celebró una ceremonia para conmemorar el 50.º aniversario del alzamiento, aunque se sugirió a la delegación rusa que la observara desde la orilla opuesta del Vístula.

Stalin también se negó a permitir a los aliados occidentales utilizar las bases aéreas soviéticas para enviar suministros a los insurgentes. Se hicieron algunos envíos, pero debían despegar de bases lejanas y no fueron eficaces. A veces las tropas soviéticas abrían fuego contra los aviones aliados en misión de abastecimiento, aunque finalmente se permitió una. Pero ya era demasiado tarde: los insurgentes habían sido aplastados hasta el punto de que ya no pudieron resistir más.

El 2 de octubre de 1944, el general Tadeusz Bor-Komorowski (1895-1966), el superior de Chrusciel en el ejército nacional, rindió lo que quedaba de las fuerzas de Varsovia después de recibir la promesa de que los insurgentes serían tratados como combatientes regulares según las convenciones en vigor. La población civil tampoco sufriría represalias.

LA DESTRUCCIÓN DE VARSOVIA

Algunos insurgentes no se entregaron y se mezclaron con la población. De los que se rindieron, algunos fueron tratados como prisioneros de guerra y enviados a campos de concentración en Alemania. Del resto, algunos fueron a campos de concentración, otros a proyectos de trabajo y la mayoría fueron liberados y se dispersaron. Nadie pudo quedarse en la ciudad. La ciudad fue destruida sistemáticamente. Algunas casas se libraron, pero todos los edificios públicos o históricos fueron destruidos. El Ejército Rojo entró en Varsovia a mediados de enero de 1945, cuando poco quedaba ya de la ciudad.

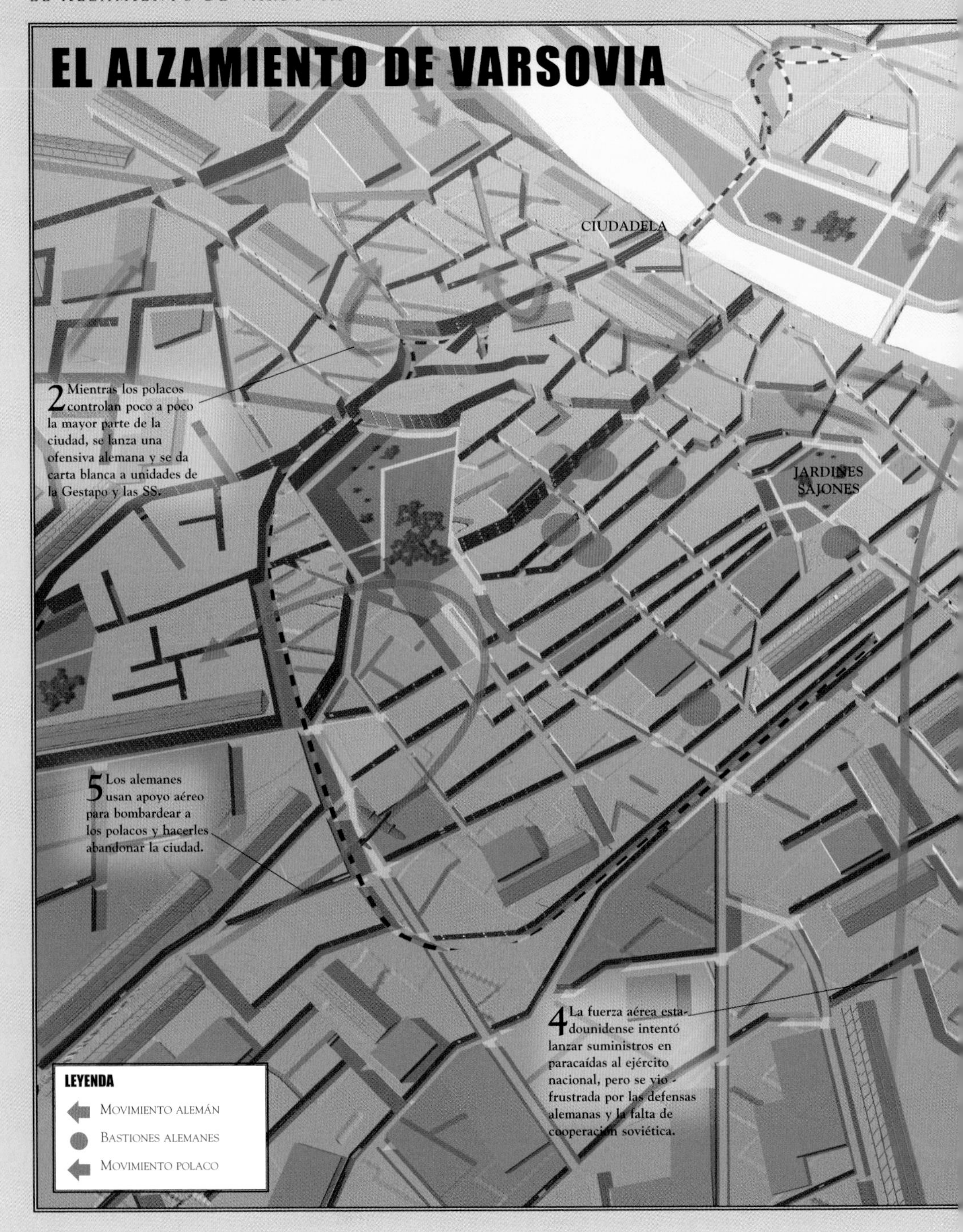
EL ALZAMIENTO DE VARSOVIA
CIUDADELA
JARDINES SAJONES
2 Mientras los polacos controlan poco a poco la mayor parte de la ciudad, se lanza una ofensiva alemana y se da carta blanca a unidades de la Gestapo y las SS.
5 Los alemanes usan apoyo aéreo para bombardear a los polacos y hacerles abandonar la ciudad.
4 La fuerza aérea estadounidense intentó lanzar suministros en paracaídas al ejército nacional, pero se vio frustrada por las defensas alemanas y la falta de cooperación soviética.
LEYENDA
Movimiento alemán
Bastiones alemanes
Movimiento polaco

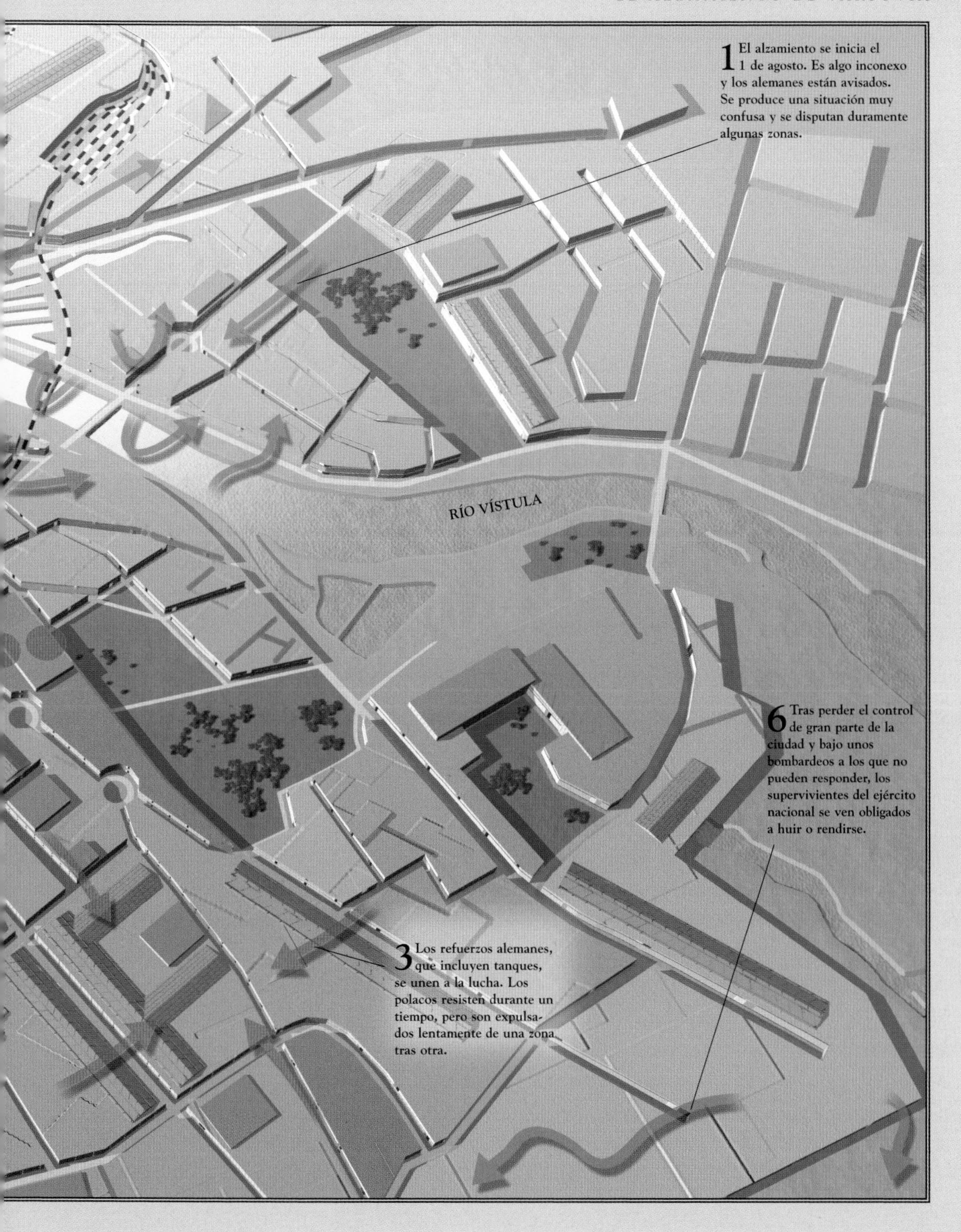
1 El alzamiento se inicia el 1 de agosto. Es algo inconexo y los alemanes están avisados. Se produce una situación muy confusa y se disputan duramente algunas zonas.
RÍO VÍSTULA
6 Tras perder el control de gran parte de la ciudad y bajo unos bombardeos a los que no pueden responder, los supervivientes del ejército nacional se ven obligados a huir o rendirse.
3 Los refuerzos alemanes, que incluyen tanques, se unen a la lucha. Los polacos resisten durante un tiempo, pero son expulsados lentamente de una zona tras otra.

OPERACIÓN MARKET GARDEN 1944

Las operaciones Market y Garden son mitades complementarias de un osado plan para tomar puentes estratégicos con tropas aerotransportadas para después desplegar fuerzas terrestres alrededor. Si hubiera tenido éxito, Market Garden habría acortado la guerra en un año.

La línea Siegfried o Westwall era una cadena de fortificaciones construidas antes de la guerra. Era una zona bien defendida con campos de minas, casamatas, búnkeres y obstáculos antitanque, todos ellos cubiertos por artillería en puestos protegidos. En estas posiciones, incluso tropas de tercera línea podían infligir graves bajas.

En verano de 1944, era evidente que si los aliados se veían obligados a asaltar la línea Siegfried, sufrirían grandes bajas. La otra posibilidad, el ataque al bien defendido Ruhr, sería igual de costosa. Entonces los aliados buscaron una alternativa y encontraron algo que, con suerte y audacia, sería viable.

DATOS DE LA OPERACIÓN MARKET GARDEN

Quiénes: Fuerzas aerotransportadas y terrestres aliadas, como la 1.ª División Aerotransportada británica y la brigada polaca, frente a unidades blindadas y de infantería alemanas.

Cómo: Aunque al principio el avance tuvo éxito, la resistencia alemana fue más dura de lo esperado.

Dónde: En los Países Bajos, cerca de la ciudad de Arnhem, en el río Rin.

Cuándo: Del 17 al 25 de septiembre de 1944.

Por qué: Los aliados querían cruzar el Rin con rapidez, esquivando las defensas alemanas y atrapando un gran número de fuerzas alemanas en los Países Bajos.

Resultado: La operación fue un fracaso y prolongó la operación en el noroeste de Europa al menos en varios meses.

PARACAIDISTAS E INFANTERÍA transportada en planeador aterrizan en Arnhem. Llevar tropas en un planeador exigía menos entrenamiento que formar paracaidistas, aunque apenas era menos peligroso. Además, las tropas en planeador eran menos propensas a quedar dispersadas.

PARACAIDISTAS BRITÁNICOS CAMINO de Arnhem. Llegar al suelo ya era un asunto peligroso. Las bajas en el salto debidas al fuego enemigo o a un mal aterrizaje eran inevitables en cualquier operación.

El plan era relativamente sencillo. Atacando por sorpresa, los aliados tomarían puentes estratégicos en los ríos Maas, Waal y el bajo Rin, lo cual les permitiría establecer una cabeza de puente por detrás de la principal zona defendida del enemigo y los obstáculos naturales más formidables. El único problema era que tal vez podría tomarse el primer puente con un golpe de mano, quizá mediante blindados ligeros, pero cuando la fuerza de asalto cruzara y llegara al siguiente puente, podrían encontrarlo volado o bien defendido.

La solución fue capturar todos los puentes al mismo tiempo con paracaidistas e infantería transportada en planeador que defenderían el objetivo hasta que los relevase la vanguardia blindada. El componente aerotransportado recibió el nombre en código de Market y el avance blindado se denominó Garden, pero ninguno tenía sentido sin el otro. Era el conjunto, la operación Market Garden, lo que importaba. Era un plan intrépido, tal vez demasiado. Un oficial aliado pensó que los aliados se excedían y afirmó: «Creo que estamos yendo demasiado lejos». Pero era todo o nada, pues de nada servía capturar solo algunos puentes. Market Garden tenía que triunfar por completo o fracasar.

La mayor amenaza para la operación no fue el enemigo, sino una planificación deficiente. Quizá por la complacencia que siguió a los desembarcos de Normandía, se dio mucho por sentado. Así, las operaciones de reabastecimiento fueron irregulares y falló la colaboración entre las unidades, a veces por problemas con las radios, pero otras debido a la falta de buenos procedimientos de comunicaciones.

MOVIMIENTOS INICIALES

La operación se inició con el aterrizaje de paracaidistas de unidades británicas, americanas y polacas. El temor de la RAF a las defensas aéreas de la región de Arnhem hizo lanzar a los paracaidistas a cierta distancia de sus objetivos, lo que les obligó a una marcha forzada y dio al enemigo tiempo para reaccionar ante la amenaza.

Esto no hubiera sido demasiado grave de no ser por dos hechos. Primero, el II Cuerpo Panzer SS estaba en la zona, cobrando fuerzas después de ser vapuleados en Normandía.

Era una unidad experimentada y bien equipada que conservaba su espíritu ofensivo. Segundo, el mariscal de campo Walter Model (1891-1945) estaba en las inmediaciones. Model se había ganado una merecida reputación como excelente mando del frente oriental, donde evadió la derrota una y otra vez reuniendo un grupo de combate de donde pudo e improvisando un brillante plan de batalla. Ahora, esa experiencia cobró gran relevancia.

Model dio órdenes de impedir que los paracaidistas alcanzaran sus objetivos. Después, regresó a su cuartel y comenzó a organizar una respuesta para la situación general. Sabía que los blindados aliados avanzaban hacia él y que los paracaidistas habían aterrizado en su ruta prevista. No era difícil imaginar lo que se proponían los aliados.

La rápida respuesta de Model supuso que muy pocos de los paracaidistas encargados de tomar los puentes de Arnhem alcanzaran la ciudad. Elementos del 2.º Batallón, el regimiento de paracaidistas al mando del teniente coronel John Frost (1912-1993), junto a un surtido de tropas recogidas por el camino, llegaron al extremo norte del puente y se mantuvieron allí, pero ese fue el límite del éxito de los paracaidistas. Model asignó parte de su fuerza para contener a los paracaidistas y comenzó a reunir todo lo que pudo para detener el ataque blindado que se aproximaba.

EL AVANCE ALIADO

Aunque algunas de las tropas aerotransportadas seguían en Inglaterra sin poder despegar a causa de la niebla, el avance prosiguió. Había varios cursos de agua menores que cruzar y se hicieron planes para tender puentes provisionales en caso necesario, pero los aliados conseguirían derrotar a los defensores y controlar los puentes permanentes.

No obstante, hubo dos cursos que no pudieron salvarse: en Nijmegen y Arnhem los aliados tenían que cruzar afluentes del Rin. Era imposible que los ingenieros militares crearan un paso temporal para ríos tan anchos. Era necesario tomar los puentes y eso suponía alcanzarlos mientras aún estaban bajo el control de los paracaidistas.

ARRIBA: AUNQUE LOS PARACAIDISTAS saltaban en rápida sucesión, un grupo podía quedar separado si hacía mucho viento. El inicio de las operaciones paracaidistas siempre era confuso, con efectivos extraviados intentado reagruparse después.

ABAJO: EL SDKFZ 251/22 montaba un cañón antitanque pesado sobre un probado chasis semioruga. Estos vehículos tuvieron eficacia como destructores móviles de tanques usados por las tropas SS que luchaban en Arnhem.

A pesar de ello, el asalto terrestre se había retrasado a la espera de la confirmación de que la operación aérea había tenido éxito. En consecuencia, se recrudeció la resistencia en las carreteras hacia los puentes y el avance no progresó al ritmo previsto. La noche los obligó a detenerse y cuando la vanguardia blindada llegó a Nijmegen, se había organizado la defensa. Los intentos de romperla fueron recibidos con fuego de cañones antitanque de 88 mm y repelidos.

El plan original establecía que todos los puentes estuvieran en manos aliadas en 48 horas, pero a esas alturas las fuerzas terrestres seguían tratando de llegar al puente de Nijmegen y las fuerzas aerotransportadas realizaban acciones dispersas y esporádicas en el campo. Algunas tuvieron éxito y más paracaidistas llegaron a Arnhem, pero la probabilidad global de éxito disminuía con rapidez.

Los paracaidistas de Frost seguían aferrados al extremo del puente de Arnhem e impedían que el enemigo lo utilizara, pero estaban bajo la feroz presión de tanques y artillería. Los aliados tenían que cruzar el Waal en Nijmegen y empezar a hacer progresos antes de que fuera demasiado tarde.

La solución fue osada y agresiva: tropas estadounidenses asaltarían cruzando en pequeñas lanchas y lanzándose sobre el extremo opuesto del puente. Mientras el ataque distraía a los defensores, los blindados cruzarían a toda velocidad.

ARRIBA: EL PUENTE VIARIO de Arnhem. Aunque los paracaidistas no lograron tomar todo el puente, mantuvieron un extremo el tiempo suficiente como para impedir que se usara para un contraataque alemán.

ABAJO: UN KAMPFGRUPPE DE infantería alemana avanza. En una situación tan confusa, un ataque podía provenir de cualquier lugar y no siempre era posible saber si un contacto era un par de paracaidistas perdidos o una gran fuerza.

El paso era extremadamente difícil incluso sin el intenso fuego enemigo procedente de la orilla. Faltaban muchos remos en las lanchas, así que los soldados usaron sus cascos y las culatas de los rifles para cruzar lentamente el ancho río. Aun con el apoyo de los cañones de tanques y aviones, muchas lanchas fueron alcanzadas, pero los paracaidistas lograron cruzar y lanzar un ataque en la otra orilla.

Mientras las tripulaciones de las lanchas de asalto regresaban para recoger más paracaidistas, los que lograron cruzar se lanzaron sobre los defensores y los expulsaron de la orilla. En una acción muy confusa, donde la agresión contaba más que cualquier otra cosa, las fuerzas blindadas arremetieron contra los puentes desde un extremo mientras los paracaidistas atacaban el otro.

Durante el avance, el comandante alemán intentó detonar las cargas de demolición colocadas previamente, pero no funcionaron. Las explicación más probable es que un miembro de la resistencia holandesa cortara los cables durante el combate. Cuando el puente estuvo bajo control, las fuerzas blindadas pudieron cruzarlo.

Los aliados habían logrado cruzar el Waal y estaban a solo 18 km de donde Frost y sus paracaidistas mantenían un extremo del puente de Arnhem. Un avance rápido habría sido lo indicado, pero la fuerza aliada estaba cansada y desorganizada. No era posible reunir una fuerza suficiente para avanzar y lograr algo en Arnhem.

ARRIBA: LOS MORTEROS DE MANO *eran la única artillería de la que disponían los paracaidistas. Eran eficaces en combates urbanos de corto alcance, pero la munición se limitaba a lo que podían llevar encima.*

DEMASIADO LEJOS

La situación seguía siendo fluida, con fuerzas alemanas avanzando desde los flancos y en ocasiones cortando la línea de comunicaciones aliada. Las fuerzas de Model en Arnhem cobraban fuerza y Frost había sido al fin superado.

Estaba claro que era poco probable que un asalto tuviera éxito. Lo que era peor, Model había conseguido cruzar el río con algunos *panzer* (usando una ruta alternativa, ya que los paracaidistas de Frost le impidieron usar el puente hasta que fue tarde) y avanzaba por la carretera hacia Nijmegen.

Un ataque de blindados aliados en la carretera de Arnhem no tuvo éxito y los ataques en otros ejes encontraron gran resistencia. La operación había fracasado y era el momento de salvar todo lo que se pudiera. Tantos paracaidistas como fue posible cruzaron el río en lanchas de asalto durante la noche del 25 al 26 de septiembre.

SECUELAS

No se había logrado el objetivo de cruzar el Rin con rapidez y sin combatir con férreas defensas. Una combinación de infortunio, mala planificación y la determinación del enemigo impidió que prosperara la operación. En consecuencia, los aliados tuvieron que abrirse paso «por la puerta principal» y asumir grandes pérdidas por el camino. Los daños sufridos en el territorio aún ocupado causados por los meses adicionales de guerra también fueron considerables.

ARRIBA: UNAS BUENAS TÁCTICAS *y cobertura aumentaban las posibilidades, pero también podía estarse en el lugar equivocado en el momento equivocado. Este soldado alemán pudo cometer un error o simplemente tener mala suerte*

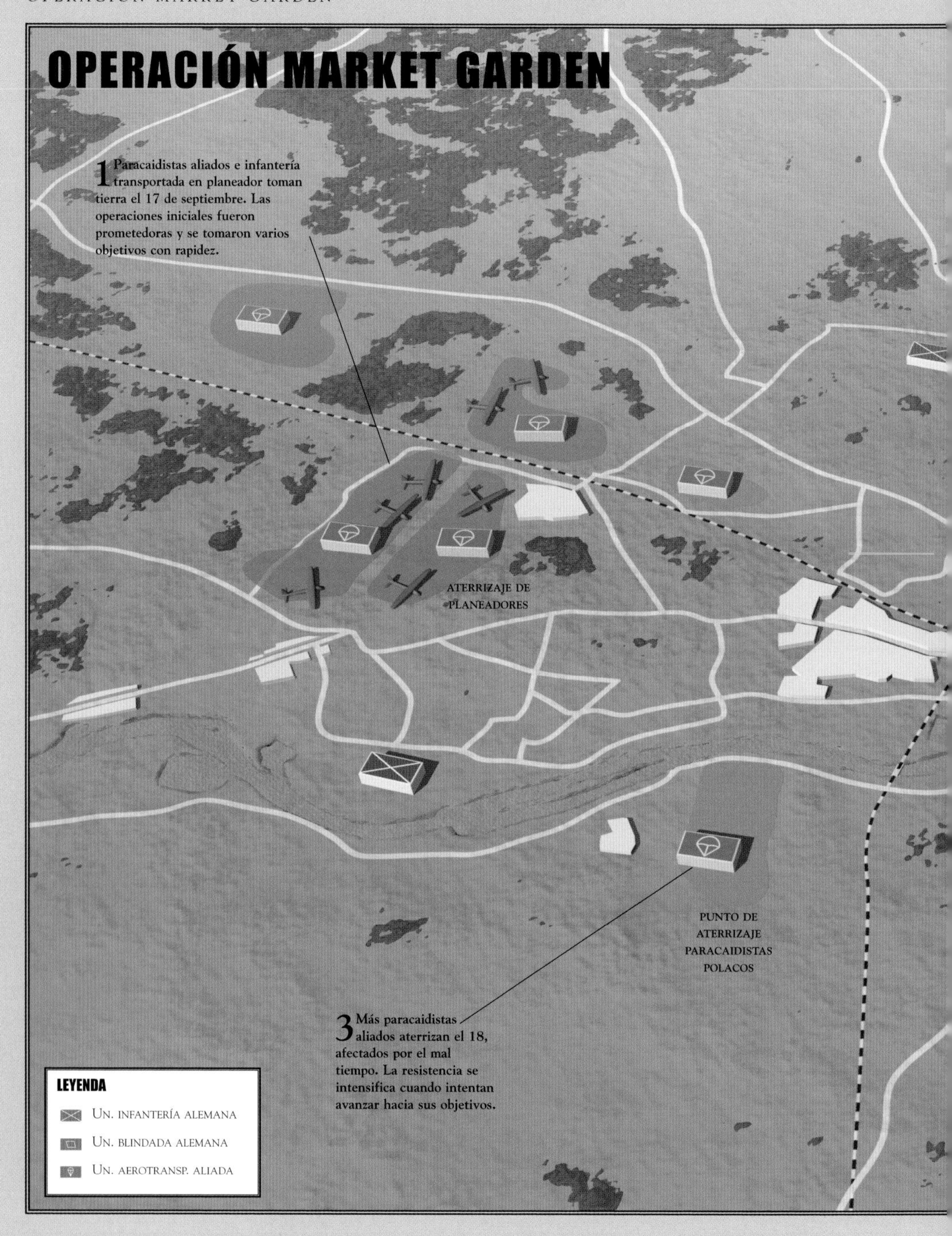
OPERACIÓN MARKET GARDEN
1 Paracaidistas aliados e infantería transportada en planeador toman tierra el 17 de septiembre. Las operaciones iniciales fueron prometedoras y se tomaron varios objetivos con rapidez.
ATERRIZAJE DE PLANEADORES
PUNTO DE ATERRIZAJE PARACAIDISTAS POLACOS
3 Más paracaidistas aliados aterrizan el 18, afectados por el mal tiempo. La resistencia se intensifica cuando intentan avanzar hacia sus objetivos.
LEYENDA
Un. infantería alemana
Un. blindada alemana
Un. aerotransp. aliada

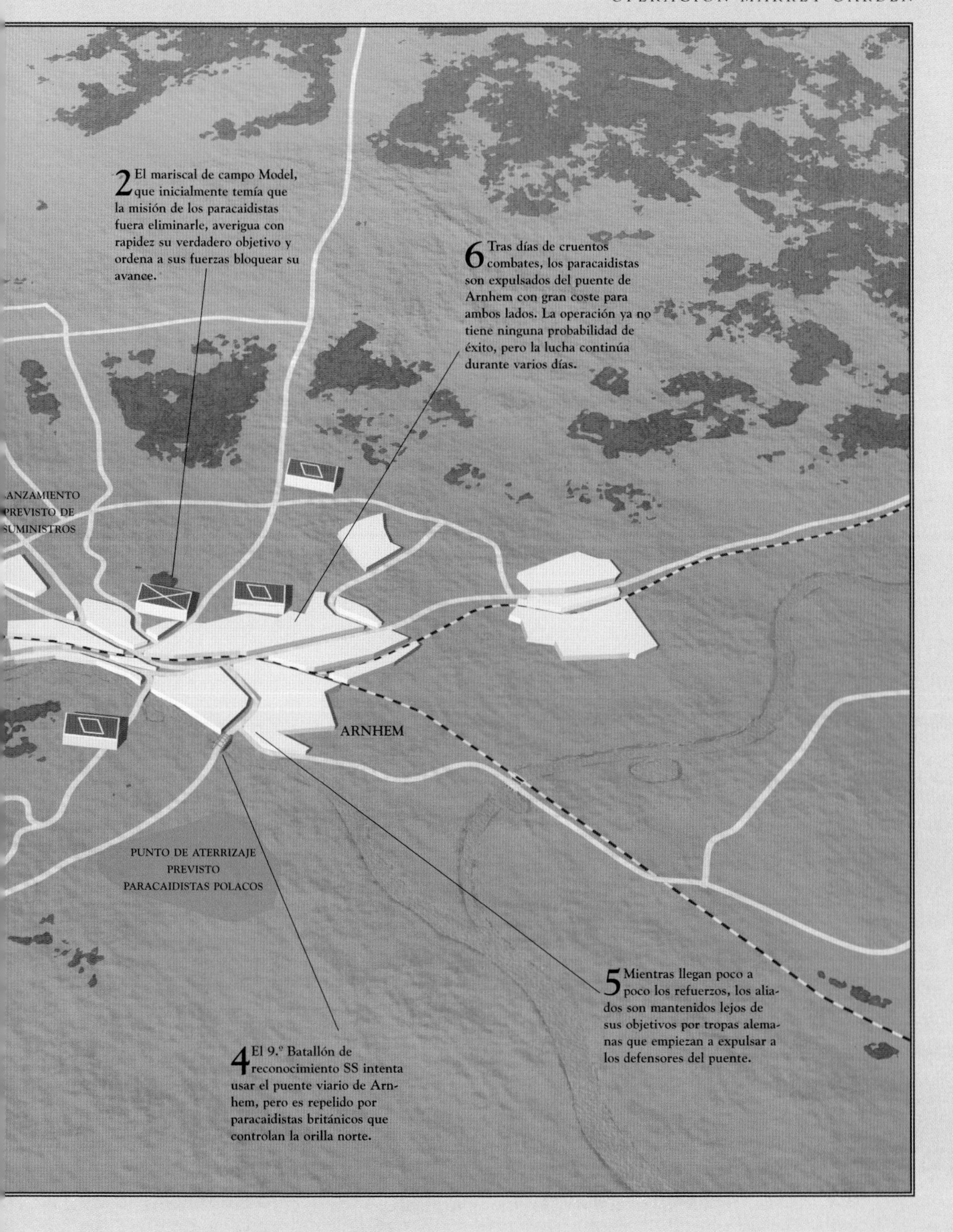
2 El mariscal de campo Model, que inicialmente temía que la misión de los paracaidistas fuera eliminarle, averigua con rapidez su verdadero objetivo y ordena a sus fuerzas bloquear su avance.
6 Tras días de cruentos combates, los paracaidistas son expulsados del puente de Arnhem con gran coste para ambos lados. La operación ya no tiene ninguna probabilidad de éxito, pero la lucha continúa durante varios días.
ANZAMIENTO PREVISTO DE SUMINISTROS
ARNHEM
PUNTO DE ATERRIZAJE PREVISTO PARACAIDISTAS POLACOS
5 Mientras llegan poco a poco los refuerzos, los aliados son mantenidos lejos de sus objetivos por tropas alemanas que empiezan a expulsar a los defensores del puente.
4 El 9.º Batallón de reconocimiento SS intenta usar el puente viario de Arnhem, pero es repelido por paracaidistas británicos que controlan la orilla norte.

LA BATALLA DE LAS ÁRDENAS 1944-1945

A las 05.30 h del 16 de diciembre de 1944, el estruendo de cientos de cañones alemanes rompió el silencio de las Árdenas, un sector relativamente tranquilo de las líneas aliadas en la frontera alemana. Fue el comienzo de la operación Wacht am Rhein *('vigilancia sobre el Rin'), la última apuesta de Adolf Hitler en el frente occidental.*

El objetivo del *Führer* consistía en abrir una brecha entre los grupos de ejército aliados 12.º y 21.º con un rápido asalto blindado que cruzaría el río Mosa y se dirigiría hacia la vital ciudad portuaria belga de Amberes. Hitler también esperaba mover después a sus fuerzas para enfrentarse a la inminente ofensiva en el este, donde el Ejército Rojo soviético estaba a punto de cruzar el río Vístula y

DATOS DE LA BATALLA DE LAS ÁRDENAS

Quiénes: Fuerzas alemanas al mando del *Führer* Adolf Hitler (1889-1945) y sus generales ante fuerzas aliadas al mando del general Dwight Eisenhower (1890-1969).

Cómo: Hitler esperaba dividir los grupos de combate aliados en el oeste, llegar al puerto de Amberes y cambiar el curso de la guerra.

Dónde: En las líneas del frente en Bélgica, Francia y Luxemburgo.

Cuándo: Del 16 de diciembre de 1944 al 15 de enero de 1945.

Por qué: Hitler pretendía dividir a los aliados occidentales y ganar tiempo para enfrentarse a la inminente ofensiva soviética en el río Vístula al este.

Resultado: La batalla terminó en una derrota desastrosa para la Alemania nazi. Menos de cuatro meses después, la Segunda Guerra Mundial había concluido en Europa.

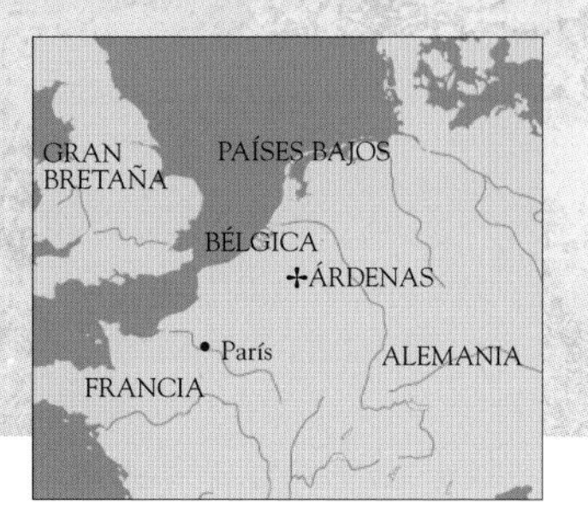

Detenidos temporalmente en una carretera helada en Bélgica, los tanques alemanes Panzer V Panther encabezaron la ofensiva alemana en las Ardenas. El Panther, armado con un imponente cañón, fue uno de los mejores tanques de la Segunda Guerra Mundial.

ARRIBA: CAPTURADOS EN LA FASE *inicial de la batalla de las Árdenas, prisioneros estadounidenses son dirigidos por sus captores alemanes hacia un destino incierto. Los soldados de las SS cometieron grandes atrocidades.*

adentrarse en el corazón de Alemania. Hitler prescindió del mariscal de campo Gerd von Rundstedt (1875-1953), su comandante en el oeste, y ordenó a tres ejércitos, el 6.º Panzer al mando del general de las SS Josef *Sepp* Dietrich (1892-1966) al norte, el 5.º Panzer mandado por el general Hasso von Manteuffel (1897-1978) en el centro y el 7.º Ejército comandado por el general Erich Brandenberger (1892-1955) al sur, avanzar en un frente de 97 km desde Monschau (Alemania) hasta la ciudad de Echternach, en Luxemburgo.

SE DESATA LA TORMENTA

Hitler llevaba meses meditando su plan. Finalmente, con 275.000 soldados, cientos de tanques y casi 2.000 piezas de artillería, lanzó un ataque contra un sector de la línea que los comandantes aliados consideraban prácticamente inactivo. Se hizo caso omiso de los signos de aviso de una ofensiva inminente y, cuando los alemanes lanzaron su ataque, numerosas unidades estadounidenses fueron tomadas por sorpresa. No obstante, se formaron puntos de resistencia a lo largo de la cresta de Elsenborn, sobre todo tropas de la 99.ª División.

Estos decididos esfuerzos frenaron a Dietrich hasta que un movimiento de tropas al sur flanqueó algunas posiciones defensivas a lo largo de Schnee Eifel, un grupo de aldeas y colinas boscosas frente a los altos. Miles de soldados estadounidenses fueron hechos prisioneros. Las inexpertas tropas de la 106.ª División de Infantería se encontraron aisladas en Schnee Eifel, y el 19 de diciembre dos regimientos enteros se rindieron, pero los estadounidenses de la cresta de Elsenborn se mantuvieron firmes.

La vanguardia blindada de Dietrich, al mando del coronel de las SS Joachim Peiper (1915-1976), luchó tenazmente por varios puentes importantes sobre el Mosa y otros cursos fluviales, que permitirían cruzarlos con rapidez. Pero los alemanes fueron detenidos por grupos de ingenieros militares estadounidenses, uno de los cuales inutilizó el tanque de cabeza de Peiper y bloqueó el acceso a un puente sobre el río Amblève en la ciudad de Stavelot. Los ingenieros volaron otros puentes prácticamente en las narices de los alemanes. Furioso por los retrasos, Peiper andaba además escaso de combustible. Su fuerza, con un número inicial de 4.000 efectivos, fue finalmente rodeada y solo consiguieron escapar unos 800. Peiper y su unidad se labraron una eterna infamia en el

ABAJO: EL TANQUE TIGER *II o King Tiger combinaba un cañón de 88 mm de alta velocidad y un blindaje inclinado en un arma de combate formidable. Las líneas horizontales del revestimiento antiminas zimmerit son apenas visibles.*

DERECHA: SOLDADOS DE LA KAMPFGRUPPE DEL CORONEL PEIPER *en la carretera hacia Malmédy. En el fondo se aprecia un vehículo de transporte de personal semioruga SdKfz 251.*

combate, que pasaría a ser conocida como la batalla del saliente. Una de sus unidades fue culpable de asesinar a 85 americanos capturados en un campo cerca de Malmedy en una de las atrocidades más conocidas de la Segunda Guerra Mundial.

Mientras tropas aliadas controlaban la cresta de Elsenborn, empezó a formarse el promontorio norte del gran saliente. El asalto de Brandenberg chocó con las veteranas divisiones 9.ª Blindada y 4.ª de Infantería del ejército estadounidense y apenas hicieron progresos a lo largo del borde sur de la ofensiva. En el centro, los tanques de Manteuffel estuvieron a punto de llegar al Mosa cerca de Dinant, a unos 80 km de su línea inicial. La heroica resistencia de elementos de la 7.ª División Blindada estadounidense retrasó seis días a los alemanes en St Vith, que no cayó hasta el 23 de diciembre. El mariscal de campo británico Bernard Montgomery (1887-1976), que asumió el mando de las fuerzas al norte del saliente, utilizó este tiempo para consolidar sus defensas.

ABAJO: MIENTRAS EMPIEZAN A CAMBIAR LAS TORNAS *de la batalla de las Árdenas a finales de diciembre de 1944, soldados estadounidenses avanzan entre edificios abandonados y cubiertos de nieve hacia posiciones alemanas.*

101.ª DIVISIÓN AEROTRANSPORTADA

Los paracaidistas de la 101.ª División Aerotransportada, activados en 1942, habían saltado sobre Normandía en la operación Overlord y en Holanda en la operación Market Garden; pero su prueba de fuego en la guerra pudo ser la defensa del importante cruce viario de la ciudad belga de Bastogne durante la batalla de las Árdenas. Mientras blindados e infantería alemanes avanzaban hacia ellos, la 101.ª se mantuvo firme y retrasó mucho el avance enemigo. Negándose a rendirse, los *Screaming Eagles* fueron liberados por elementos de la 4.ª División Blindada, la vanguardia del 3.ᵉʳ Ejército, liderado por el general George S. Patton, Jr.

¡AL CUERNO!

Al sudoeste de St Vith, la ciudad belga de Bastogne resultó crucial para el resultado de la batalla de las Árdenas. El control estadounidense de Bastogne impediría a los alemanes utilizar un núcleo viario clave y ralentizaría considerablemente su avance. El 17 de diciembre, la vanguardia de las fuerzas de Manteuffel llegó a las afueras de la ciudad. Los alemanes, incapaces de tomarla al asalto, rodearon Bastogne, defendida por la 101.ª División Aerotransportada y elementos de otras unidades.

Los paracaidistas rodeados se defendieron con uñas y dientes, pero, cuando potentes fuerzas alemanas apretaron el cerco el 22 de diciembre, fueron invitados a rendirse. El oficial estadounidense de mayor grado en la ciudad asediada era el general mayor Anthony McAuliffe (1897-1983), y su famosa respuesta al ultimátum alemán fue «¡Al cuerno!».

Aunque estaba en una situación desesperada, McAuliffe tenía motivos de esperanza. El mal tiempo, que beneficiaba a los alemanes, había empezado a despejarse el día anterior y permitió el lanzamiento de suministros. Además, el relevo de los asediados defensores de Bastogne ya estaba en camino.

UNA VEZ ABIERTAS las barricadas, tropas americanas avanzan por un pueblo en Bélgica con señales de intensos combates a finales de diciembre de 1944.

Izquierda: Un P-47 Thunderbolt lanza un ataque terrestre contra objetivos en los Países Bajos a finales de 1944. La absoluta superioridad aérea aliada desempeñó un papel crucial para garantizar la derrota final de la ofensiva de las Árdenas. Aviones de ataque a tierra como el P-47 castigaban a las columnas alemanas sin temor a la intromisión de la Luftwaffe.

PATTON GIRA SOBRE SUS TALONES

El 20 de diciembre, siguiendo órdenes del comandante aliado supremo, el general Dwight Eisenhower (1890-1969), elementos del 3.er Ejército del general George Patton (1885-1945) desistieron de su ofensiva en el Saar, giraron 90° hacia el norte y empezaron a avanzar hacia la ciudad rodeada, que aparecía en los mapas como una isla americana en un mar de tanques y tropas alemanas. Sin apenas parar a comer ni descansar, los hombres del 3.er Ejército penetraron en el perímetro alemán. La vanguardia de Patton, la 4.ª División Blindada, enlazó con la 101.ª Aerotransportada el día después de la Navidad.

La liberación de Bastogne marcó el destino de la ofensiva alemana, mientras los heroicos esfuerzos defensivos en la cresta de Elsenborn, St Vith y otros puntos contuvieron el avance alemán durante una semana. Pronto el gran saliente tomó el aspecto de un gigante movimiento en pinza aliado en vez de una tremenda amenaza alemana. A medida que 1944 se apagaba, se desvanecía el sueño de Hitler de una victoria definitiva en el oeste. El 15 de enero de 1945, fuerzas aliadas convergieron en la ciudad de Houffalize (Bélgica) y neutralizaron el saliente alemán.

PÉRDIDAS IRREEMPLAZABLES

Con el fracaso de la operación Watch en el Rin y el inicio de la ofensiva invernal del Ejército Rojo en el este el 12 de enero de 1945, empezó el final de la Segunda Guerra Mundial en Europa. En dos meses, los aliados habrían cruzado el Rin, la última barrera natural imponente en su camino. Pronto los rusos estarían luchando en los suburbios de Berlín. Hitler había desviado preciosas tropas y materiales del frente oriental para el esfuerzo supremo contra los americanos en las Árdenas, y su apuesta estuvo a punto de tener éxito. Al final, la falta de combustible, una resistencia inesperadamente obstinada y la mejora del tiempo se conjugaron para facilitar una derrota aplastante.

La ofensiva había sido costosa para el *Führer*. Más de 120.000 alemanes fueron muertos, heridos o tomados prisioneros en un mes de duros combates. Muchos tanques y otros vehículos blindados fueron destruidos o abandonados. Las bajas americanas sumaron casi 80.000, con unos 8.500 muertos, 46.000 heridos y más de 20.000 prisioneros. Ambos bandos sufrieron. Las pérdidas pudieron compensarse para los aliados, pero no así para los alemanes.

Derecha: El general Anthony McAuliffe, comandante de la 101.ª División Aerotransportada en Bastogne, profirió la famosa respuesta de «¡Al cuerno!» ante el ultimátum alemán durante la batalla de las Árdenas.

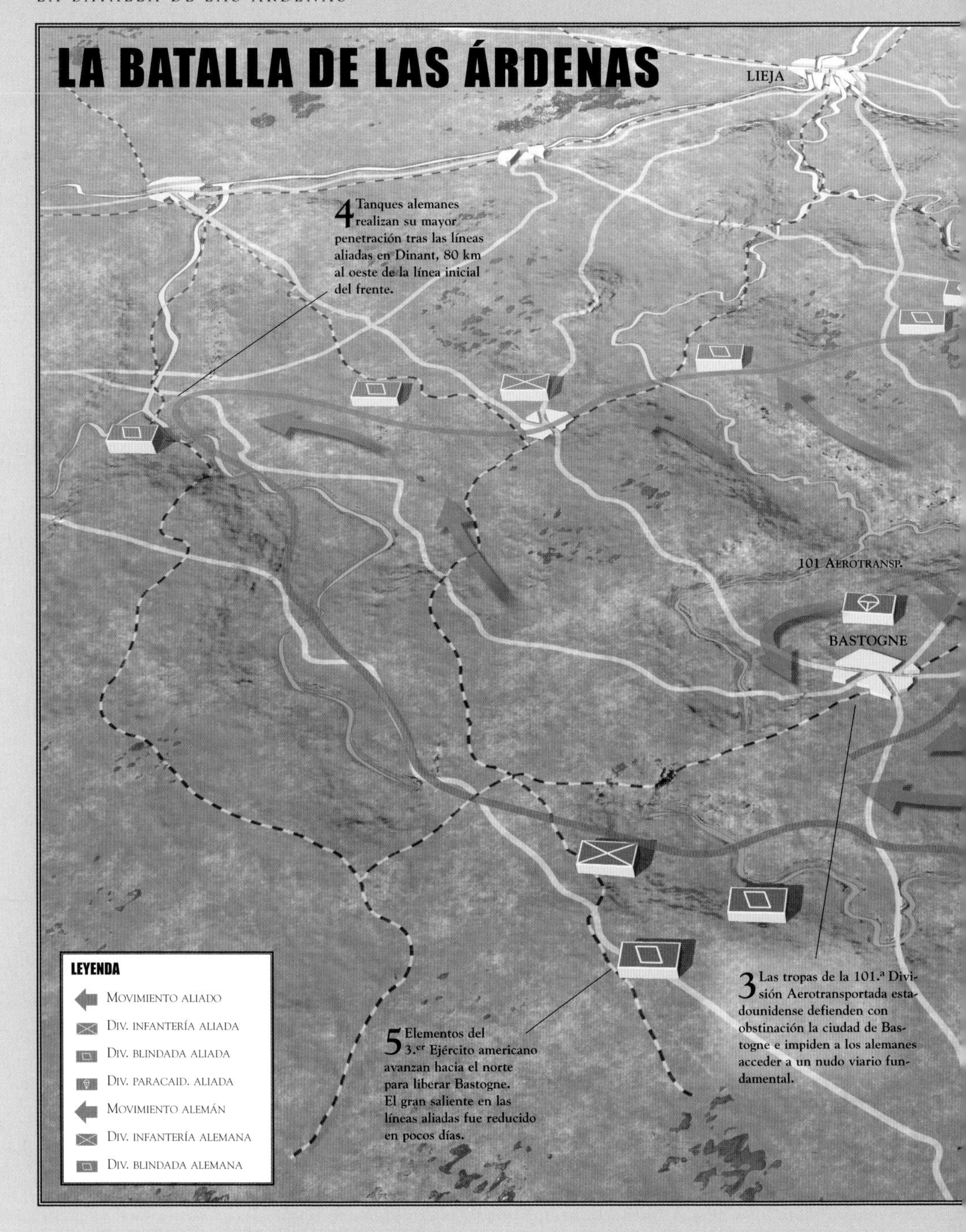
LA BATALLA DE LAS ÁRDENAS
LIEJA
4 Tanques alemanes realizan su mayor penetración tras las líneas aliadas en Dinant, 80 km al oeste de la línea inicial del frente.
101 AEROTRANSP.
BASTOGNE
3 Las tropas de la 101.ª División Aerotransportada estadounidense defienden con obstinación la ciudad de Bastogne e impiden a los alemanes acceder a un nudo viario fundamental.
5 Elementos del 3.er Ejército americano avanzan hacia el norte para liberar Bastogne. El gran saliente en las líneas aliadas fue reducido en pocos días.
LEYENDA
MOVIMIENTO ALIADO
DIV. INFANTERÍA ALIADA
DIV. BLINDADA ALIADA
DIV. PARACAID. ALIADA
MOVIMIENTO ALEMÁN
DIV. INFANTERÍA ALEMANA
DIV. BLINDADA ALEMANA

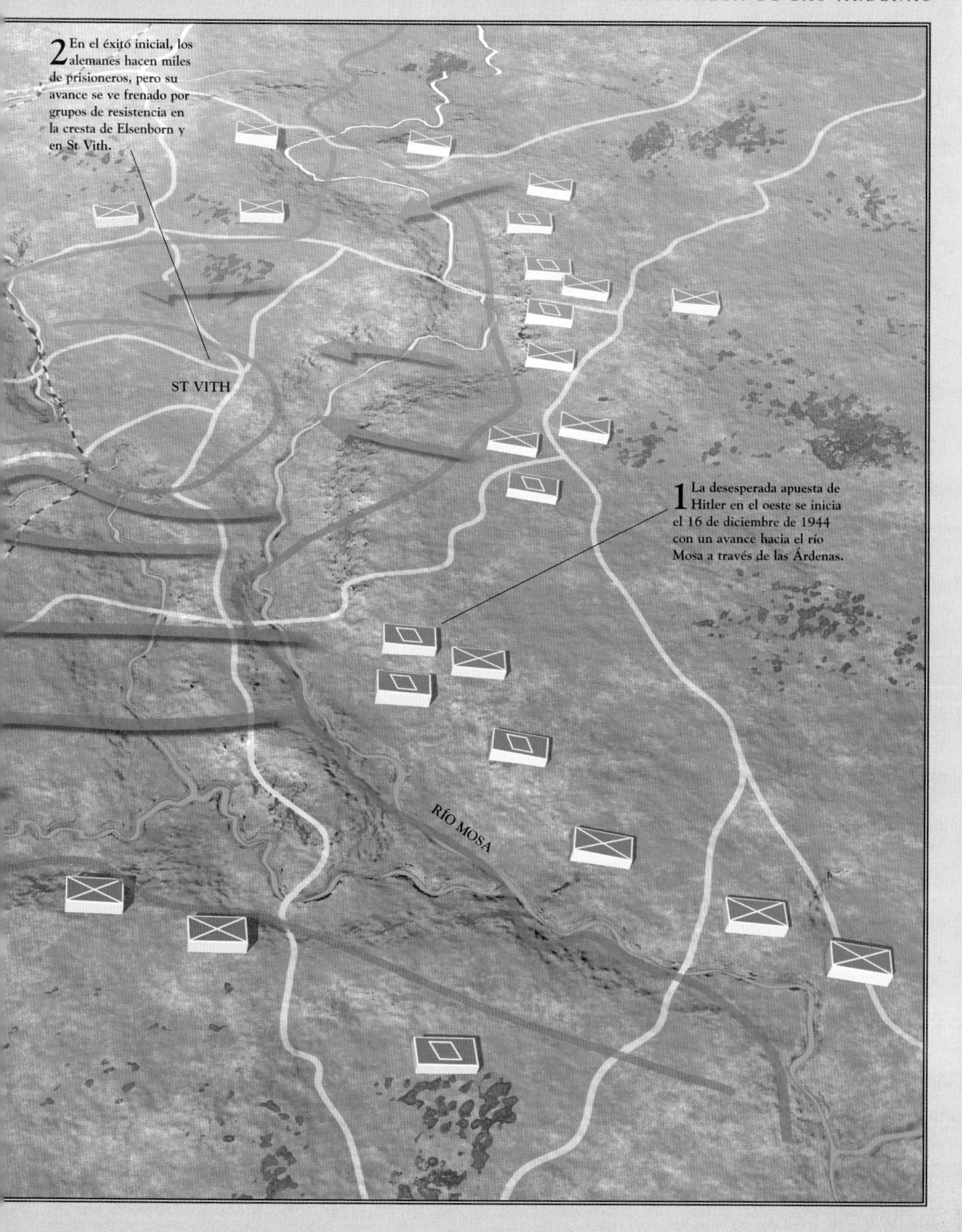
2 En el éxito inicial, los alemanes hacen miles de prisioneros, pero su avance se ve frenado por grupos de resistencia en la cresta de Elsenborn y en St Vith.
ST VITH
1 La desesperada apuesta de Hitler en el oeste se inicia el 16 de diciembre de 1944 con un avance hacia el río Mosa a través de las Árdenas.
RÍO MOSA

IWO JIMA 1945

El camino insular hacia Tokio fue largo y sangriento para el ejército americano. Aunque Estados Unidos había tomado la iniciativa en el Pacífico, fue evidente durante toda la campaña que los japoneses eran enemigos diestros y tenaces, y estaban dispuestos a luchar hasta la muerte. Cuando la guerra entró en su cuarto año, los dirigentes estadounidenses se habían resignado a que la victoria final exigiría invadir Japón.

Esta empresa requería una extensa preparación logística y eran precisos escenarios apropiados. Los bombarderos de largo alcance se empleaban para arrojar una lluvia de muerte y destrucción sobre las ciudades japonesas. Los bombarderos tocados que regresaban a sus bases en las Marianas necesitaban un lugar seguro donde aterrizar. A bordo de cada aparato volaba una tripulación de 10-14 hombres.

La isla de Iwo Jima, en el archipiélago de Ogasawara, parecía satisfacer los requisitos. A solo 1.062 km al sur de Tokio, los japoneses ya habían construido aeródromos allí. Aunque tomar las islas sería sin duda una empresa compleja, el

DATOS DE IWO JIMA

Quiénes: Tropas japonesas al mando del teniente general Tadamichi Kuribayashi (1891-1945) contra marines americanos dirigidos por el teniente general Holland M. Smith (1882-1967).

Cómo: Los marines pretendían capturar la isla del archipiélago de Ogasawara.

Dónde: En la isla de Iwo Jima, en el océano Pacífico, a menos de 1.127 km de Japón.

Cuándo: Del 19 de febrero al 26 de marzo de 1945.

Por qué: Iwo Jima serviría de escala para futuras operaciones y como refugio seguro para los bombarderos que regresaban de incursiones sobre las ciudades japonesas.

Resultado: Los marines estadounidenses tomaron Iwo Jima después de más de un mes de cruentos combates. Más de 20.000 soldados japoneses murieron y algunos cientos fueron capturados. Las fuerzas estadounidenses sufrieron 7.000 muertos y 19.000 heridos.

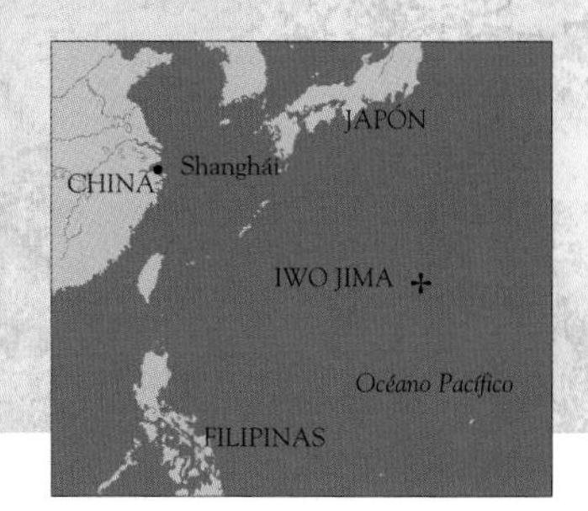

CAPTADA POR EL FOTÓGRAFO *Joe Rosenthal, esta imagen de marines estadounidenses y un miembro de la Armada alzando la bandera estadounidense sobre el monte Suribachi de Iwo Jima es tal vez la más imperecedera de la Segunda Guerra Mundial. De hecho, la bandera fue izada antes, pero la acción fue repetida para la cámara.*

En esta vista aérea del desembarco estadounidense en Iwo Jima, lanchas de asalto se acercan a las playas de arena volcánica. Los japoneses esperaron a que las playas estuvieran llenas de hombres y equipos antes de abrir fuego.

almirante Chester Nimitz (1885-1966), comandante en jefe de la flota del Pacífico, autorizó la operación Detachment, que comenzó en febrero, con el general mayor de la Marina estadounidense Holland Smith (1882-1967) al mando de la ofensiva contra Iwo Jima.

EL BÚFALO DE AGUA LVT-4

En los desembarcos de Iwo Jima, el LVT-4 (vehículo oruga de desembarco) era el último de una serie de vehículos anfibios de asalto desplegados en el Pacífico durante las operaciones contra los japoneses. Se produjeron miles de variantes durante la guerra.

El LVT, basado en un diseño inicial realizado por Donald Roebling en 1935, demostró su valía durante el desembarco de Tarawa en noviembre de 1943 y fue equipado con un mejor blindaje y con ametralladoras Browning de calibres .50 y .30.

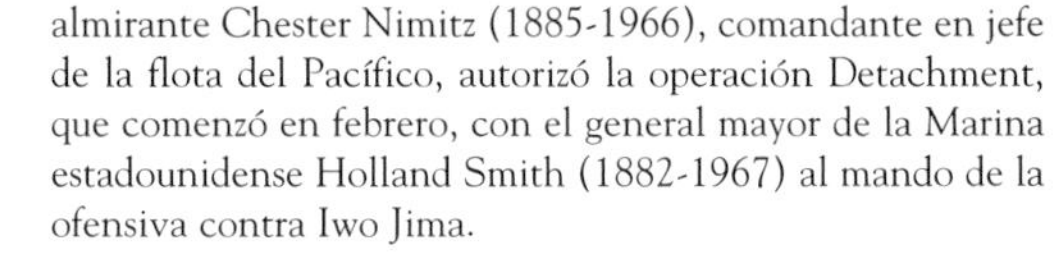

ISLA DE AZUFRE

Iwo Jima, con forma de chuleta de cerdo, mide apenas 8 km de largo y 7,2 km en su punto más ancho. En el extremo sur, el monte Suribachi se eleva 170 m y domina la mayor parte de la isla. A pesar de su diminuto tamaño, más de 25.000 soldados japoneses y un cuerpo de trabajadores coreanos al mando del teniente general Tadamichi Kuribayashi (1891-1945) habían hecho de Iwo Jima una fortaleza.

Los japoneses habían construido un laberinto de fortines, búnkeres, nidos de ametralladora, puestos de artillería y «agujeros de araña» con tamaño para un solo soldado. Muchos cañones japoneses estaban situados con campos de fuego cruzados en posiciones reforzadas con acero, hormigón, troncos de cocotero y montones de arena para absorber las ondas expansivas del bombardeo previo a la invasión norteamericana. Los japoneses también habían excavado un laberinto de túneles, artillería y puestos de ametralladora junto a las bocas de las cuevas.

El plan americano era simple: las 4.ª y 5.ª Divisiones de Marines, con la 3.ª División de Reserva, una fuerza de más de 40.000 soldados, asaltarían las playas en el extremo sur de Iwo Jima, desde donde aislarían y tomarían el monte Suribachi, atravesarían la isla, tomarían los aeródromos y someterían a la resistencia japonesa.

LA CIMA DEL SURIBACHI

La mañana del 19 de febrero de 1945, los marines atacaron la playa de Iwo Jima. Durante 20 minutos, no hubo casi reacción por parte de los defensores japoneses. Kuribayashi, que había ordenado a sus soldados matar 10 americanos antes de dar su vida por el emperador, mandó a sus hombres no abrir fuego hasta que las playas invadidas estuvieran llenas de tropas y lanchas de asalto estadounidenses. El sobrecogedor silencio se rompió con un estruendo. Balas y obuses japoneses llovieron sobre los americanos causando graves pérdidas. Para empeorar las cosas, la negra arena

ARRIBA: LA ISLA DE IWO JIMA, *con forma de chuleta de cerdo, está dominada por el monte Suribachi, de 170 m de altura. El control de sus pistas de aterrizaje salvó las vidas de miles de soldados de las fuerzas aéreas estadounidenses.*

ABAJO: CAZAS GRUMMAN F4F WILDCAT *se preparan para despegar en una misión de apoyo desde la cubierta del portaaeronaves de escolta USS* Makin*. La superioridad aérea estadounidense era absoluta en esta fase de la guerra.*

Desconfiando de los francotiradores japoneses y los nidos de ametralladora, un marine estadounidense grita a un compañero. Iwo Jima fue declarada segura después de más de un mes de arduos combates.

volcánica de la isla hacía difícil andar e impedía avanzar a los vehículos oruga.

No obstante, los marines resistieron el fuego enemigo y consiguieron aislar el monte Suribachi el primer día. Después avanzaron hasta la base del volcán extinguido e iniciaron una ardua ascensión. Aunque la cumbre aún no estaba bajo control, el 23 de febrero una patrulla llegó a ella e izó triunfalmente una pequeña bandera estadounidense en medio del fuego japonés.

Horas después se encontró una bandera más grande y se llevó hasta la cima. La izada de esta bandera fue recogida en película por el fotógrafo Joe Rosenthal, de Associated Press. Al ver la bandera, los americanos que luchaban y morían en Iwo Jima lanzaron un clamor colectivo. Los barcos de la Armada hicieron sonar sus bocinas y sirenas. La instantánea de Rosenthal se convirtió en uno de los iconos del siglo XX e hizo famosos a los seis miembros de la patrulla, tres de los cuales no sobrevivieron a la batalla de Iwo Jima para conocer su reciente fama. La foto se convirtió en la imagen del vínculo de guerra en Estados Unidos e inspiró un monumento en recuerdo de los marines caídos en la ciudad de Washington.

METRO A METRO

A pesar de este estímulo para la moral, los americanos tenían por delante más de un mes de difícil lucha. Los tanques abrían fuego a quemarropa regularmente contra las fortificaciones japonesas. Se produjeron heroicas acciones individuales por doquier y 26 marines fueron condecorados con la Medalla de Honor del Congreso por su valor.

El avance se medía por metros y los accidentes geográficos recibieron nombres que pasaron a la historia, como el Desfiladero Sangriento, el Anfiteatro, el Saliente del Pavo y la Picadora de Carne. Los marines se arrastraban para lanzar granadas y cargas explosivas en las troneras de los búnkeres japoneses y las bocas de las cuevas. Los lanzallamas quemaban vivos a los defensores, expulsándolos de sus posiciones defensivas. Algunas cuevas fueron selladas con explosivos o excavadoras, enterrando vivos a sus ocupantes. Varias veces, los japoneses se lanzaron contra marines bien atrincherados en cargas banzai suicidas en las que pereció hasta el último hombre.

El 27 de febrero, las dos pistas de aterrizaje terminadas estaban en manos estadounidenses y una tercera en construcción fue tomada también. El 4 de marzo, con la batalla por la isla aún en marcha, el primer bombardero cuatrimotor Boeing B-29 Superfortress realizó un aterrizaje de emergencia en Iwo Jima. Durante el resto de la guerra, se hicieron más de 2.200 aterrizajes de este tipo y el número estimado de aviadores salvados ascendió a 24.000. Los cazas empezaron a realizar misiones de escolta con los grandes bombarderos.

A LA SOMBRA DE LAS MONTAÑAS

Iwo Jima no se consideró segura hasta el 26 de marzo, tras 36 días de combate. La guarnición japonesa de la isla fue prácticamente arrasada durante la batalla. Los marines solo hicieron 216 prisioneros y meses después se seguía eliminando a unos 3.000 defensores que se negaban a rendirse. Aunque no se encontró el cuerpo de Kuribayashi, se dijo que se había suicidado o que había perecido mientras dirigía un desesperado ataque final. Los estadounidenses sufrieron más de 6.800 muertos y 17.000 heridos en Iwo Jima, pero la operación Detachment alcanzó sus objetivos. Pocos días después de que la batalla de Iwo Jima se diera oficialmente por finalizada, marines y tropas del ejército de Estados Unidos aterrizaron en la isla de Okinawa, acercándose un paso más a las islas de Japón.

Iwo Jima está considerada como una batalla épica de heroismo y sacrificio por parte de los hombres del cuerpo de la Marina estadounidense. «La izada de aquella bandera sobre el monte Suribachi supone un cuerpo de marines para los próximos 500 años», declaró el secretario de la Marina James Forrestal (1892-1949). El almirante Nimitz plasmó la esencia del combate al afirmar que, en Iwo Jima, «el valor fuera de lo común fue una virtud común».

UN MARINE ESTADOUNIDENSE emplea un lanzallamas para silenciar un búnker japonés en Iwo Jima. Los fanáticos defensores de la isla solían luchar hasta la muerte y preferían suicidarse a rendirse.

IWO JIMA

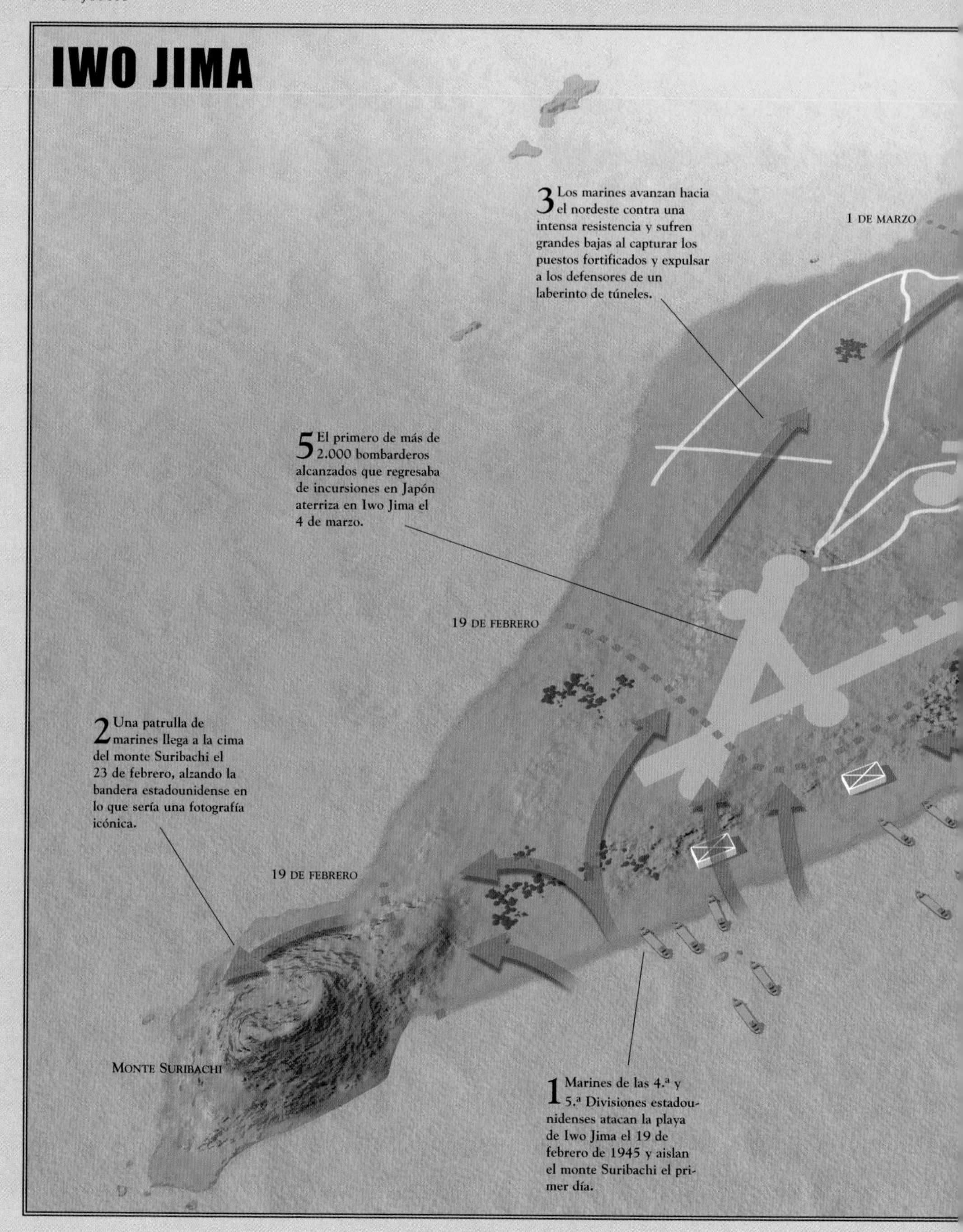
3 Los marines avanzan hacia el nordeste contra una intensa resistencia y sufren grandes bajas al capturar los puestos fortificados y expulsar a los defensores de un laberinto de túneles.
1 DE MARZO
5 El primero de más de 2.000 bombarderos alcanzados que regresaba de incursiones en Japón aterriza en Iwo Jima el 4 de marzo.
19 DE FEBRERO
2 Una patrulla de marines llega a la cima del monte Suribachi el 23 de febrero, alzando la bandera estadounidense en lo que sería una fotografía icónica.
19 DE FEBRERO
MONTE SURIBACHI
1 Marines de las 4.ª y 5.ª Divisiones estadounidenses atacan la playa de Iwo Jima el 19 de febrero de 1945 y aislan el monte Suribachi el primer día.

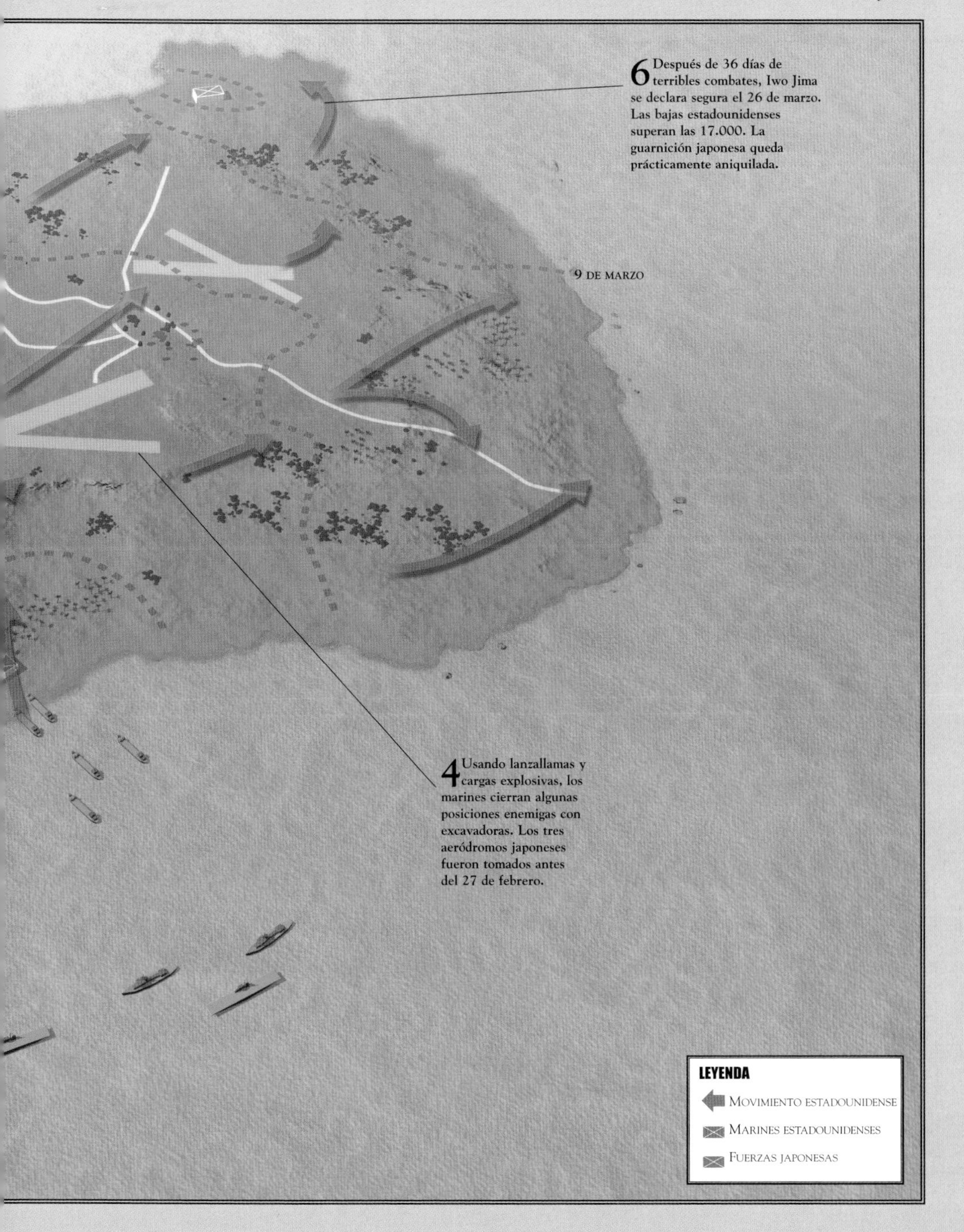
6 Después de 36 días de terribles combates, Iwo Jima se declara segura el 26 de marzo. Las bajas estadounidenses superan las 17.000. La guarnición japonesa queda prácticamente aniquilada.
9 DE MARZO
4 Usando lanzallamas y cargas explosivas, los marines cierran algunas posiciones enemigas con excavadoras. Los tres aeródromos japoneses fueron tomados antes del 27 de febrero.
LEYENDA
Movimiento estadounidense
Marines estadounidenses
Fuerzas japonesas

LA BATALLA DE BERLÍN 1945

A finales de 1944, era evidente que Alemania estaba perdiendo la guerra. Dos frentes del Ejército Rojo, comandados por los mariscales Ivan Konev (1897-1973) y Georgi Zhukov (1896-1974), avanzaban por el oeste de Polonia. Más al norte, el 2.º Frente bielorruso del mariscal Konstantin Rokossovsky (1896-1968) se adentraba en los Estados bálticos.

El mal equipado Grupo de Ejército del Vístula del coronel general Gotthard Heinrici (1886-1971) era la única barrera que separaba Berlín de los rusos. En el frente occidental, las fuerzas alemanas se resentían todavía de la ofensiva fallida en las Árdenas. El 3 de abril, fuerzas angloamericanas cerraron el cerco alrededor del Ruhr y tomaban alrededor de 15.000-20.000 prisioneros al día.

DATOS DE LA BATALLA DE BERLÍN

Quiénes: Fuerzas del Ejército Rojo a las que Stalin ordenó capturar Berlín, mandadas por los mariscales Ivan Konev (1897-1973) y Georgi Zhukov (1896-1974), contra el defensor de Berlín nombrado por Hitler, el general Karl Weidling (1891-1955).

Cómo: La Unión Soviética alcanzó la victoria cuando las fuerzas alemanas, superadas en hombres y armamento, fueron rodeadas por ocho ejércitos soviéticos que avanzaban sobre Berlín.

Dónde: La ofensiva final del ejército ruso se inició a través del Oder y, después de una cruenta lucha calle por calle, capturó la misma capital del Reich.

Cuándo: Entre el 16 de abril de 1945 y el 2 de mayo de 1945.

Por qué: Los aliados pensaban que solo con el asalto triunfal a Berlín y la derrota de las fuerzas que la controlaban la guerra podría llegar a una conclusión final e irreversible.

Resultado: El nazismo fue efectivamente derrotado y los berlineses tuvieron que asumir el coste. Estaba por llegar la ingente tarea de reconstruir una Europa maltrecha.

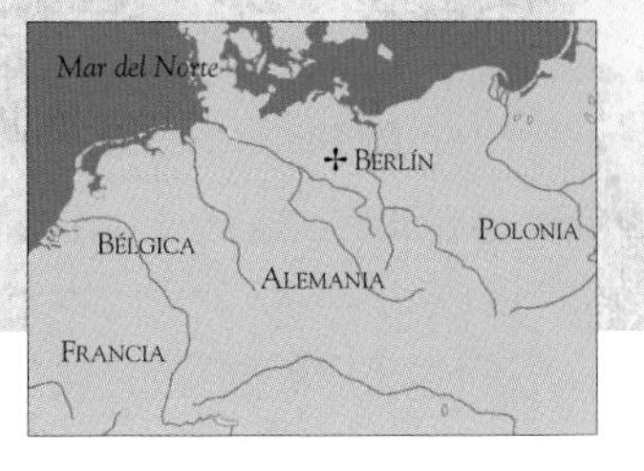

GRANDES PIEZAS DE ARTILLERÍA, *como este cañón de 152 mm montado sobre orugas, formaban una parte considerable del armamento de las fuerzas del Ejército Rojo que aplastaron Berlín, además de cañones de asalto, infantería y tropas de apoyo.*

IZQUIERDA: LOS SOLDADOS DEL EJÉRCITO ROJO se vieron envueltos en una semana de lucha callejera en Berlín antes de destruir la resistencia alemana. El 27 de abril, la guarnición de la capital quedó confinada a un pasillo de 16 km.

Para entonces, Berlín era una ciudad fortaleza inferior en número de defensores: un millón de hombres se concentraba en el sector con 10.400 cañones y morteros, 1.500 tanques y cañones de asalto y 3.300 aviones. Los rusos contaban con 2.500.000 hombres, más de 42.000 cañones y morteros, más de 6.200 tanques y cañones autopropulsados y 8.300 aviones. Los berlineses, a quienes se había garantizado que el Ejército Rojo nunca llegaría a Alemania, pronto descubrieron que el ejército se acercaba a las afueras de la ciudad. En medio del fragor de los cañones soviéticos, personas de todas las edades fueron reclutadas para construir fortificaciones. Casas y bloques de pisos fueron transformados en fortines de hormigón.

El domingo 15 de abril, Adolf Hitler, recluido en su búnker bajo el jardín de la cancillería, dio su última orden, con tintes optimistas: «El enemigo será recibido por un intenso fuego de artillería. Las brechas de nuestra infantería se repondrán con incontables unidades nuevas [...]. Los bolcheviques [...] se desangrarán hasta morir ante la capital del *Reich* alemán[...]». La perspectiva de unidades nuevas era un delirio del *Führer*. Los soldados iban desde jóvenes de 15 años de las Juventudes Hitlerianas hasta ancianos de 70 años. La supuesta «infantería» constaba de 60.000 *Volkssturm* (milicianos nacionales, literalmente, 'tormenta del pueblo') agotados y mal entrenados con una media de cinco balas por rifle.

A las 03.00 h del día siguiente, tres bengalas rojas ascendieron hacia el cielo y la artillería abrió fuego. El cielo se llenó del haz de los reflectores que perforaban –densas nubes de humo y polvo hirviente. Aunque no se habían completado muchos de los pontones, la infantería del Ejército Rojo al norte y al sur de la cabeza de puente situada cerca de la ciudad de Kustrin, que esperaba la llegada de lanchas de asalto, se lanzó al río Oder con cañones y equipo pesado a bordo de botes y balsas.

EL ATAQUE DE LA CABEZA DE PUENTE

Stalin había ordenado a las tropas del 1.er Frente bielorruso de Zhukov iniciar el ataque a Berlín desde la cabeza de puente.

ABAJO: EL T34/85, parte de los 4.000 tanques de la Armada soviética que se aproximaba a Berlín, fue una variante posterior del eficaz leviatán de la URSS, equipado con una nueva torreta y armamento. Hacia el final de la guerra, el T-34 representaba alrededor del 70 % de la producción de tanques soviéticos.

30 DE ABRIL DE *1945: soldados de infantería soviéticos se abren camino hacia el todavía defendido* Reichstag *para fijar una bandera improvisada a una de sus columnas. El acto volvió a repetirse después para las cámaras.*

:n los altos de Seelow, situados a 90 km al este de Berlín lominando la llanura de inundación del Oder, la recepción ue fiera y los rusos fueron detenidos hasta el 17 de abril. Esto ontrastaba con Konev, que había cruzado el Neisse al sur por n terreno abierto más favorable a los tanques y avanzaba con apidez. Stalin ordenó a Konev enviar dos de sus ejércitos de anques al norte en ayuda de Zhukov. El 19 de abril se llegó a as afueras de Berlín.

El día siguiente era el cumpleaños del *Führer*, marcado on descargas de artillería y los ensordecedores bramidos de os lanzacohetes múltiples. Pero todavía había fuerzas que uchaban desesperadamente para mantener sus posiciones nte la ciudad. El 9.º Ejército al mando del general Theodor usse había recibido la orden de bloquear a los rusos la ruta irecta hacia Berlín, mientras el 3.er Ejército Panzer del geneal Hasso von Manteuffel se situaba más al norte. Aunque on Manteuffel tuvo algún éxito y consiguió mantenerse emporalmente, el 21 de abril era evidente que las fuerzas de usse estaban al borde del colapso total. El comunicado del to mando del jefe del Estado Mayor, enviado al teniente eneral Hans Krebs, de que Busse debía retirarse o sufrir una destrucción total obtuvo la respuesta imaginada: el 9.º Ejército debía permanecer donde estaba y mantener sus posiciones.

ESPERANZAS DE RESCATE

Después, Hitler aprovechó la presencia del III Cuerpo SS *Germanische* del *Obergruppenführer* SS Felix Steiner en la zona de Eberswalde, al norte de Berlín. El cuerpo de Steiner recibió órdenes de atacar de inmediato sobre el flanco de Von Manteuffel, avanzar hacia el sur para impedir el asalto soviético y reenlazar con los ejércitos 3.º y 9.º. Pero Steiner no disponía de tropas con experiencia. Lo que Hitler llamaba el Grupo de Ejército de Steiner eran sobre todo restos de personal de la *Luftwaffe*, *Volkssturm* y policías de todo tipo. En modo alguno podían enfrentarse a la fortaleza de los frentes de Rokossovsky y Zhukov. Se dice que Von Manteuffel comentó: «Tenemos un ejército de fantasmas».

ARRIBA: EL 20 DE ABRIL, SU 56.º CUMPLEAÑOS, *Hitler hizo su última aparición fotografiada en el jardín de la Cancillería de Berlín para imponer condecoraciones a miembros de las Juventudes Hitlerianas, el más joven de ellos con 12 años de edad.*

ABAJO: BLINDADOS DEL EJÉRCIRO ROJO *circulan a través de los suburbios de Berlín después de la rendición de la ciudad en mayo de 1945.*

Hitler, agarrándose a un clavo ardiendo, puso sus esperanzas en el 12.º Ejército del general Walther Wenck, que iría a toda prisa desde el frente occidental. Se ordenó a Wenck desentenderse de los americanos en el oeste y atacar al este, enlazar con Busse y atacar a los rusos que rodeaban Berlín. Sus únicos recursos eran reclutas novatos; no había tanques dispuestos para el combate. El 23 de abril, el general Karl Weidling, comandante de la batalla de Berlín, informó a Hitler de que solo quedaba munición para dos días de combate. No obstante, Weidling se mantuvo con las fuerzas que tenía mientras el cerco soviético se cernía sobre la ciudad, a escasas manzanas del búnker donde Hitler, cuya salud empeoraba rápidamente, se sumía en sus delirios y no cesaba de decir: «¿Dónde está Wenck? ¿Dónde está Wenck?» Pero Wenck, realista y muy desilusionado, intentaba llevar los restos de su propio ejército y los del 9.º Ejército, junto con tantos refugiados civiles como pudo reunir, al otro lado del Elba, al territorio ocupado por el ejército estadounidense. El 30 de abril, Berlín era un infierno encarnizado. Los rusos tenían un objetivo primordial: capturar el simbólico *Reichstag*, defendido con vigor por su guarnición. Aun así, la bandera de la victoria del Ejército Rojo pronto ondeó en la cúpula.

RENDICIÓN INCONDICIONAL

Ese mismo día se envió a Hans Krebs, que hablaba ruso, con una bandera blanca para encontrarse con el general Vasily Chuikov del Ejército Rojo para discutir las condiciones de la

MARISCAL GEORGI ZHUKOV

Georgi Zhukov, hombre de orígenes campesinos, surgió como la figura militar más prominente del Ejército Rojo durante la Segunda Guerra Mundial. Fue nombrado primer comandante en jefe supremo adjunto de las fuerzas armadas soviéticas en agosto de 1942, puesto que ocupó durante todo el conflicto bélico. Responsable del ataque que liberó Stalingrado, pasó a coordinar los frentes bielorrusos 1.º y 2.º en la ofensiva estival de 1944 y dirigió al 1.er Frente bielorruso durante el asalto final de Alemania y la captura de Berlín, convirtiéndose en comandante en jefe de las fuerzas de ocupación soviéticas. En 1955-1957, ocupó el cargo de ministro de Defensa soviético, pero siempre despertó la envidia de Stalin, por lo que fue destituido y desacreditado por haber cuestionado presuntamente el liderazgo del Partido Comunista sobre las fuerzas armadas. Rehabilitado parcialmente por Khrushchev, murió en junio de 1974. Sus cenizas fueron enterradas en el muro del Kremlin con todos los honores militares.

rendición e informarle de que Hitler y su esposa Eva Braun se habían suicidado. Chuikov dejó claro que los rusos no aceptarían nada que no fuera una rendición incondicional. Mientras tanto, la acción militar soviética no remitiría. Krebs también se suicidó y su cuerpo fue encontrado posteriormente en el búnker. Weidling, el último comandante de la defensa de Berlín, rindió formalmente la ciudad a los soviéticos a las 13.00 h del 2 de mayo. A las 04.00 h, todo había terminado. Nunca se logró calcular con precisión las cifra total de muertos durante la batalla, pero se cree que unos 100.000 soldados alemanes, y probablemente igual número de civiles, perdieron la vida. También murió un número similar de soldados soviéticos. De hecho, fue necesario volver a crear la ciudad.

La población de Berlín se enfrenta a la realidad de la derrota, sin apenas edificios en pie. Aquí, mujeres y niños junto a la Puerta de Brandenburgo.

TRAS LA BATALLA

La derrota trajo un largo periodo de declive para gran parte de Alemania. Con el fin de la dictadura nazi, Alemania del Este se enfrentó a años de opresión comunista, miseria económica y, para el ciudadano medio, muchos de los atavíos familiares de una dictadura, como la presencia de la policía secreta de la Stasi, considerada por muchos como los sucesores de la Gestapo. Alemania no fue reunificada formalmente hasta el 12 de septiembre de 1990. Entonces, muchas de las desigualdades de un este deprimido y un oeste próspero pasaron a la historia.

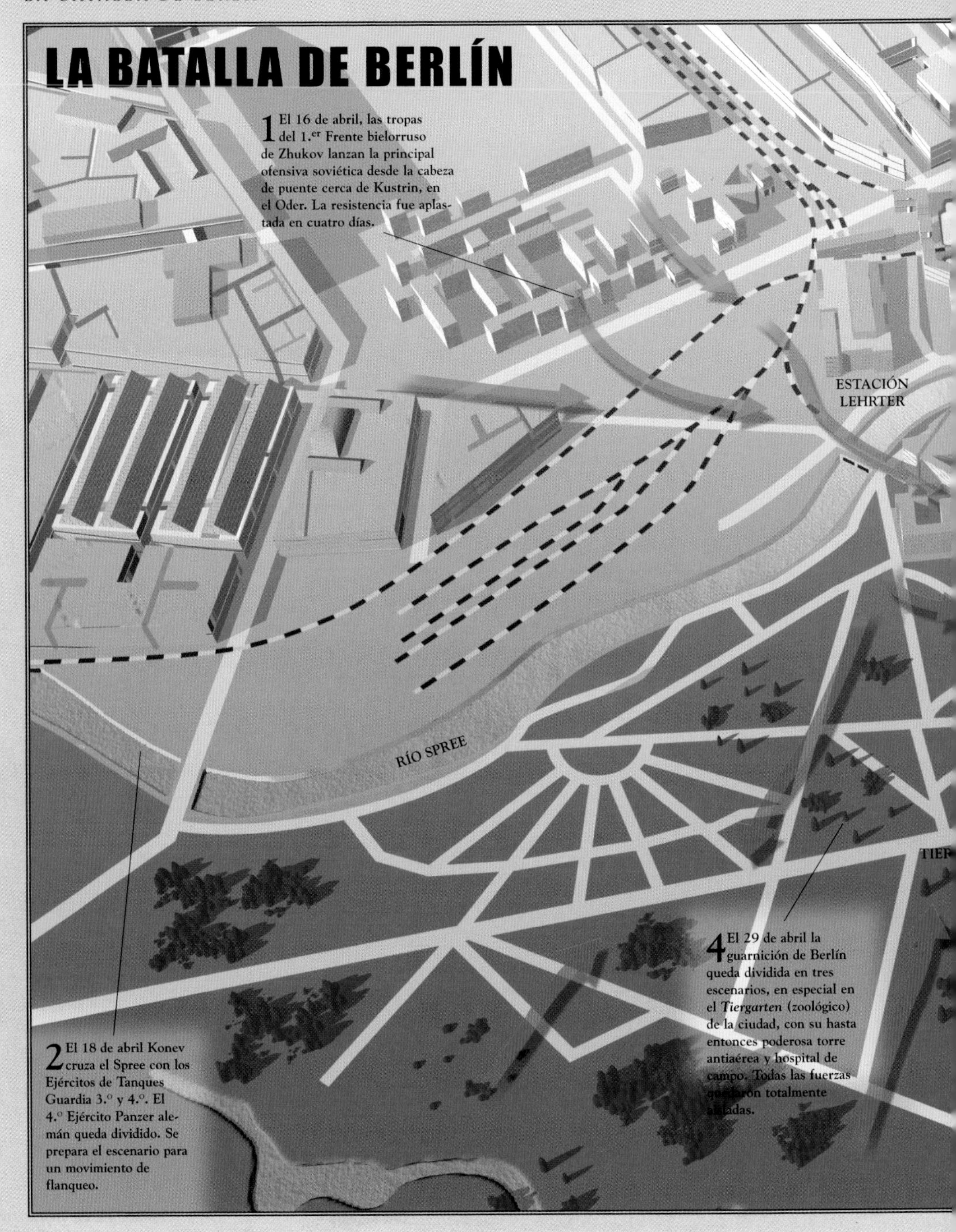

LA BATALLA DE BERLÍN
1 El 16 de abril, las tropas del 1.er Frente bielorruso de Zhukov lanzan la principal ofensiva soviética desde la cabeza de puente cerca de Kustrin, en el Oder. La resistencia fue aplastada en cuatro días.
ESTACIÓN LEHRTER
RÍO SPREE
2 El 18 de abril Konev cruza el Spree con los Ejércitos de Tanques Guardia 3.º y 4.º. El 4.º Ejército Panzer alemán queda dividido. Se prepara el escenario para un movimiento de flanqueo.
4 El 29 de abril la guarnición de Berlín queda dividida en tres escenarios, en especial en el *Tiergarten* (zoológico) de la ciudad, con su hasta entonces poderosa torre antiaérea y hospital de campo. Todas las fuerzas quedaron totalmente aisladas.

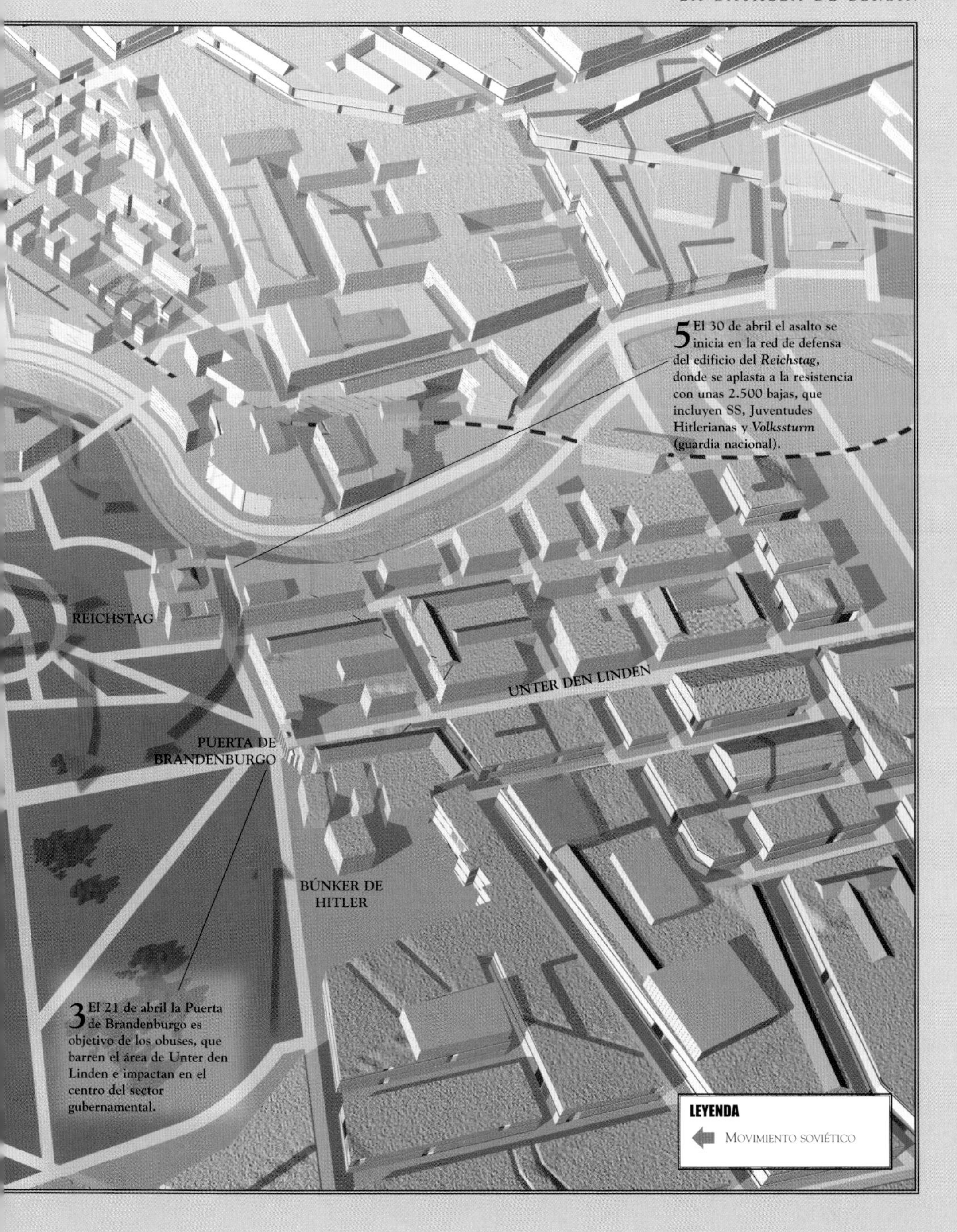
5 El 30 de abril el asalto se inicia en la red de defensa del edificio del *Reichstag*, donde se aplasta a la resistencia con unas 2.500 bajas, que incluyen SS, Juventudes Hitlerianas y *Volkssturm* (guardia nacional).
REICHSTAG
UNTER DEN LINDEN
PUERTA DE BRANDENBURGO
BÚNKER DE HITLER
3 El 21 de abril la Puerta de Brandenburgo es objetivo de los obuses, que barren el área de Unter den Linden e impactan en el centro del sector gubernamental.
LEYENDA
Movimiento soviético

220
1415
1265

OKINAWA 1945

La invasión anfibia aliada de Okinawa fue una magna empresa, frente a una sólida y determinada resistencia. Las fuerzas japonesas de la isla sabían que se enfrentaban a una oposición aplastante y estaban resueltas a exigir el precio más alto que fuera posible a los invasores.

La guerra en el Pacífico se caracterizaba por los «saltos» de una isla a otra, que permitieron a los aliados invadir poco a poco las islas japonesas. Cuando era posible, las guarniciones aisladas por el avance aliado se evitaban y se dejaba que decayesen. Sin transporte anfibio, no constituían ninguna amenaza y, sin posibilidad de reabastecimiento, eran totalmente incapaces de combatir.

No obstante, era preciso tomar algunos objetivos. Okinawa era uno de ellos: era necesario como escala para el asalto final a Japón. Esto resultaba evidente tanto para los aliados como para los japoneses, que se aprestaron a los preparativos con suficiente previsión. A medida que el perímetro japonés en el Pacífico se colapsaba progresivamente hacia el interior, se excavaban fortificaciones y se hacían planes para que el asalto a Okinawa resultara tan difícil como fuera posible.

DATOS DE OKINAWA

Quiénes: Fuerzas aliadas (sobre todo estadounidenses) compuestas por 548.000 soldados y 1.300 barcos, contra fuerzas japonesas navales, aéreas y terrestres de 100.000 soldados.

Cómo: Los aliados lanzaron la mayor operación anfibia de la campaña del Pacífico.

Dónde: En Okinawa, en el océano Pacífico.

Cuándo: Del 1 de abril al 21 de junio de 1945.

Por qué: La isla se usaría como escala para invadir las islas patrias japonesas.

Resultado: Los aliados capturaron Okinawa y el 90 % de los edificios de la isla quedó totalmente destruido. Okinawa ofrecía un fondeadero para la flota, zona de reunión para las tropas y aeródromos muy cerca de Japón, lo que permitía a los aliados prepararse para la invasión de Japón.

LANCHAS DE ASALTO AMERICANAS *llegan a la costa el 13 de abril de 1945, durante la batalla de Okinawa. El atestado horizonte ofrece indicios sobre el tamaño de la flota naval que participó en la operación.*

ARRIBA: EL APOYO AÉREO DE LA ARMADA *naval y las fuerzas terrestres que combatían en Okinawa estaba al cargo de cazas y cazabombarderos, como estos F4U Corsairs, con base en más de 40 portaaviones aliados.*

Con un dominio casi completo del mar, los aliados podían desembarcar prácticamente donde quisieran. No era posible evitar un desembarco y poco probable que un contraataque consiguiera contenerlo. Los japoneses asumieron que los aliados llegarían a la costa, aunque hicieron todo lo que pudieron para que resultara trabajoso. Las defensas de la isla se centraron en un castillo medieval cuya posición garantizaba que los aliados no tuviesen una vía de ataque fácil y tuvieran que abrirse paso a través de fortificaciones bien preparadas.

Mientras que algunas de las islas que asaltaron los aliados estaban defendidas por guarniciones pequeñas, a menudo con poca artillería y equipos antiaéreos, Okinawa estaba defendida por varias divisiones con buen apoyo y, más importante, con gran cantidad de artillería. Pertenecían al 32.º Ejército, comandado por el teniente general Mitsuru Ushijima (1887-1945), que instaló su cuartel general en la fortaleza medieval de Shuri, al sur de la isla. El coronel Takehido Udo se encargaba de la defensa del sector norte.

El comandante en tierra aliado era el teniente general Simon Buckner Jr. (1886-1945), al mando del 10.º Ejército estadounidense. Buckner mandaba un cuerpo de infantería y otro de marines, cada uno con dos divisiones, además de dos divisiones de infantería y otra de marina de reserva.

LLEGAN LOS ALIADOS

La primera fase de la batalla fue un esfuerzo aliado para establecer la supremacía aérea y naval en las cercanías de Okinawa, realizado por fuerzas británicas, australianas y neozelandesas, aunque las fuerzas terrestres eran solo americanas.

Los marines desembarcaron en las islas cercanas a partir del 26 de marzo, despejando la oposición para crear un fondeadero seguro. Mientras, los aviones de los portaaviones atacaron los campos aéreos, los japoneses contraatacaban con ataques aéreos que incluyeron cientos de aviones kamikaze, que hundieron varios buques y dañaron a otros. La Marina estadounidense sufrió las bajas más graves de toda la guerra frente a la costa de Okinawa.

Los aliados también se enfrentaron a ataques navales. Para entonces, la armada imperial japonesa era apenas una sombra de su anterior poder, con escasez de combustible y con pocos barcos intactos. No obstante, los japoneses tenían a su disposición el superacorazado *Yamato*, además del crucero

DERECHA: LA FLOTA INVASORA ESTADOUNIDENSE *fondea ante Okinawa en abril de 1945. Los americanos dedicaron más de medio millón de hombres y 1.300 barcos a la captura de esta pequeña isla japonesa.*

EL ARMAMENTO DE ESTOS MARINES incluye rifles y carabinas, útiles para el combate en lugares confinados en las junglas de la isla. El funcionamiento semiautomático permitía una elevada cadencia de fuego.

ligero *Yahagi* y ocho destructores. Solo tenían combustible suficiente para una misión de ida, así que el *Yamato* pensaba atacar a la flota aliada mientras durara el combustible y después se vararía en la playa, donde sus cañones de 450 mm se unirían a la defensa.

El *Yamato* y su escolta zarparon el 6 de abril al mando del almirante Seiichi Ito (1890-1945), que inicialmente se había opuesto a llevar a cabo lo que consideraba una acción inútil y desesperanzada. Los hechos le darían la razón.

El *Yamato* estaba muy bien protegido, pero los aliados tenían plena supremacía aérea, con gran número de bombarderos en picado y aviones torpederos. El destacamento del *Yamato* fue avistado poco después de zarpar. El 7 de abril, fue sometido al intenso ataque aéreo de más de 400 aviones aliados. Barco a barco, su escolta fue hundida y el barco fue alcanzado por varios obuses y por 10 torpedos.

Una flota de acorazados se mantenía a la espera en caso de que el *Yamato* consiguiera pasar de algún modo, pero no fue necesaria. Después de dos horas de ataque, el último acorazado japonés volcó y explotó, llevando consigo a la mayor parte de su tripulación. La invasión ya no tuvo ningún obstáculo naval.

USS *INTREPID*

Los portaaviones fueron un arma crucial para atacar las islas del Pacífico, a menudo fuera del alcance de los aviones con base en tierra, y para defender la flota de los ataques aéreos. Aunque en 1945 el poderío aeronaval japonés estaba destrozado, los aviones kamikaze y los pequeños ataques aéreos aún suponían una amenaza.

El USS *Intrepid*, portaaviones clase Essex, estuvo a punto de ser alcanzado por un kamikaze frente a la costa de Okinawa. Los métodos de control de daños le permitieron seguir en combate. Llevaba 90-100 cazas, bombaderos en picado y torpederos; su pérdida o retirada hubiera mellado la superioridad aérea aliada, aunque no del todo, ya que disponían de muchos otros buques.

IZQUIERDA: EL VEHÍCULO DE ASALTO (ORUGA) es una variante de fuego de apoyo blindado denominada LVT(A)-4. Su cañón Howitzer de 75 mm tenía un corto alcance, pero aportaba un fuego de apoyo vital para las tropas que asaltaban una isla defendida.

EL AVANCE ALIADO

Los marines estadounidenses empezaron a desembarcar en Okinawa el 31 de marzo de 1945, cuando tomó tierra la primera avanzadilla. El desembarco principal empezó al día siguiente, apoyado por operaciones de distracción para despistar al enemigo y ralentizar su respuesta. Los desembarcos iniciales marcharon bien, principalmente porque los defensores sabían que no podían resistir en todas partes y habían concentrado sus fuerzas donde podían ser más eficaces. Okinawa es una isla larga y estrecha tendida en sentido sudoeste-noroeste con pequeñas penínsulas y algunas islas frente a su costa. La principal fuerza japonesa se concentraba en el extremo sur de la isla y llevó cierto tiempo reducirla. Las defensas eran más débiles al norte y, después de despejar la región inmediata, los aliados avanzaron hacia el noroeste e hicieron retroceder a los defensores.

Los aliados siguieron avanzando hacia el norte y llegaron al extremo de la isla el 13 de abril, aunque la obstinada resistencia en la península de Motobu y la isla de Ie Shima impidió tomarlas hasta el 21 de abril. El avance hacia el sur fue más complicado: el progreso fue lento ante la oposición de tropas japonesas bien atrincheradas. Fue necesario tomar altos, cuevas y fortines artificiales al asalto, con cruentos combates cuerpo a cuerpo. Los aliados sufrieron grandes bajas a medida que avanzaban hacia el sur.

Después de tomar lo que resultó ser una sólida línea defensiva en las colinas Cactus, el avance se estancó algún tiempo por la principal línea de resistencia japonesa en las colinas Kakazu. Después, el 12-14 de abril, los japoneses iniciaron una intensa contraofensiva. Todos los asaltos fueron repelidos con grandes bajas para ambos bandos y, después de este intento, los japoneses volvieron a la defensiva.

El 19 de abril, los aliados renovaron sus esfuerzos ofensivos. Con la cobertura de operaciones de distracción y un intenso bombardeo naval y de artillería, se lanzó un potente asalto con el apoyo de un gran ataque aéreo. Pero los japoneses resistieron la descarga desde posiciones fortificadas y mantuvieron prácticamente intacta su defensiva.

Ushijima pensó en contraatacar, pero decidió no hacerlo. Necesitaba sus reservas para rechazar un posible desembarco tras las líneas por parte de la 2.ª División de Marines, que hacía movimientos amenazantes con fines de distracción.

EL COMBATE DE OKINAWA

El empate se mantuvo hasta el final del mes, a pesar de la llegada de tropas estadounidenses de refresco a la línea. El 4 de mayo, los japoneses lanzaron una nueva contraofensiva. El plan era ambicioso y trataba de flanquear las posiciones americanas mediante operaciones anfibias. El contraataque falló y, el 11 de mayo, Buckner pasó a la ofensiva. El 13 de mayo, las fuerzas estadounidenses rompieron la línea defensiva de Shuri. La infantería de la 96.ª División, con apoyo blindado, alcanzó las posiciones japonesas en la colina Cónica mientras la 6.ª División de Marines tomaba la colina del Pan de Azúcar. Con estos accidentes geográficos en manos estadounidenses, la línea japonesa se vio en peligro, pero el monzón dificultó los avances durante un tiempo.

El castillo Shuri era el centro de la línea principal. Tomados los flancos, quedaba expuesto al ataque. La 1.ª División de Marines del mayor general Pedro del Valle (1893-1978) asaltó el castillo el 29 de mayo y rompió la principal línea defensiva, lo que desanimó mucho a las fuerzas japonesas de Okinawa, que se replegaron a una posición final en el extremo sur de la isla.

Después, se retomó el costoso avance y los marines expulsaron de sus posiciones a unos defensores fanáticos. Muchos lucharon hasta el final o se suicidaron para no ser

IZQUIERDA: UN MARINE AMERICANO DISPARA su ametralladora Thompson durante el combate en las colinas Wana. Los intensos bombardeos redujeron la vegetación a tocones de árboles y marañas de ramas caídas.

DERECHA: UN NIÑO JAPONÉS LLEVA a cuestas a su hermanito después de la rendición de Okinawa. La población civil sufrió enormemente, con unos 140.000 muertos estimados durante los tres meses que duró la batalla.

capturados, entre ellos Ushijima y su jefe de Estado Mayor, el teniente general Isamu Cho. El resto mantuvieron la línea hasta el 17 de junio, cuando se derrumbó la defensa. Fue una de las raras ocasiones en las que se rindió un buen número de tropas japonesas. Los marines estadounidenses habían ideado técnicas para reducir las bajas: un método para despejar una cueva consistía en tomar la boca bajo un intenso fuego y, a continuación, se acercaba un tanque lanzallamas y arrojaba al interior combustible ardiendo, para eliminar a los últimos defensores. No obstante, las pérdidas fueron considerables.

En los últimos días de la campaña, el general Buckner fue alcanzado por la artillería enemiga. Fue el oficial estadounidense de mayor graduación muerto en acto de servicio durante la guerra. El intenso fuego de artillería por ambos bandos fue una característica de la campaña de Okinawa, que sería llamada el Tifón de Acero.

La 24.ª División de Infantería, que seguía abriendo fuego el 21 de junio, fue la última resistencia organizada de Okinawa. Rota esta formación, grupos de soldados japoneses resistieron durante 10 días más antes de ser sofocados.

Muchos supervivientes se ocultaron entre la población local y fueron delatados por los pobladores, que no tenían motivo para proteger a sus enemigos. Los japoneses habían usado a los civiles como escudos humanos o los habían enviado a por agua bajo fuego enemigo. En la fase final del combate, los animaron a suicidarse antes que rendirse.

TRAS LA BATALLA

Okinawa estuvo en manos aliadas a finales de junio. El ejército japonés nunca tuvo posibilidad alguna de mantener la isla. La defensa pretendía retrasar a los aliados e infligir tantas bajas como fuera posible. En esto tuvo éxito. Las fuerzas aliadas sufrieron grandes bajas, en parte debido a la negativa de las tropas japonesas a rendirse incluso rodeadas y aisladas. Una vez tomada, Okinawa pudo usarse como base para invadir Japón. La resistencia y las bajas preocupaban a los aliados. El ataque a las islas japonesas sería muy costoso. El uso de las bombas atómicas en agosto de 1945, que puso fin a la guerra, hizo innecesario un asalto tan costoso.

ABAJO: AUNQUE LA DEFENSA JAPONESA de Okinawa cayó el 17 de junio, la limpieza de los últimos focos de resistencia siguió hasta el final del mes.

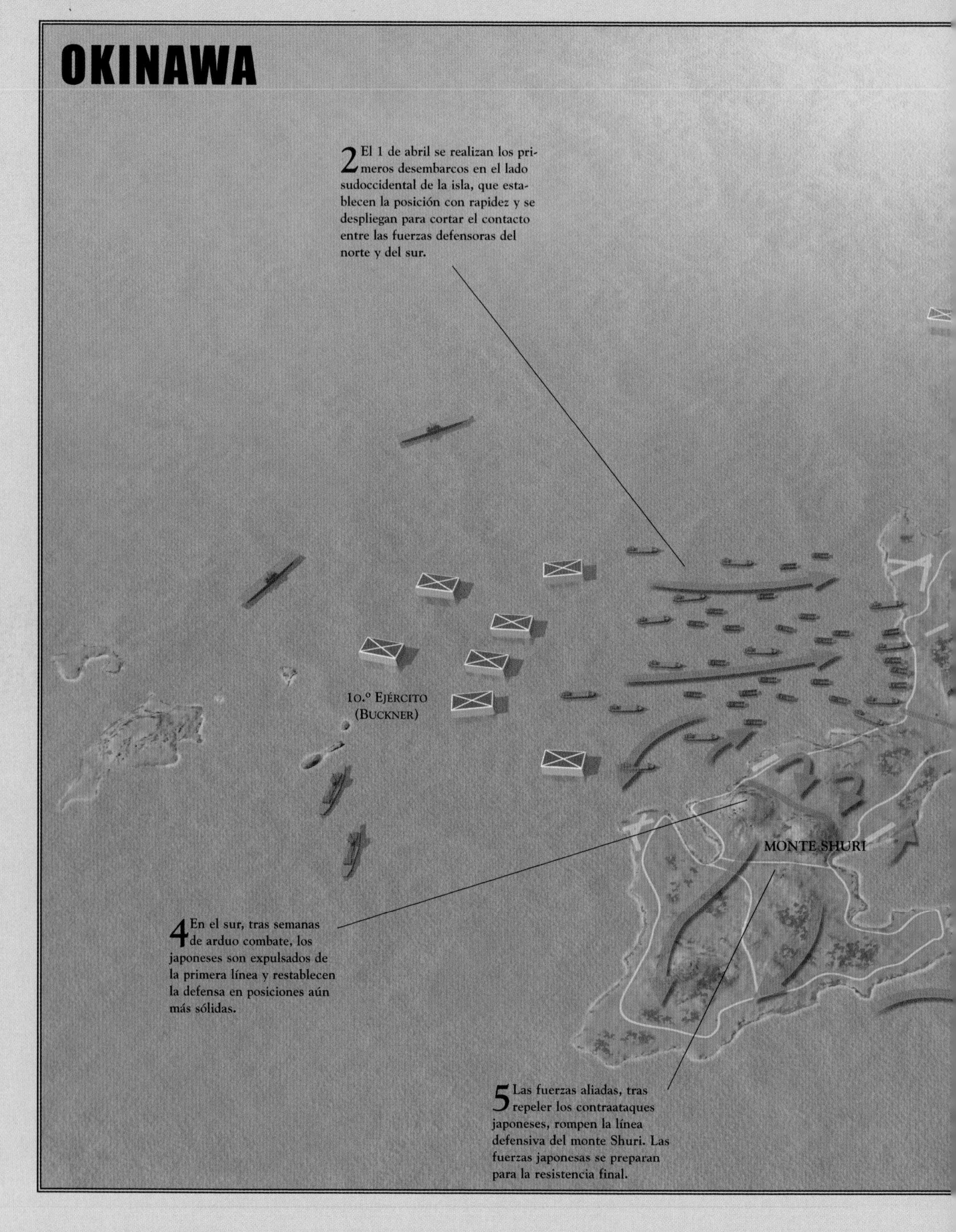
OKINAWA
2 El 1 de abril se realizan los primeros desembarcos en el lado sudoccidental de la isla, que establecen la posición con rapidez y se despliegan para cortar el contacto entre las fuerzas defensoras del norte y del sur.
10.º EJÉRCITO (BUCKNER)
MONTE SHURI
4 En el sur, tras semanas de arduo combate, los japoneses son expulsados de la primera línea y restablecen la defensa en posiciones aún más sólidas.
5 Las fuerzas aliadas, tras repeler los contraataques japoneses, rompen la línea defensiva del monte Shuri. Las fuerzas japonesas se preparan para la resistencia final.

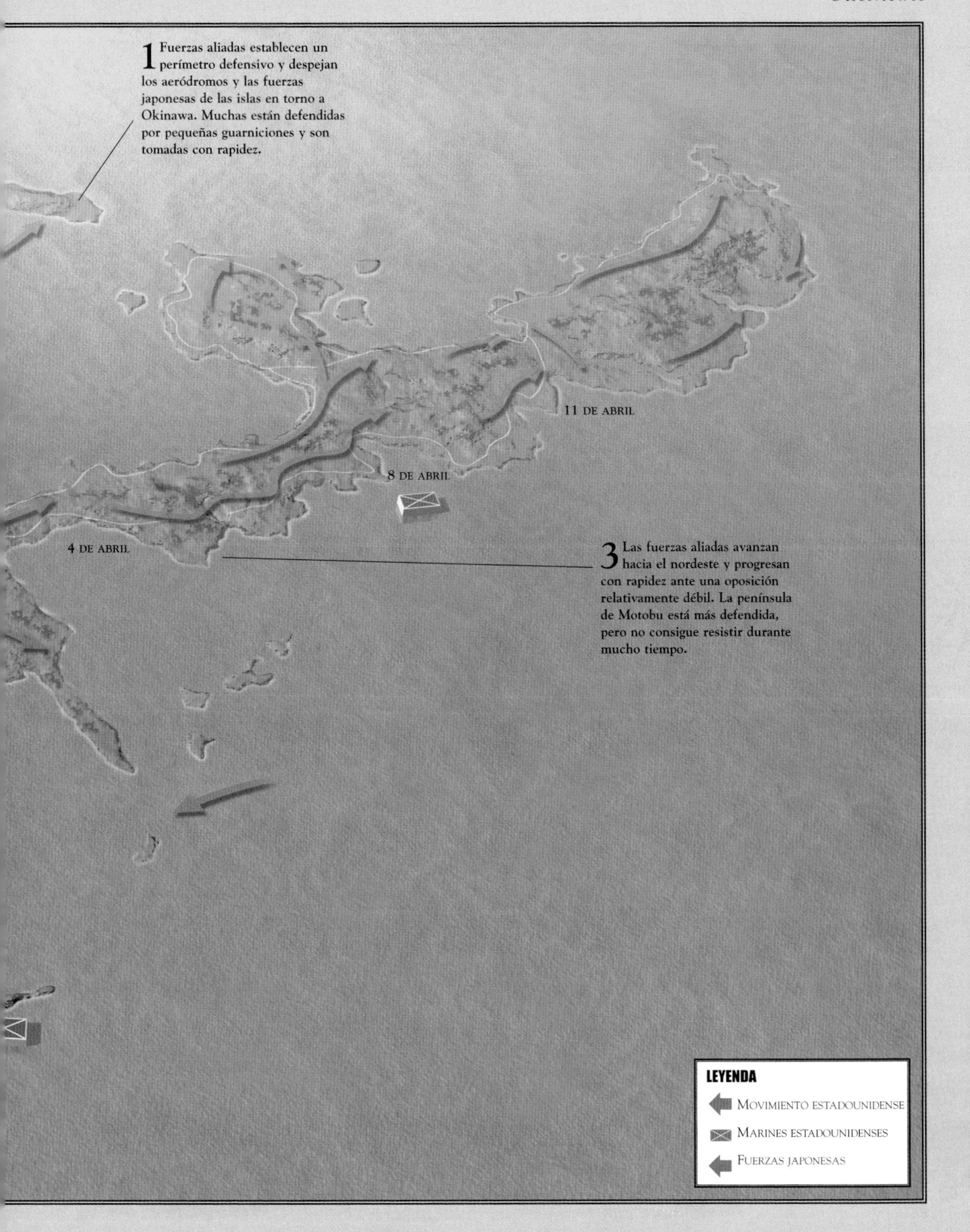
1 Fuerzas aliadas establecen un perímetro defensivo y despejan los aeródromos y las fuerzas japonesas de las islas en torno a Okinawa. Muchas están defendidas por pequeñas guarniciones y son tomadas con rapidez.
11 DE ABRIL
8 DE ABRIL
4 DE ABRIL
3 Las fuerzas aliadas avanzan hacia el nordeste y progresan con rapidez ante una oposición relativamente débil. La península de Motobu está más defendida, pero no consigue resistir durante mucho tiempo.
LEYENDA
Movimiento estadounidense
Marines estadounidenses
Fuerzas japonesas

ÍNDICE

Los números de página en *cursiva* se refieren a ilustraciones; los que están en **negrita** se refieren a ilustraciones de mapas con texto.